Das Auge des Dritten Reiches

Walter Frentz – Hitlers Kameramann und Fotograf

II. W. K. – Polen-Feldzug
„Führer-Kolonne" verläßt Berlin – Richtung Polen.
foto walter frentz
Fotos: Walter Frentz
3917
2. W. K

Berlin

Brandenb. Tor

Hitlers
Kurt

f = Fehlt!

Polen-Feldzug   foto walter frentz   Foto: Walter Frentz

37 Himmler 38 39 40 41 42

43 44 Dr. Brandt 45 46 Brandt 47 v. Below 48 Junge

49 Junge 50 Kempka 51 A.H. 52 A.H. 53 A.H. 54
Ca. 11./12.9.

55 56 Wolff Hoffmann 57 Darges 58 59 Rommel (Enge) 60
13.9.(?)

61 Junge 62 Kempka 63 Junge 64 65 66 Engel

67 Engel 68 Newel, Darges 69 Peiper 70 71 72

Das Auge des Dritten Reiches

Walter Frentz – Hitlers Kameramann und Fotograf

Herausgegeben von Hans Georg Hiller von Gaertringen

MIT BEITRÄGEN VON

Katrin Blum
Bernd Boll
Ludger Derenthal
Claudia Gochmann
Klaus Hesse
Hans Georg Hiller von Gaertringen
Kay Hoffmann
Klaus A. Lankheit
Karl Stamm
Matthias Struch
Jürgen Trimborn

Weltbild

Inhalt

Einleitung

Das vorliegende Buch versteht sich als kritische Annäherung an einen fotografischen Nachlass. Es gibt einen Überblick über das filmische und fotografische Schaffen von Walter Frentz. Frentz war Kameramann und verstand sich selbst als »Filmgestalter«. Er arbeitete für Leni Riefenstahl und gehörte von 1939 bis 1945 als »Kameramann des Führers« zum engeren persönlichen Umfeld Hitlers in den Hauptquartieren und an anderen Aufenthaltsorten. Im Dritten Reich blieb er weitgehend im Hintergrund. Dennoch kann er vor allem aus heutiger Sicht als einer der wichtigsten Bildpropagandisten des Nationalsozialismus gelten. Er steht damit neben prominenten zeitgenössischen Protagonisten der NS-Propaganda wie Leni Riefenstahl und Heinrich Hoffmann. 1936 drehte er den »Marathonlauf« für Riefenstahls »Olympia«-Film, im Juni 1940 für die »Deutsche Wochenschau« den »Freudentanz Hitlers«, als dieser in seinem Hauptquartier vom Waffenstillstandsersuchen des französischen Oberkommandos erfuhr. Im März 1945 machte er seine letzten Filmaufnahmen von Hitler, als dieser im Garten der Reichskanzlei Hitlerjungen für ihren Kampfeinsatz gegen die vor Berlin stehenden Verbände der Roten Armee auszeichnete. Als überzeugter Anhänger Hitlers und des Regimes stellte sich Frentz mit seinem Können uneingeschränkt in den Dienst des Nationalsozialismus, dessen verbrecherischer Charakter ihm spätestens seit einer Reise nach Minsk mit Himmler im August 1941 hätte klar sein müssen. 1944 machte er Aufnahmen im »Mittelwerk« bei Nordhausen, wo KZ–Häftlinge unter Aufsicht der SS Raketen als Hitlers letzte »Wunderwaffe« montieren mussten.

Neben der Arbeit als Kameramann fotografierte Frentz viel. Einige der fotografischen Arbeiten sind im engen Zusammenhang mit seiner offiziellen Filmtätigkeit zu sehen. Er bereitete Dreharbeiten vor, hielt bestimmte Bildeinstellungen für sich fest oder dokumentierte seine Filmarbeiten und -projekte. Die übrigen Fotos dienten einerseits der persönlichen Erinnerung, dokumentieren aber im Nachhinein gleichzeitig seine möglicherweise über die Aufgaben als Kameramann der »Deutschen Wochenschau« hinaus reichenden persönlichen Ambitionen als Produzent von Bildern. Viele seiner Aufnahmen sind für rein »private« Fotografien erstaunlich stilisiert und verherrlichen die nationalsozialistische Führungsschicht in einer Weise, die weitergehende Verwertungsabsichten nahe legt. Obwohl Frentz

eigenen Angaben zufolge nur »für sich« fotografierte, könnte man ihn angesichts seiner Bilder heute als Hitlers zweiten Hoffotografen »im Wartestand« klassifizieren, der nur zu bereit schien, Heinrich Hoffmanns oft starre fotografische Inszenierungen des Hitlerschen Führermythos durch eine stark von persönlicher Nähe geprägte, privatere und alltäglichere Sicht Hitlers gleichsam zu aktualisieren. Spekulierte er auf Veröffentlichungen und eine weitere Karriere als Fotograf nach dem »Endsieg«?

Kaum ein Foto von Frentz wurde vor 1945 veröffentlicht. Lediglich zwei Fotoausstellungen in Dresden und Berlin zeigten 1942 und 1943 einige Bilder von ihm, 1944 erschienen in der Farbillustrierten »Signal« zwei Fotografien. Über 20.000 Aufnahmen aus der Zeit bis 1945 hat Frentz hinterlassen. Es ist wahrscheinlich bzw. im Fall der Fotos aus dem »Mittelwerk« nachweisbar, dass der ursprüngliche Bestand nicht vollständig erhalten ist.

Die ersten Jahrzehnte nach dem Krieg boten Frentz kaum Gelegenheit, von seinen Fotos aus dem Dritten Reich Gebrauch zu machen. Vielmehr stand für ihn nach der tiefgreifenden historischen und persönlichen Zäsur des Jahres 1945 die erneute Suche nach Möglichkeiten zur Fortsetzung seiner Arbeit als Kameramann und Filmgestalter im Vordergrund. Eine ihn politisch exponierende öffentliche Nutzung seiner Fotos der NS-Zeit war vor dem Hintergrund dieser Bemühungen nicht opportun. Erst spät, in den 1990er Jahren, über achtzigjährig, schloss er einen Vertrag mit einem rechtsextremen Publizisten, der in seinem Verlag einige der Bilder in tendenziösen, das Dritte Reich und Hitler verklärenden Veröffentlichungen zum »Berghof«, zur »Wolfschanze« etc. verwertete. Frentz' Aufnahmen zeigen die Verbrechen des Nationalsozialismus nicht. Unkommentiert und ohne kritische Einordnung lassen sie sich vielmehr als fotografische Zeugnisse einer »heilen nationalsozialistischen Welt« rezipieren und sind damit als Illustrationsmaterial für rechtsextreme Erbauungsliteratur nur zu geeignet. Dieser Art des apologetischen, unkritischen oder bestenfalls naiven Umgangs mit Frentz' Bildern stellt das vorliegende Buch eine ernsthafte und nüchtern-distanzierte Auseinandersetzung entgegen. Dass eine kritische Annäherung in rechtsextremen Publikationen fehlt, verwundert nicht. Seine Farbfotografien prägen jedoch auch in den seriösen Print- und Bildmedien seit den 1980er und verstärkt seit den 1990er Jahren das Bild vom Dritten Reich mit, das bis dahin von den Produkten des Bildimperiums von Hitlers Leibfotografen Heinrich Hoffmann sowie der übrigen offiziellen Kriegs- und Propagandafotografie des NS-Regimes geprägt war. In deutschen und ausländischen Zeitschriften und politischen Magazinen wie »Stern«, »Spiegel« etc. sind Frentz' Fotografien zu finden, ohne dass über deren Entstehungskontexte oder Autorenschaft reflektiert worden wäre.

Durch Nachrufe in Zeitungen wurde der Deutsche Kunstverlag nach dem Tod von Walter Frentz 2004 auf ihn aufmerksam und nahm Kontakt zu seinem Sohn Hanns-Peter Frentz auf, der den Nachlass des Vaters verwaltet. Von Anfang an hat er das Vorhaben einer seriösen, kritischen Auseinandersetzung mit dem Werk seines Vaters unterstützt.

Ein Buch über Walter Frentz muss filmische, fotografische und historische Aspekte gleichermaßen berücksichtigen. Die unterschiedlichen Medien Fotografie und Film und die historische Rolle von Walter Frentz bei der Arbeit für Riefenstahl und Hitler legten es nahe, Autoren für alle drei Aspekte – Film, Fotografie und historischer Kontext – zu beteiligen. Auch ließ die problematische politische Konnotation seines Œuvres eine Annäherung aus unterschiedlichen Perspektiven sinnvoll erscheinen. Dabei sollten vor allem Frentz Fotos als von ihm gestaltete und »gemachte«, aufgrund ihres Entstehungskontextes politisch-symbolisch aufgeladene und interessegeleitete Abbilder, als selektive Interpretationen und persönlich subjektive Konstruktionen historischer Wirklichkeit erkennbar und in den Vordergrund gerückt werden. Die äußere Form des Fotografenbildbandes erschien dafür am geeignetsten.

Aus den über 20.000 Aufnahmen aus der Zeit des Dritten Reiches wurden etwa 300 Bilder für das Buch ausgewählt. Viele sind bislang unveröffentlicht. Andere wurden einbezogen, gerade weil sie schon oft publiziert wurden. Einige seiner Farbaufnahmen von Hitler, aber auch andere Fotografien sind mittlerweile zu »Ikonen« geworden. Die Autoren des vorliegenden Bandes ordnen sie in den historischen Kontext ein, in dem sie ursprünglich entstanden sind.

Allein mit Bildern von Frentz lässt sich keine illustrierte Geschichte des Nationalsozialismus schreiben, die besonders der Gewalt- und Verbrechensgeschichte des NS-Regimes gerecht würde. Von zentralen Ereignissen dieser Jahre gibt es keine Aufnahmen. Weder die Pogromnacht vom 9. November 1938 noch die Kämpfe des 2. Weltkriegs hat er fotografiert. Der Mord an den europäischen Juden wird in keinem seiner erhaltenen Fotos auch nur angedeutet. Die vorliegende Publikation ist sich darüber klar, dass sich ein vollständiges oder repräsentatives Bild der nationalsozialistischen Epoche mit Fotografien von Frentz nicht vermitteln lässt.

Im Vordergrund steht nicht zuletzt deshalb die Person Walter Frentz, seine Art zu filmen und zu fotografieren, seine Art, die Mächtigen des NS-Staates stilisierend zu inszenieren. Seine filmische und fotografische Handschrift, in der sich auch zeitge-

nössische Bildtraditionen spiegeln, wendete Frentz auf unterschiedlichste Sujets an. Die Chronologie der Ereignisse ist nur ein untergeordnetes Gliederungsprinzip dieses Bandes, wichtiger sind Techniken, Motive und Inhalte von Frentz' Arbeit. Nur so lässt sich begreifen, was seine frühen Kajakfilme, die Segelregattasequenz in »Olympia« und die Bilder Hitlers bei der Siegesparade in Warschau vereint. Daneben interessiert sich der Band auch für seine künstlerischen Prägungen und stilistischen Vorlieben und Techniken. Die scheinbar »neutralen« Quellen, als die seine Bilder bis heute quellenunkritisch rezipiert werden, werden so einer konkreten Person zugeordnet, die eine regimekonforme politische Haltung einnahm, die die Bildsprache ihrer Arbeiten maßgeblich mitgeprägt hat.

Das Arbeitsleben von Walter Frentz begann nicht 1933 und endete nicht 1945. In den frühen 1930er Jahren drehte er bereits Filme über das Kajakfahren, und nach 1945 – als der »Traumjob« (Gitta Sereny) als »Kameramann des Führers« »Geschichte« geworden war – neben öffentlichen Auftragsarbeiten erneut Wildwasser- und Kulturfilme. Zusätzlich war er als Vortragsreisender unterwegs. Es ist ein Verdienst des biographischen Beitrags des Filmhistorikers Matthias Struch vom Filmmuseum Potsdam, dass er unter Auswertung einer Vielzahl archivarischer und im Nachlass befindlicher Quellen die Brüche und Kontinuitäten in der privaten und professionellen Biographie von Walter Frentz sichtbar macht. Über die akribische Rekonstruktion von dessen Leben hinaus fragt er auch nach dem politischen Selbstverständnis von Frentz, der eine eigene politische Identität nachhaltig geleugnet hat. Auf der Basis intensiver Auswertung des bildlichen und schriftlichen Nachlasses vermeidet es der Beitrag, Mythen und Legenden erneut zu reproduzieren und nimmt besonders die außerordentlich problematischen Eigenaussagen von Frentz kritisch in den Blick.

Karl Stamm hat 1985 für das »Institut für den Wissenschaftlichen Film« in Göttingen ein Filminterview mit Frentz durchgeführt. Es war eines der wenigen Male, dass dieser sich öffentlich zu seiner Filmarbeit im Dritten Reich äußerte. Der Bonner Kunsthistoriker unterzieht im vorliegenden Band Frentz' wichtigsten eigenen Film erstmals einer genauen Analyse. »Hände am Werk«, ein Kulturfilm zum Thema Arbeit, ist 1934 im Auftrag der NSDAP entstanden. Der Film sollte anlässlich des neu eingeführten »Tages der Arbeit« die »deutsche Arbeit« feiern. In seiner Bildsprache ist er noch stark der Moderne verpflichtet und kann als eine Art Manifest der frühen filmischen Auffassung von Frentz gelten, die vor allem von der sowjetischen Avantgarde der 1920er Jahre geprägt war. Da die kulturpolitische Linie der Partei zu diesem Zeitpunkt noch nicht gänzlich festgelegt war, wurden Experimente und innovative »Anleihen« im technischen Arsenal des »bolschewistischen« Todfeindes noch toleriert. Auch in seiner Arbeit für Leni Riefenstahl konnte Frentz seine moderne Bildsprache zunächst noch weiterführen.

Jürgen Trimborn untersucht in seinem Beitrag am Beispiel von Frentz erstmals den Anteil der Kameraleute an Riefenstahl-

Filmen wie »Triumph des Willens« und »Olympia«. Hier zeigt sich, wie stark Frentz diese Filme vor allem durch seinen beim Kajakfahren erlernten, virtuosen Umgang mit der Handkamera mit geprägt hat. Einige Werkfotografien, die bislang als eigenhändige Aufnahmen der Regisseurin Riefenstahl galten, müssen Frentz zugewiesen werden. Zudem finden sich im Nachlass von Frentz viele Fotos, die eindrucksvoll zeigen, welcher inszenatorischen und technischen Mittel sich Riefenstahls Team bediente, um herkömmliche Massenaufmärsche zum politisch-symbolischen Kristallisationsereignis zu stilisieren.

Im September 1939 begleitete Frentz mit der Kamera Hitlers Kolonne nach Polen. Dies war der Beginn seiner fast sechsjährigen Tätigkeit als persönlicher Kameramann Hitlers. Ein sehr großer Anteil der Aufnahmen Hitlers, die in der »Deutschen Wochenschau« während des Krieges gezeigt wurden, stammt von Frentz. Statistisch gesehen enthielt jede fünfte Kriegswochenschau Aufnahmen von ihm. Kay Hoffmann, Filmhistoriker vom »Haus des Dokumentarfilms« in Stuttgart, fragt nach der Wirksamkeit der Frentzschen Filmpropaganda und kommt zum Ergebnis, dass die Überzeugungskraft der nationalsozialistischen »Wochenschau« heutzutage oft überschätzt wird. Kritisch wird der sorglose, zuweilen fahrlässige Umgang mit dem ideologisch gefärbten Filmmaterial in heutigen historischen Dokumentationen betrachtet. Aus Mangel an authentischeren oder gar »oppositionellen« Filmquellen greift man häufig auf Aufnahmen von Frentz zurück und präsentiert sie zuweilen als objektive Vermittlung damaliger Kriegswirklichkeit. Sie werden weder quellenkritisch hinterfragt noch in ihren Entstehungskontext eingeordnet. So prägt Frentz bis heute das öffentliche Bild Hitlers maßgeblich mit, ein fragwürdiger »später Triumph« (Gerhard Paul) der NS-Propagandabilder.

Der Beitrag des Historikers Klaus A. Lankheit vom Münchner Institut für Zeitgeschichte wendet sich dem heute wohl bekanntesten Teil des fotografischen Œuvres von Frentz zu, den meist farbigen Fotografien aus Hitlers Hauptquartieren. Lankheit stellt zunächst die Orte vor, an denen sich Frentz an der Seite Hitlers aufgehalten hat. Dargelegt werden die Atmosphäre in den »Führerhauptquartieren«, Abläufe und Entscheidungsstrukturen und es wird überprüft, inwieweit sie in Frentz' Bildern sichtbar werden. Durch Lankheits besondere Aufmerksamkeit für die Verbindung der Frentzschen »Hoffotografie« mit Bildtraditionen der Geschichtsmalerei des 19. Jahrhunderts wird ein neuer Blick auf das Material ermöglicht.

Der fotografischen Analyse von Frentz' Bildern widmet sich auch Claudia Gochmanns Beitrag. Seit ihrer »Entdeckung« durch die Medien in den neunziger Jahren und vor dem Hintergrund einer allgemeinen medialen Konjunktur historischer Farbfotografie haben Frentz' Fotos aus der »Wolfschanze« und vom »Berghof« gerade aufgrund ihrer Farbigkeit besonderes Interesse hervorgerufen. Die Berliner Kunsthistorikerin fragt, warum Frentz 1939 zum damals neuen »Agfacolor«-Film wechselte und diskutiert, welche Rolle die Hinwendung zur »Farben-

fotografie« für Frentz selbst gespielt haben könnte. Frentz war keineswegs der einzige deutsche Fotograf, der während des Krieges in Farbe fotografierte. Die Eigentümlichkeiten der Frentzschen Farbfotografie werden im Vergleich zu anderen Farbfotografen der Zeit, die meist als Kriegsberichterstatter tätig waren, deutlich. Gochmanns besonderes Interesse gilt schließlich den etwa 3.000 Farbporträts von Politikern, Militärs und Ritterkreuzträgern, die Frentz seit 1942 anfertigte.

Auf seinen häufigen Reisen während des Krieges führte Frentz stets Fotoapparat und Farbfilme mit sich. So entstanden Reisefotografien in Deutschland und fast allen besetzten Ländern Europas. Diese Reisen waren zum Teil offizieller Natur, etwa, wenn er für Speer und Hitler 1943 den Zustand des »Atlantikwalls« dokumentierte. Besondere Aufmerksamkeit muss einer Reise im August 1941 gewidmet werden, bei der er Heinrich Himmler nach Minsk begleitete. In dieser frühen Phase des Russlandfeldzugs hatten die »Einsatzgruppen« mit der Vernichtung der sowjetischen Juden durch Massenerschießungen begonnen. Himmlers Aufenthalt in Weißrussland diente der Inspektion und weiteren Planung der Morde. Frentz war auf dieser Reise bei einem Massaker vor Ort. Der Historiker Klaus Hesse von der Berliner Stiftung Topographie des Terrors fragt nach Gründen von Frentz' Mitreise. Obwohl weder die erhaltenen Fotos von Frentz noch fragmentarisch erhaltenes Filmmaterial die Erschießung zeigen, lassen sich Vermutungen anstellen, inwieweit ein Filmbericht über das Massaker der eigentliche Sinn von Frentz' Aufenthalt war. Der von Hesse untersuchte Inszenierungsstil von Frentz – besonders deutlich in den Fotos von Himmler und seiner Umgebung – gibt Auskunft über Frentz' Selbstverständnis als ergebener und eifriger Bildproduzent für die nationalsozialistische Führungsschicht.

1944 wurde Frentz von Albert Speer mit einem Farbfilm über die so genannten »Vergeltungswaffen« »V 1« und »V 2« betraut. Der Film war ausschließlich für die Vorführung innerhalb der NS-Nomenklatura bestimmt. Der Film ist verschollen, doch zahlreiche im Zusammenhang damit entstandene Farbfotos von Frentz sind erhalten. Der Freiburger Historiker Bernd Boll rekonstruiert erstmals den Inhalt des Films und klärt seine Rezeption im Dritten Reich. Die Fotos untersucht er als eigenständige historische Quellen und fragt nach dem Grad ihrer Inszeniertheit. Vor dem Hintergrund der öffentlichen Debatte über die Entschädigung für Zwangsarbeit im Dritten Reich sind sie in den letzten Jahren zu häufig verwendeten Zeugnissen geworden.

Gegen Ende des Krieges begann Frentz Zerstörungen in deutschen Städten, vor allem ihrer Baudenkmäler, in Farbaufnahmen festzuhalten. Er ist damit ein früher Vertreter der »Trümmerfotografie«, die in den ersten Nachkriegsjahren in der deutschen Fotografie eine wichtige Rolle spielte. Ausgehend von ersten Trümmerfotos, die Frentz bereits 1940 in Frankreich machte, betrachtet Ludger Derenthal, Direktor des Berliner Museums für Fotografie, die Bildserie und geht möglichen

Beweggründen für diese letzten Aufnahmen von Frentz in der Agonie des Dritten Reiches nach. Er verbindet Frentz' Trümmerbilder mit dem damals in Fotoratgebern postulierten Ideal des »guten Bildes« und vergleicht sie mit Aufnahmen anderer »Trümmerfotografen«.

In zahlreichen Publikationen sind Bilder von Frentz falsch datiert, nur selten wird auf ihre Entstehungsumstände eingegangen. Dies zeugt nicht nur von Desinteresse an einer quellenkritischen Behandlung von Bildern, sondern auch von einer weit verbreiteten Hilflosigkeit gegenüber dem Foto als historischer Quelle. Die Fotografien in den Bildteilen des Buches wurden von den Kunsthistorikern Katrin Blum und Hans Georg Hiller von Gaertringen ausgewählt, die auch sämtliche Bildkommentare und Einführungstexte zu den Bildteilen verfasst haben (mit Ausnahme der Bildkommentare zu den V-Waffen-Fotos von Bernd Boll). Dabei wurde versucht, für jedes Bild den Entstehungszeitraum, den Ort der Aufnahme sowie den historischen Kontext zu ermitteln und darzustellen. Deutlich werden die Möglichkeiten historischer Bildrecherche und deren Grenzen. Auch wenn man sich, angesichts von Lücken und anderer Defizite, darüber klar sein muss, dass Frentz die Überlieferung seines Werkes beeinflusst und »gestaltet« hat, ist die Ausgangssituation in seinem Fall vergleichsweise günstig. Frentz war gründlich. Zu jedem schwarzweißen und farbigen Negativfilm existiert ein Kontaktbogen, ordentlich abgeheftet. Schwieriger ist es bei den farbigen Diafilmen, zu denen keine Kontaktbögen existieren. Für die Negativfilme lässt sich grundsätzlich das Jahr, in dem der Film entstand, festlegen. Zuweilen hat Frentz auf den Kontaktbögen sogar Ort und Datum bestimmter Aufnahmen vermerkt. Viele der abgebildeten Personen sind identifizierbar. Aber auch wenn es gelungen ist, Bilder zu datieren, den Aufnahmeort festzustellen, den Grund für Frentz' Anwesenheit beim jeweiligen Ereignis zu ermitteln und die fotografischen Elemente zu analysieren, bleiben die Fotografien allzu eindeutiger Bedeutungszuweisung häufig genug versperrt.

»Ich war sein Auge.« So charakterisierte Walter Frentz selbst seine Rolle während des Zweiten Weltkriegs. Hitler habe ihn entsandt, um zu erfahren, was sich in der Welt außerhalb des Führerhauptquartiers abspielte. Frentz bezog sich damit auf Aufträge zur Dokumentation der V-Waffen-Produktion oder zu den Befestigungsarbeiten an der Atlantikküste. Auch wenn Frentz Hitler mit Hilfe von Filmen und Fotografien informierte, ist die Äußerung doch eine für Frentz nicht untypische Überhöhung der Bedeutung der eigenen Person. Hitler bediente sich einer Vielzahl von Informationsquellen, war stets misstrauisch und hätte sich niemals allein auf Frentz' Bilder verlassen.

Dennoch erscheint es in einem anderen Sinne berechtigt, Frentz als »Auge des Dritten Reiches« zu sehen. Seine Bilder zeigen die Innensicht, den Blick, den die Mächtigen selbst auf sich und ihre Umgebung hatten, ihre erwünschten Selbstbilder. Frentz hielt sich von 1939 bis 1945 ständig im Zentrum der Macht auf und wurde dabei ein Teil dieser besonderen Welt, deren Prägungen er aufnahm und die er in seinen Fotografien zum Bestandteil des eigenen Blicks werden ließ. Seine Fotografien von Hitler sind einerseits professionelle, systemkonforme Inszenierungen des »Führers« als historischer Figur. Andererseits sind sie, stärker als Frentz jemals bewusst war, im Vergleich z.B. zu den distanzierteren Fotografien Heinrich Hoffmanns auch Dokumente seiner intimeren persönlichen Sicht auf Hitler, die von Ergebenheit und Übereinstimmung gekennzeichnet war. Frentz fotografierte Hitler offensichtlich immer wieder auch so, wie er ihn persönlich empfand und privat verehrte.

Katrin Blum, Hans Georg Hiller von Gaertringen

Danksagung

Dieses Buch hätte ohne die Unterstützung vieler Menschen nicht entstehen können.

Hanns-Peter Frentz hat das Projekt von Anfang an mit großer Offenheit und viel Engagement unterstützt. Ohne seine hilfreichen, kompetenten und bemerkenswert nüchternen Aussagen und die uneingeschränkte Bereitschaft zu einer kritischen Auseinandersetzung mit dem Schaffen seines Vaters hätte dieses Buch nicht entstehen können. Die Bildvorlagen für den Band hat er unentgeltlich bereitgestellt.

Felix Hoffmann, Kurator des Ausstellungshauses »C/O Berlin«, hat in der Anfangsphase des Projektes wichtige Anregungen zur inhaltlichen Konzeption des Bandes gegeben. Zudem hat er es ermöglicht, dass sich die Autoren in den schönen und für diesen Zweck überaus geeigneten Tagungsräumen von »C/O Berlin« zweimal zu ganztägigen Colloquien zusammenfinden konnten. Jutta von Zitzewitz (Berlin) hat die für den Bildteil ausgewählten Bilder kritisch kommentiert und hilfreiche Hinweise gegeben. Michael Diers hat es ermöglicht, die für das Buch ausgewählten Bilder im Kreise seines kunsthistorischen Colloquiums an der Berliner Humboldt-Universität zu diskutieren. Klaus Hesse und Matthias Struch haben Bildkommentare und Einleitung kritisch gelesen, kommentiert und ergänzt. Hilfreiche inhaltliche Hinweise haben weiterhin folgende Personen gegeben: Martina Baleva (Berlin), Rudolf Herz (München), Richard Lakowski (Erkner), Henning Maruhn (Düsseldorf), Hubert Mock (Brixen) und Peter Piock (Meran).

Karl Schade vom Deutschen Kunstverlag hat das Buch angeregt und in seinem Entstehungsprozess konstruktiv begleitet.

Elisabeth Roosens, Gabriele Dornemann-Beitz, Katharina Stauder, Jens Möbius und Günther Langer vom Deutschen Kunstverlag sowie Merle Ziegler vom Gebr. Mann Verlag haben das Projekt in jeder Phase des anderthalbjährigen Entstehungsprozesses unterstützt und mitgetragen. Peter Nils Dorén (Dorén + Köster, Berlin) hat den Band layoutet und ist sensibel mit den sich aus der Thematik ergebenden gestalterischen Herausforderungen umgegangen.

Ihnen allen sei herzlich gedankt.

Hans Georg Hiller von Gaertringen

1 Unbekannter Fotograf: Frentz und Leni Riefenstahl bei den Dreharbeiten zu »Olympia«, 1936
handschriftliche Widmung von Leni Riefenstahl, 2000

MATTHIAS STRUCH

Walter Frentz –
der Kameramann des Führers

Eva Braun bemühte sich, den Führer zu unterhalten.
Sie versuchte den Fotografen Walter Frentz und ihre
Freundin Herta in ein Gespräch über neue Filme zu ziehen.
Hitler begann leise zu pfeifen.
Eva Braun behauptete: »Du pfeifst falsch.«

Erste Eindrücke vom »Berghof« (1943)
Traudl Junge, Hitlers Sekretärin, 1947

Der Kameramann und Fotograf Walter Frentz (1907-2004) prägt das Bildgedächtnis vom Dritten Reich. Kaum eine Filmdokumentation ohne Aufnahmen von Frentz. Kaum eine bebilderte Publikation ohne Fotografien von Frentz. Indessen sucht man seinen Namen in der Fachliteratur zum Nationalsozialismus meist vergebens. Angesichts des dauerhaft zunehmenden Interesses am Thema ist diese Leerstelle in den Personenregistern des Dritten Reiches erstaunlich.

Als Kameramann von Leni Riefenstahl, als Kulturfilmer und als Filmberichter für die Deutsche Wochenschau in unmittelbarer Umgebung Adolf Hitlers war Frentz an der Inszenierung nationalsozialistischer Ideologie maßgeblich beteiligt: Führer und Volk, NSDAP-Parteitag, 1. Mai, Olympia, Hitler als Parteichef, Hitler als Politiker, Hitler als Feldherr und so weiter. Und doch steht sein Name im Schatten von Leni Riefenstahl oder Heinrich Hoffmann.

Neben seiner Filmarbeit hat Frentz fotografiert, überwiegend für sich persönlich, meist ohne Auftrag. Es gibt tausende Fotos aus der Zeit von 1933 bis 1945, in Schwarzweiß und in Farbe. Mitunter zeigen sie Hitler als sympathischen Privatmann, seine Entourage, Eva Braun und seine Schäferhündin Blondi. Für die Öffentlichkeit waren die meisten dieser Bilder nicht gedacht. Fotoaufträge erhielt er von Hitler und Speer persönlich: Farbporträts der wichtigen Männer des Dritten Reiches, geheime Aufnahmen von Rüstungsprojekten und vom Atlantikwall – Bilder für den internen Gebrauch.

Nach 1945 wurde die Vortragstätigkeit zu Frentz' Haupterwerbszweig. Auf seinen Reisen hat er stets fotografiert. Mehr als vier Jahrzehnte tourte Frentz für Volkshochschule und Berliner Urania durch die Bundesrepublik. Er hielt Diavorträge über Städte, Landschaften und Architektur. Zehntausende haben ihm im Laufe der Jahre zugehört, seine Bilder gesehen. Daneben drehte er Kultur- und Industriefilme und 1952 noch einmal Olympische Spiele.

Doch Frentz war auch anderweitig präsent. Die Subkultur des Kajaksports verehrt ihn bis heute als Wildwasserlegende der 1920er und 1930er Jahre. Seine Leistungen hier: Erstbefahrungen von Flüssen, Aufbau einer landesweiten Organisationsstruktur, Wildwasserfilme. Bis ins hohe Alter hielt er, organisiert von den Vereinen, Lichtbildvorträge und zeigte seine Filme.

Ende der 1960er Jahre wurde er als Zeitzeuge entdeckt, zunächst aufgrund der Nähe zu Hitler, dann wegen seiner Zusammenarbeit mit Riefenstahl. Und er gab gern Auskunft. Er erzählte seine Geschichte(n), stoisch und unbeirrt, kaum getrübt durch Reflexion über das eigene Tun. Aussagen von Zeitzeugen sind bekanntlich problematische Quellen: Ausblenden und Vergessen, Beteiligung und Rechtfertigung, Selbstbetrug, das Stricken an eigenen Mythen. Frentz' Äußerungen blieben sich immer sehr ähnlich, bis in die Formulierungen hinein – Textbausteine einer Erinnerung. Vieles ist nicht überprüfbar, anderes offensichtlich nachträglich geschönt und verfälscht. Persönliches, Privates blieb ausgeklammert. Als Mensch gab er sich nicht preis. Das Bild von Walter Frentz bestimmte im Wesentlichen Walter Frentz selbst.[1]

Biographische Frentz-Forschung ist Reiseforschung. Seine Itinerare sind seine Negativ- und Kontaktabzugalben – bereits zur Entstehungszeit angelegt, fast lückenlos und zum Teil datiert –, seine Filmaufnahmen und Tagesberichte, seine Pässe, Fahrtenbücher, Kalender und Adressbücher. Aber auch Hitlers Aufenthalte und Routen im Verlauf des Zweiten Weltkriegs. Wo der Führer war, war meist auch sein Kameramann. Der Tageskalender von Frentz für die Jahre 1927-1945 ist seit der Arbeit an einem Filmporträt über Frentz 1992 verschwunden – Verlust einer einzigartigen Quelle. Mit ihr wäre das Bild von Frentz im Dritten Reich schärfer. Der Vorgang ist ungeklärt. Lediglich zwei transkribierte Seiten stehen heute zur Verfügung sowie Einträge aus dem Kalender, die im Film zitiert werden.[2]

In der Memoirenliteratur der überlebenden Protagonisten des Dritten Reiches taucht Frentz nur selten auf. Über die Gründe hierfür kann man nur spekulieren: Einer wäre vielleicht Frentz' unmittelbare Nähe zu Hitler, eine Nähe, der man sich selbst durch Bezugnahme auf den Kameramann nicht aussetzen wollte. Möglich wäre auch die Rücksicht der früheren Kollegen – Frentz war seit 1947 in der Öffentlichkeit tätig. Dies wäre durch eine Offenlegung seiner Rolle im Nationalsozialismus möglicherweise gestört worden.

Heute ist eine Neubewertung von Walter Frentz möglich. Sein Sohn Hanns-Peter Frentz hat das Archiv geöffnet.[3]

2 Unbekannter Fotograf: Frentz als Schüler (4. Reihe, 4. von rechts), 1919/20

Vom Kajak zur Kamera

Walter Albert Frentz wird am 21. August 1907 in Heilbronn geboren. Früh begeistert er sich für Wassersport und Fotografie. Die Faszination des Kajakfahrens lernt er als Zuschauer einer Ruderregatta kennen.[4] Mit neun Jahren erhält er seine erste Kamera, die Fotografie ist fortan sein Hobby. Der Vater arbeitet als Koch mit wechselnder Anstellung im württembergischen, pfälzischen und badischen Raum. Die Familie zieht häufig um. Viele Male muss das Einzelkind die Schule wechseln. Bewegung und Rastlosigkeit haben Frentz geprägt. Zeit seines Lebens ist er unterwegs, beruflich und privat.

Um 1919 siedelt sich die Familie in Ludwigshafen an. Über die Jugendbewegung findet Frentz 1923 zum aktiven Kajaksport. Seine Motivation beschreibt er später: »Die Zwanziger Jahre waren die Blütezeit der Jugendbewegung. Aus den Kriegserlebnissen und einem tiefen Misstrauen gegen die Technik, die das Massenabschlachten zwischen 1914 und 18 ermöglichte, suchte die Jugend das Naturerlebnis.«[5] Inmitten der Inflationszeit kauft er sein erstes Faltboot. 1924 ist er mit einer Wasserwandergruppe auf dem Neckar, der Elsenz und dem Rhein unterwegs, 1925 folgt die erste große Ferienfahrt auf der Donau, von Ulm nach Wien. Frentz wird nunmehr fast jedes Jahr Flüsse, Bäche und Seen in Europa befahren.

1926 legt er sein Abitur ab. Bereits als Junge ein leidenschaftlicher Bastler, fasziniert ihn die Elektrotechnik. Ab 1927 studiert er das Fach an der Technischen Hochschule (TH) München. Euphorisch erblickt er in den Leistungen der Ingenieure ein »geheimnisvolles technisches Wunderwerk«.[6] 1928 gründet er eine Kajak-Hochschulgruppe und initiiert noch im selben Jahr als landesweite Organisation den Hochschulring Deutscher Kajakfahrer (HDK).[7] Bald sind im HDK Wassersportler von zahlreichen deutschen Universitäten und Hochschulen organisiert, die gemeinsam Ferienfahrten unternehmen. Frentz selbst spricht von der »Wildwasser-Elite«.[8]

1930 wechselt er an die TH Berlin. Mit der dortigen Hochschulgruppe folgen Fahrten auf märkischen Gewässern, der Ostsee und die erste große Jugoslawienfahrt: zur Save und Neretva, die Adriaküste entlang von Dubrovnik nach Kotor und zu den Schluchten der Drina und des Vrbas. Jugoslawien, mit seinen zerklüfteten Tälern noch unbekanntes Terrain für Kajakfahrer, wird ein von Frentz und seinen Sportsfreunden bevorzugtes Ziel: »Höhepunkt für den Wildwasserfahrer ist die Schlucht. Was für den Bergsteiger der Gipfel, ist für den Wildwasserfahrer die Schlucht, die tiefste Stelle des Berges.«[9]

Unter den Berliner Kanusportlern sind auch Architekturstudenten. Frentz freundet sich mit Hanns-Peter Klinke an, einem Schüler von Heinrich Tessenow. Gemeinsam gehen sie auf Reisen und Wildwassertouren. Wohl durch Klinke eingeführt, nimmt auch ein Assistent von Tessenow an den Fahrten der Hochschulsportgruppe teil: Albert Speer.[10] Doch Wildwasser war Speers Sache nicht, gibt Frentz später oft und gern zum Besten. Neben Klinke wird auch Carl-Egon Esser, ebenfalls Kajakfahrer, ein enger Freund von Frentz. Jahre nach Essers Tod im Zweiten Weltkrieg wird er dessen Witwe heiraten und Stiefvater der Kinder werden.

1931 werden Frentz und seine sportlichen Mitstreiter als Statisten für Aufnahmen von Wildwasserfahrten auf Flüssen in der Steiermark verpflichtet. Den Spielfilm »Die Wasserteufel von Hieflau« (D 1932) beschreibt Frentz 1952 als »großen Film-Kitsch. [...] Die sportlichen Szenen [...] mit unseren Wildwasserfahrten, Sportstudentinnen der Hochschule für Leibesübungen und Wiener Kajakkameraden, waren zwar durchaus beachtlich und von dem Kameramann [Eugen] Schüfftan [...] auch künstlerisch gesehen worden, aber gegen eine unmögliche »Spielhandlung« und Besetzung mit völlig unsportgemäßen »Hauptdarstellern« und eine miserable Regie war eben nicht anzukommen.«[11]

Die frühesten erhaltenen Fotos von Frentz sind 1926 entstanden, im Wesentlichen auf Reisen und Paddeltouren. Neben der Wasserfahrt selbst und dem technischen Aspekt des Kajaksports zeigen sie Landschaften, aber auch Porträts und Gruppenbilder, Impressionen vom Zelten, von idyllischen Marktplätzen oder Fachwerkhäusern. Frentz versteht seine Bilder zunächst als Mittel, um andere für den Sport zu begeistern. Er hält Lichtbildvorträge, Fotos werden in Sportzeitschriften veröffentlicht.[12] Von 1930 bis 1932 berichtet Frentz öfters über seine Jugoslawienreisen und das Wildwasserfahren. Er schreibt, dass »das Hochziel reinster Kampfestätigkeit und Kampfesfreude, der Kampf mit den ungebändigten und unberechenbaren Naturkräften, mit dem tobenden Element droben zwischen den Bergen oder draußen auf sturmgepeitschter See allein mit dem Kajak zu führen ist. Wo gerade dort auch das Feld liegt, auf dem die »männlichen Tugenden der Kameradschaft, Zähigkeit, Geistesgegenwart und Entschlossenheit« nicht nur entwickelt, sondern auch auf eine harte und ernste Probe gestellt werden.«[13] Mit diesem Hohelied auf Manneskraft und Kampf hat sich Frentz von den Beweggründen, die ihn zum Kajaksport führten, entfernt.

Zum Fotografieren kommt bald das Filmen hinzu. Bei einer Kanufahrt schenkt ihm 1929 ein »reicher südamerikanischer Student« (W.F.), Leo Quincke aus Montevideo, seine 16-mm-Filmkamera.[14] Frentz interessiert am neuen Medium, die Dynamik der Wasserfahrten filmisch bewegt aufnehmen zu können. Er beginnt, Wildwasser- und Kajakfilme zu drehen. Vom HDK organisierte Vorführungen finden in Hörsälen von Hochschulen und Universitäten statt. Nicht alles aus Frentz' Anfängen als Kameramann ist überliefert. Als sein erster Film gilt »Wildwasserparadiese Österreich und Jugoslawien« (D 1932). Das Presseberichten zufolge »bahnbrechende Werk«, ein »Markstein der Schmalfilmkunst [...] richtungsweisend für den künftigen Sport- und Schmalfilm«, läuft 1932 während der Olympischen Spiele in Los Angeles.[15] Im März 1932 bewältigen Frentz und seine Mitstreiter in Südfrankreich die Erstbefahrung des Grand Canyon du Verdon und eine Erschließungstour auf der Durance. Aus den Filmaufnahmen entsteht »Durch Felsendome zum Mittelmeer« (D 1933).

Doch Frentz will ins Kino, will vor größerem Publikum im 35-mm-Format Werbung für seinen Sport machen. Die Kajakfahrer brechen erneut nach Jugoslawien auf, zur Erstbefahrung der 50 km langen Taraschlucht in Montenegro. Frentz hat das erste Mal eine 35-mm-Kamera dabei. Nach der Reise entsteht der Tonfilm »Wildwasserfahrt durch die schwarzen Berge« (D 1933). Die Ufa ist interessiert, verlangt nach Frentz' Aussage jedoch für das Kulturfilm-Vorprogramm eine Kürzung von 25 auf 15 Minuten. Er lehnt ab und geht zur Niederlassung der amerikanischen Universal Pictures in Berlin. Produktionschef Joe Pasternak ist begeistert und zahlt für den Film die für Frentz enorme Summe von 10.000 RM. Der Kajakenthusiast hat seinen ersten Kinofilm als Kameramann und Produzent verkauft. Walter Frentz ist 25 Jahre alt.

Von Nürnberg ins Führerhauptquartier

1933 ist ein gutes Jahr für Walter Frentz. Am 3. Januar hat »Wildwasserfahrt durch die schwarzen Berge« Premiere, als Vorprogramm zum Eskimofilm »Iglu – Das ewige Schweigen« (Regie: Ewing Scott, USA 1932), mit großen Erfolg.[16] Am 19. Januar läuft »Wildwasserparadiese in Österreich und Jugoslawien« vor 1.100 Zuschauern an der TH Berlin.[17] Am selben Ort wird eine Woche später »Durch Felsendome zum Mittelmeer« uraufgeführt. Vier Tage danach ist Adolf Hitler Reichskanzler. Die Nationalsozialisten sind an der Macht.

Im Vorjahr hatte Frentz das Studium beendet. Als Elektroingenieur sei er nun von Arbeitslosigkeit bedroht gewesen, wie er später immer wieder betont. Doch seine Kajak-Filme verhelfen ihm zu einem neuen Beruf. Er wird Kameramann. »Wildwasserfahrt durch die schwarzen Berge« hatte die Ufa auf ihn aufmerksam gemacht. Sie bietet ihm am 1. April 1933 an, für den Kulturfilm »Wasser hat Balken« (D 1933) mit der MS Hamburg der HAPAG nach New York zu fahren. Er soll Aufnahmen von sich unbeobachtet fühlenden Passagieren machen. Seine be-

sonderen, bei den Kanufilmen erarbeiteten Fähigkeiten im Umgang mit der beweglichen Handkamera kommen ihm – wie später noch häufig – zu Gute. Nicht nur Leni Riefenstahl engagiert ihn aus diesem Grund.

Noch vor der Reise, im April und Mai, wird im Zuge der Gleichschaltung auch im HDK umorganisiert. Vorbehaltlos unterstützt man die neuen Machthaber. Die »Abkehr von der Überfremdung durch Artfremde« verläuft »reibungslos«, wie Schriftleiter Hugo Schmidt meldet.[18] Eine Satzungsänderung verfügt »betr. Judenfrage [...]: ›Die Aufnahme in den HDK. setzt deutsche Volkszugehörigkeit voraus; Juden werden nicht aufgenommen‹ [...] 23. April 1933. Die Hauptleitung. gez. Walter Frentz.«[19] Es ist ein üblicher Vorgang in dieser Zeit, in der das Verhältnis zur neuen Ordnung bestimmt wird – vorauseilender Gehorsam, Anbiederung oder oft Ausdruck eigener Überzeugung. Frentz teilt vermutlich den Antisemitismus weiter Teile der Bevölkerung, der schon in der Weimarer Republik verbreitet war. Doch aus passiver Haltung wird nun aktive Unterstützung von Hitlers Rassenpolitik. Wohl auch aus Angst um die

3 Kajakfahrer, um 1930

4 Frentz' erstes Foto von Adolf Hitler, auf dem Nürnberger Flugplatz, September 1933

5 Unbekannter Fotograf: Frentz (in der hinteren Lore) bei Dreharbeiten zu »Hände am Werk«, 1934

Eigenständigkeit des HDK geht der Opportunismus der Verantwortlichen weit. Neben der Aufnahme des Arierparagraphen verkündet HDK-Fahrtenwart Frentz im Mai in einer weiteren Mitteilung das Bekenntnis des Verbandes zum »Leistungs- und Führerprinzip« sowie zum »Dienst am Volkstum«.

Das Programm liest sich wie ein kleiner »Mein Kampf« für Kajaksportler, wenn es einige Leitgedanken aus Hitlers Kampfschrift von 1924 aufgreift, propagiert und auf Vereinsebene durchzusetzen versucht. Zudem betont Frentz, dass man bestimmte Prinzipien schon lange vor 1933 gepflegt habe. Stolz wird erklärt, die »drei Grundpfeiler der HDK-Idee«, die »heute zum Pflichtbestandteil aller Sportverbände geworden« seien, »sämtlich und fast als einzige Sportgemeinschaft bereits seit unserer Gründung auf unseren Wimpel geschrieben zu haben«. Wie »ehedem« fordert HDK-Führer Frentz »heute noch das gleiche«. So wird die Abschaffung des »Biervereinsparlamentarismus« verlangt, dem man die »ziel- und sportbewußte einheitliche Führung durch die Tatkräftigsten« entgegensetzen will. Denn: »Es sind immer nur einzelne, die eine Idee vorwärtstreiben, die Masse kann nur wiederkauen, was sie vorgesetzt bekam.« Zum Schluss heißt es: »Heraus über die Grenzen von Versailles zu unseren Brüdern, die in stetem Kampf ums Deutschtum stehen, und ihnen den Rücken stärken helfen! (Wir hatten bisher die stärkste Grenzlandtätigkeit aller Wassersport- und studentischen Organisationen.) – Wo deutsches Volk, ist für uns deutscher Raum! Und immer wieder: Vorne Bleiben!!! Walter Frentz«.[20]

Im Juni 1933 erfolgt die Überfahrt nach New York. Frentz filmt und fotografiert das Leben an Bord. In der Stadt macht er Fotos von Sehenswürdigkeiten, vor allem von Architektur. Kurz nach der Rückkehr am 7. Juli fährt Frentz mit Esser und Klinke zu Dreharbeiten für den Ufa-Kulturfilm »Die Wildwasser der Drina« (D 1934) nach Jugoslawien. Sie spielen sich selbst: Kajakfahrer. Noch im selben Jahr belohnt der jugoslawische König Alexander I. Frentz' Engagement für die touristische Erschließung des Landes mit dem Orden vom Heiligen Sawa.[21]

Wieder daheim wartet bereits die nächste Aufgabe. Leni Riefenstahl verpflichtet Frentz als Kameramann für »Sieg des Glaubens« (D 1933), den Film über den NSDAP-Parteitag in Nürnberg. Sein Paddelfreund Albert Speer hatte die Kajakfilme gesehen und ihn Riefenstahl empfohlen. Frentz kennt Riefenstahl aus Arnold Fancks Berg- und Naturdramen. Als Schauspielerin hatte sie ihn nicht sonderlich beeindruckt, wohl aber durch ihr »großartiges« (W.F.) Regiedebüt »Das blaue Licht« (D 1932). Beide einigen sich über eine Zusammenarbeit. »Und dann haben wir uns sehr gut verstanden in der Auffassung, dass der Film eine Partitur ist, bei der die Kamera Primat haben muss.«[22] Der Parteitag findet im September in Nürnberg statt. Chefkameramann ist Sepp Allgeier. Frentz macht seine ersten Fotos von Adolf Hitler: Der Führer inspiziert mit seinem Piloten Hans Baur ein Flugzeug.

1934 erhält Frentz einen Auftrag der Reichspropagandaleitung der NSDAP. Anlässlich des »Nationalen Feiertags des deutschen Volkes« am 1. Mai soll ein Film entstehen. Ein Jahr zuvor hatten die Nationalsozialisten den gesetzlichen »Feiertag der nationalen Arbeit« geschaffen. Die offizielle Feier zum 1. Mai findet als Staatsakt auf dem Tempelhofer Feld in Berlin statt. Höhepunkt ist eine Rede Adolf Hitlers, Frentz soll das Ereignis dokumentieren. Doch die Kameramänner der Wochenschau, die ihn unterstützen, filmen »stinklangweilige, marschierende Arbeiterkolonnen«. Den Aufnahmen fehle »jeder filmische Reiz«, mit ihnen sei »niemals ein Film zu gestalten« (W.F.)[23]. Bald kann Frentz die Verantwortlichen mit einem anderen Konzept überzeugen. Er will einen »Querschnitt durch die deutsche Arbeit« zeigen. Schlusspunkt »seines filmischen Liedes von der Arbeit« soll die Maifeier und Hitlers Rede sein.[24] Fast das ganze restliche Jahr geht er für »Hände am Werk« (D 1935) in Deutschland auf Motivsuche, filmt und fotografiert arbeitende Menschen, »vom höchsten Arbeiter auf der Zugspitze, dem Meteorologen, bis zum tiefsten in der Zeche in der Mine«.[25] Für die Musik kann er Walter Gronostay gewinnen, einen Schüler von Arnold Schönberg, dessen Musik zu »Dood Water« (Regie: Gerard Rutten, Niederlande 1934) ihn beeindruckt hatte.[26] Gronostay schreibt später auch Musik zu den Olympia-Filmen von Junghans und Riefenstahl.

Im Rückblick erzählt Frentz, dass die Reichspropagandaleitung der NSDAP ihn als jungen, hoffnungsvollen und unpolitischen Filmemacher gegen Riefenstahl aufzubauen versucht habe. Die Regisseurin hatte den Auftrag für den Reichsparteitagsfilm unter Umgehung der Instanzen der Reichspropagandaleitung von Hitler direkt erhalten. Deshalb sei dort die Idee entstanden, zu beweisen, dass die Partei auch alleine eine derartige Aufgabe lösen könne.[27] Belege für den von Frentz überlieferten Plan, der sicherlich nicht ohne Wissen und Anteilnahme des Reichsministers für Volksaufklärung und Propaganda Joseph Goebbels hätte umgesetzt werden können, haben sich bisher nicht gefunden. Wäre Goebbels tatsächlich an Frentz als Gegenspieler zu Riefenstahl interessiert gewesen, hätte es in seinen Tagebüchern eine häufigere Erwähnung seiner Person und des Vorgangs gegeben.[28] Zu Frentz direkt findet sich lediglich ein Eintrag von 1943 im Zusammenhang mit Filmaufnahmen von Wehranlagen am Brenner.[29] Auf den Film »Hände am Werk« kommt Goebbels nur ein einziges Mal zu sprechen und bezeichnet ihn lediglich als »gutgemeinte Propaganda«.[30] Frentz dagegen wird öfter berichtet, dass der Minister nach der Sichtung des Films gesagt haben soll: »Der Frentz ist ein halbes Genie.«[31]

Seine Mitwirkung bei Riefenstahls zweitem Parteitagsfilm »Triumph des Willens« (D 1935) unterbricht die Arbeit an »Hände am Werk«. Wie in »Sieg des Glaubens« zeichnet Frentz vorwiegend für die Handkamera verantwortlich. Seine Bilder des durch Nürnberg fahrenden Reichskanzlers werden in der zeitgenössischen Presse gelobt: »Im ›Triumph des Willens‹ erlebte er [W.F.] dann seinen größten Triumph: die unvergeßliche Fahrt des Führers [...] so packend und angepackt, als hätte der Operateur Frentz den Strom des Lebens und nicht Zelluloid in seine Kassetten gezwungen.«[32] Im Film-Kurier spricht Frentz von den Aufnahmen als »schönste Aufgabe und das größte Erlebnis meiner bisherigen Arbeit überhaupt«.[33]

Nur noch wenig Zeit findet er für seine sportliche Leidenschaft. Im Dezember 1934 tritt er als »Ringführer« des HDK zurück: »Mein Beruf und das mir dabei von höchster Stelle entgegengebrachte Vertrauen verlangen eine restlose Hingabe an meine Arbeit. So vermochte ich leider bereits in den vergangenen Monaten nicht mehr die gleiche Mitarbeit für meinen HDK zu leisten wie früher und wie ich es selbst verlange. Führer sein heißt aber nicht ›repräsentieren‹, sondern fanatischer Einsatz für die Verwirklichung einer Idee.«[34] Am 16. November wird Frentz Mitglied in der Reichsfachschaft Film. Mit der Beitrittserklärung bestätigt er obligatorisch seine »arische Abstammung«.

Anfang 1935 stellt Frentz »Hände am Werk« fertig. Die Uraufführung findet am 3. März in Saarbrücken statt, dann am 8. September in Berlin im Ufa-Palast am Zoo. Die Filmpresse reagiert

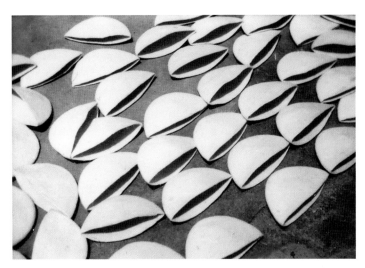

6 Mützen von Einheimischen, Albanien, Sommer 1935

positiv. »Der Bildgestalter Walter Frentz hat verstanden, den kulturellen Wert der Arbeit einem jeden nahezubringen, ohne auf Mätzchen und bekannte Einstellungen zu verfallen. [...] Das ist die Stärke des Films, daß er keinen Augenblick kalt lässt, keine Minute langatmig oder langweilig ist.«[35]

Auftraggeber für Frentz' nächsten Film ist wiederum die Reichspropagandaleitung der NSDAP, in Gemeinschaft mit der Reichsjugendführung. Er soll eine Kanugruppe der Hitlerjugend nach Albanien begleiten. Mit ihr dreht er im Sommer 1935 seinen letzten größeren Kajak-Film für das Kino: »Fahrtenbuch Albanien« (D 1936).[36] Im Oktober ist er für Nachaufnahmen (Flugbilder) noch einmal im Land. In einem Telefoninterview für den Filmkurier berichtet Frentz von der »Begeisterung des albanischen Volkes für Deutschland«, die er bei der Erstaufführung von »Triumph des Willens« in Tirana erlebt haben will.[37] Frentz nimmt »Fahrtenbuch Albanien« nach 1945 in seine Kanufilmografie auf und zeigt ihn bei seinen Vorträgen.

Zwischen seinen eigenen Filmen und anderen Projekten arbeitet Frentz für die Ufa-Wochenschau. Am 11. September 1935 beginnt der IX. Parteitag der NSDAP in Nürnberg. Riefenstahl hat für ihren dritten Parteitagsfilm »Tag der Freiheit! – Unsere Wehrmacht!« (D 1935) neben Frentz auch Guzzi Lantschner, Hans Ertl und Willy Zielke für Aufnahmen der Wehrmachtsübungen verpflichtet. Die Arbeiten dauern nur einen Tag. Für Frentz ist die Begegnung mit Zielke von besonderer Bedeutung. Dieser hatte kurz zuvor seinen Eisenbahnfilm »Das Stahltier« (D 1935) im Auftrag der Deutschen Reichsbahn fertiggestellt. Der nach Loiperdinger »wohl wundersamste Film, der im Dritten Reich gedreht wurde«, war im Sommer 1935 von den Auftraggebern aufgrund des avantgardistischen Stils nicht frei gegeben worden.[38] Für Frentz wird der Film zu einem wichtigen Bezugspunkt in der eigenen künstlerischen Selbstbestimmung.

1936 ist das Jahr der Olympischen Spiele. Bereits Ende des Vorjahres hatte Frentz an einem der zahlreichen Werbefilme für die Spiele mitgewirkt. »Die Glocke ruft« (D 1936) erhält das Prädikat »staatspolitisch wertvoll«. Frentz wie auch Ertl und andere werden für die offiziellen Filme über Winter- und Sommerspiele als Kameramänner engagiert. Lassen sich über Frentz' Beitrag zu Carl Junghans' »Jugend der Welt« (D 1936) aufgrund stilkritischer Erwägungen nur Vermutungen anstellen, kennt man einige seiner Anteile an Riefenstahls »Olympia« (D 1938) genau. Hier gehört er mit Ertl, Lantschner, Kurt Neubert und Hans Scheib zu den Chefkameramännern. Neben Szenen aus dem olympischen Dorf in Döberitz ist Frentz für die Aufnahmen der Segelregatten in Kiel verantwortlich. »Ich bin im Training mitgefahren, damit der Schauer im Kino den Segler erlebt und nicht nur die vorbeifahrende Flotte. [...] Wir konnten, wenn wir selbst in das Boot gehen, das erleben, was der Segler macht. Beispielsweise das Hochgehen der Wellen vor dem Boot. Oder wie der Wind in die Segel reingeht, was da für eine Segelform entsteht. Das ist viel interessanter für den Zuschauer, wenn er

7 Unbekannter Fotograf: Frentz bei den Dreharbeiten zu »Olympia«, Sommer 1936

mitsegelt«.[39] Für die Marathonszenen konstruiert Frentz einen Drahtkorb, in dem die Läufer während des Trainings eine Kleinkamera mit sich herumtragen, die sie selbst auslösen können. So sind Sequenzen aus ihrer Körperachse und ihrem Blickwinkel heraus möglich. Doch auch im Stadion und an den anderen Wettkampfstätten plant und realisiert Frentz Aufnahmen. Im Anschluss an die Spiele ist er an den Dreharbeiten zum Prolog von »Olympia« beteiligt, den Zielke eigenverantwortlich herstellt. Gedreht wird auf der Kurischen Nehrung. Ertl, Frentz und Riefenstahl sind zumindest teilweise vor Ort. Alle vier werden später unterschiedliche Ansichten über ihre Anteile am Prolog vertreten. So gibt Frentz an, dass es seine Idee gewesen sei, auf der Kurischen Nehrung zu drehen. Frentz macht nicht nur Filmaufnahmen, sondern begleitet sowohl die Spiele als auch die Arbeiten zum Prolog mit der Fotokamera.

Frentz' Arbeit macht sich bezahlt. Das zwei Jahre zuvor erworbene Adler Trumpf Junior Cabriolet (30 PS) kann 1936 gegen ein größeres Hanomag Sturm Cabriolet (50 PS) getauscht werden. Frentz ist gut im Geschäft.

Die beiden nächsten Jahre sind geprägt von Frentz' Mitarbeit an Kulturfilmen wie »Giganten der Landstraße« (D 1938) und »Deutsches Weinland« (D 1939) sowie von der Arbeit an den eigenen Filmen »Artisten der Arbeit« (D 1938) und »Segelflieger auf der Wasserkuppe« (D 1939). Er ist viel unterwegs. Für »Giganten der Landstraße« dokumentiert er 1937 die 2. Internationale Deutschlandrundfahrt der Profiradrennfahrer, für »Deutsches Weinland« bereist er deutsche und österreichische Weinanbaugebiete. Auch »Artisten der Arbeit«, den er gemeinsam mit Rudi Schaad für die Ufa herstellt, führt ihn durchs Land. Er kehrt zum Thema von »Hände am Werk« zurück, jedoch wesentlich spielerischer und entspannter. Die Helden des Films sind Menschen, die in großer Höhe arbeiten: Brückenbauer bei der Reichsautobahn, Denkmalschützer am Kölner Dom, Gerüstbauer, Schornsteinfeger und auch die Filmemacher selbst, die in ebenso luftiger Höhe die Aufnahmen machen, bei ihrer Arbeit zu Artisten werden. Der Film ist weitgehend frei von ideologischen Parolen, was sicherlich auch dem Kommentator Werner Finck zu verdanken ist. Ihm war Frentz bereits bei den Dreharbeiten zu »Die Wasserteufel von Hieflau« (D 1932) begegnet. 1935 hatten die Nationalsozialisten Fincks Kabarett »Katakombe« in Berlin geschlossen und ihn für kurze Zeit im Konzentrationslager Esterwegen interniert. Er erhielt ein Jahr Berufsverbot. Als Frentz mit ihm zusammentrifft, wirkt der Kabarettist wieder in seinem Metier. Er ist von Fincks Spöttereien sehr beeindruckt. Fast zur gleichen Zeit, in der Frentz mit dem Regimegegner Finck zusammenarbeitet, unternimmt er mit Hitlers Begleitarzt, dem SS-Untersturmführer Karl Brandt, eine Reise in die Berge. Dies belegen Fotos von Anfang 1938. Brandt ist ab 1939 einer der Organisatoren und Hauptverantwortlichen für die Massenmorde im Rahmen der so genannten Euthanasie. Frentz lichtet Brandt nebst Frau und Kindern seit 1939 häufig ab, ist bis zum Ende des Krieges mit der Familie befreundet.

8 Karl Brandt (SS-Begleitarzt Hitlers und ab 1939 Organisator der »Euthanasie«) mit Kindern in einem Alpendorf, 1938

9 Unbekannter Fotograf: Frentz und Sepp Allgeier, Polen, September 1939

Im Februar 1938 hält Frentz in Berlin den Vortrag »Der filmische Film«, ein Plädoyer für den abstrakten Film. Am Beispiel von Zielkes »Stahltier« versucht er seine Vorstellungen vom Film als »dynamische Fotografie« zu vermitteln, von der sich aus Bildeinstellung und Bildrhythmus ergebenden »Bildmelodie des Films« und von »optischen Gesetzen gehorchender Filmgestaltung«, die mit der »Harmonie- und Kompositionslehre [...] der Musik« vergleichbar sei. Frentz hatte die Genehmigung erhalten, Teile des verbotenen Films vorführen zu dürfen.[40] Zielke selbst befindet sich zu dieser Zeit im Arbeitslager Wanderhof Herzogsägmühle, nachdem er kurze Zeit nach Ablieferung des Olympia-Prologs (Januar 1937) mit der Diagnose Schizophrenie in die Psychiatrie eingewiesen und im Sommer 1937 zwangssterilisiert worden war.[41]

Am 12. März 1938 beginnt mit dem Einmarsch der deutschen Wehrmacht unter dem Jubel der Bevölkerung der Anschluss Österreichs an das Deutsche Reich. Ein Kurzdokumentarfilm entsteht, im Auftrag von Joseph Goebbels. Der Anschluss, bereits auf verschiedenen Ebenen vollzogen, soll durch eine Volksabstimmung legitimiert werden. »Wort und Tat. Ein Filmdokument« (Regie: Gustav Ucicky, Fritz Hippler, Otto-Heinz Jahn, Eugen York, D 1938) ist eine Art Wahlwerbung und gilt heute als einer der wichtigsten Propagandafilme des Dritten Reiches. In den Film sind Sequenzen eingebunden, die Frentz für »Artisten der Arbeit« aufgenommen hatte und später dort auch verwendet.[42]

Die Bilder am Ende zeigen Hitler als Erlöser auf dem Heldenplatz von Wien am 15. März. Seine Heimat geht auf im Deutschen Reich. Hunderttausende sind gekommen. Anfang April begleitet Frentz Hitler auf Wahlkampftour. Im Führersonderzug geht es durch Österreich.[43] Er filmt den ersten Spatenstich für die Strecke Salzburg-Wien der Reichsautobahn am 8. April, einen Tag später Hitlers Ankunft auf dem Westbahnhof in Wien. Am 10. April 1938 stimmen mehr als 99 % der österreichischen Wähler mit »Ja« für Großdeutschland.

Im Spätsommer 1939 wird Frentz für das Führerhauptquartier ausgewählt. Der genaue Vorgang der Anstellung lässt sich nicht rekonstruieren. Die Erinnerungsstränge passen nur bedingt zusammen. Riefenstahl berichtet, dass sie Frentz empfohlen habe, als man sie fragte, wen von ihren Kameramännern sie für geeignet hielte, Außenminister Joachim von Ribbentrop im August bei seiner Reise nach Moskau zur Unterzeichnung des Nichtangriffspaktes zu begleiten. Dabei habe sie ihn auch für das Führerhauptquartier vorgeschlagen.[44] Die Reichskanzlei hatte, so Riefenstahl, ihren Olympia-Film für eine Vorführung vor Stalin angefordert, und Frentz sollte die Kopie begleiten, was nach ihrer Erinnerung auch so geschehen sei.[45] Diese Variante wurde von Frentz nur teilweise bestätigt. Seiner Erinnerung nach war er im August nicht in Moskau. Riefenstahl hätte die Empfehlung für das Führerhauptquartier erst zu Beginn des Polenfeldzuges ausgesprochen, nach Ribbentrops Augustbesuch. Drei Kameramänner aus dem Olympiafilmteam seien daraufhin in der Reichskanzlei vorstellig geworden: Frentz, Guzzi Lantschner und ein nicht genannter Spielfilmregisseur. Hitlers Adjutant Wilhelm Brückner hätte sich dann – Frentz betont immer wieder, lediglich aufgrund seiner Größe von 1,94 m – für ihn entschieden.[46]

Unterwegs in Europa – Bilder aus dem Krieg

Die Arbeit im Führerhauptquartier nimmt Frentz spätestens Anfang September 1939 auf, kurz nach dem Einmarsch der Wehrmacht in Polen. Bis zum April 1945 wird er als »Filmberichter« für die Aufnahmen von Hitler in der Deutschen Wochenschau zuständig sein.[47] Hitler hatte Berlin am Abend des 3. September mit dem Führersonderzug verlassen und war einige Stunden später im pommerschen Bad Polzin eingetroffen.[48] Frentz fährt mit Hitlers Wagenkolonne hinterher. Bis zum 26. September ist das Führerhauptquartier mobil im Führersonderzug untergebracht – Tarnname Amerika. Der Zug folgt dem Frontverlauf. Mit dem Auto begibt sich Hitler auf Frontfahrten

10 Unbekannter Fotograf: Frentz filmt den Einzug der »Leibstandarte-SS Adolf Hitler« in Prag, Wenzelsplatz, 4. Oktober 1939

11 Heinrich Hoffmann: Adolf Hitler mit den alten Kriegskameraden Ernst Schmidt und Max Amann an Kampfstätten des 1. Weltkriegs, Frentz filmt, 25./26. Juni 1940

zu den Kommandostäben des Heeres. Neben den Filmaufnahmen macht Frentz viele Fotos, privat. Auf den ersten Bildern der Serie (S. 2/3) ist die Kolonne am Brandenburger Tor und am Reichstag, auf der Autobahn und später auf staubigen Nebenstraßen zu sehen. Kavallerie steht idyllisch im Gegenlicht. In Polen angekommen, wird erst einmal gebadet. Die nächsten Bilder zeigen Wehrmachtstross, Brückenübersetzung, Straßen und Geschütze, aber auch Personen: Reichsführer SS Heinrich Himmler, Hitlers Luftwaffenadjutant und Frentz' Vorgesetzten Hauptmann Nicolaus von Below, Generaloberst Wilhelm Keitel, Reichsleiter Martin Bormann, SS-Obergruppenführer Josef Dietrich von der Leibstandarte-SS Adolf Hitler, den Kommandeur des Führerhauptquartiers Generalmajor Erwin Rommel, SS-Obersturmbannführer Karl Brandt, Hitlers Adjutanten SS-Gruppenführer Julius Schaub und SA-Obergruppenführer Wilhelm Brückner, den Beauftragten des Außenministers bei Hitler Walther Hewel und immer wieder Hitler, im Freien, im Flugzeug, im Auto, im Zug. Viele der Beteiligten tauchen in den nächsten Jahren häufig auf Frentz' Fotos auf.

Die Filmaufnahmen dieser Dienstfahrt werden zusammen mit Sequenzen anderer Wochenschaukameramänner kurze Zeit später von Fritz Hippler zu »Feldzug in Polen« (D 1939/40) kompiliert. Die erste Fassung des Films, noch vor der Siegesparade in Warschau am 5. Oktober erstellt und freigegeben, zeigt als Höhepunkt Hitlers Einzug in Danzig am 19. September 1939.[49] Die letzten Filmbilder gehören Hitler und seinem Kameramann: Wie schon 1934 in Nürnberg fährt die Wagenkolonne unter tosendem Jubel der Bevölkerung durch die Straßen der Stadt. Im Wagen hinter dem Führer steht Frentz. Er filmt die Menge, nimmt die Kamera herunter, setzt sich. Danach im Bild: Hitlers Rücken, von Frentz gefilmt, dann wieder die jubelnde Menge, von Frentz gefilmt. Der Kameramann ist im Zentrum der Macht. Er bleibt dort bis zum 24. April 1945.

Bei einem kurzen Aufenthalt in Prag filmt er am 4. Oktober

1939 den Einzug der Leibstandarte SS Adolf Hitler in die Stadt. Einen Tag später nimmt er Hitlers Siegesparade in Warschau auf. Ende Oktober begibt sich Frentz nach Moskau, wo er im Kreml dreht und die touristischen Highlights der Stadt fotografiert. Eine Postkarte mit einem Wolgabild geht an die Redaktion von »Kanusport«. Frentz schreibt auf der Rückseite: »Neue Möglichkeiten für den nächsten Friedensurlaub: »Die Wolga!«[50] Auf der Heimreise besucht er Riga.

Am 1. November 1939 wird Frentz für kurze Zeit einer Propagandakompanie (PK) des Heeres unterstellt und an die Front am Oberrhein bei Breisach verlegt.[51] Doch schon ab Weihnachten heißt seine Feldpostadresse: Postsammelstelle der persönlichen Adjutantur des Führers, Berlin W 8.[52] Spätestens Ende Januar 1940 ist er wieder bei der Luftwaffe (LW). Unter den Bildern in seinem Kontaktabzugalbum bemerkt er zufrieden: »Als LW-Filmkameramann (wieder) bei der LW«.[53] Der Stellenwert der Luftwaffe ist höher als der des Heeres. Auch die Uniform gilt als schmucker. Offiziell wird Frentz nun bei der Luftwaffen-Kriegsberichterkompanie geführt und zum Führerhauptquartier zur Dienstleistung abkommandiert.[54] Später legt er großen Wert darauf, nicht als PK-Kameramann gearbeitet zu haben. Durch die Abkommandierung habe er ein hohes Maß an Unabhängigkeit und Selbständigkeit empfunden: »Ich war ja frei. Ich konnte überhaupt machen, was ich wollte. Ich war zwar bei der Luftwaffe, aber in diesem Abkommandiertsein […] [hat mir] innerhalb des Hauptquartierbereiches keiner etwas zu sagen gehabt.«[55]

Nach dem deutschen Angriff auf die Niederlande, Belgien und Luxemburg am 10. Mai 1940 folgt Frentz der nördlichen Westfront, fotografiert in Belgien, im Nordosten Frankreichs und trifft anschließend im Führerhauptquartier »Felsennest« nahe Bad Münstereifel ein, wo sich Hitler und sein Gefolge aufhalten. Manchmal begleitet er Hitler auf seinen Frontfahrten. Am 17. Juni macht er im Führerhauptquartier »Wolfsschlucht«

12 Ernst Schmidt, Adolf Hitler, Max Amann, 25./26. Juni 1940

13 Heinrich Hoffmann: Frentz, Adolf Hitler und Max Amann (verdeckt),
25./26. Juni 1940

bei Brûly-de-Pesche in Belgien Filmaufnahmen für die Wochenschau, die heute zu den bekanntesten Bildern aus dem Dritten Reich zählen – Hitlers so genannter Freudentanz in dem Moment, in dem er vom Waffenstillstandsersuchen der Franzosen erfährt.[56]

Auch die bekannten Aufnahmen während der Unterzeichnung der Waffenstillstandsbedingungen im Wald von Compiègne am Abend des 22. Juni 1940 stammen von Frentz. Am nächsten Tag begleitet er Hitlers frühmorgendlichen Blitzbesuch in Paris als Kameramann. Es ist Sonntag. Die Stadt war am 14. Juni von deutschen Truppen besetzt worden. Mit dabei sind, neben hohen Militärs, Speer, der Bildhauer Arno Breker, Hitlers Architekt für die Neuplanungen der »Führerstädte« Linz und München Hermann Giesler und Hitlers Fotograf Heinrich Hoffmann. Sie fahren durch die menschenleere Stadt, besichtigen die Oper, den Invalidendom mit dem Sarkophag Napoleons, stehen auf dem Trocadéro vor dem Eiffelturm. Nach dem Einsetzen des Waffenstillstands am 25. Juni macht Hitler eine mehrtägige Fahrt zu Schauplätzen des Ersten Weltkrieges, trifft alte Kriegskameraden, präsentiert sich als Feldherr. Hoffmann und seine Leute fotografieren als »Kapitalmonopolisten« (W.F.) im Auftrag.[57] Frentz filmt offiziell und fotografiert privat.

Wie schon Jahre zuvor während seiner aktiven Kajakzeit hält Frentz Lichtbildvorträge, nun jedoch im Führerhauptquartier: Städtebilder, Landschaften, Architektur. Ebenso beginnt er dort erneut mit dem Verkauf von Abzügen seiner privaten Fotografien. Nach und nach entwickelt sich daraus ein lukrativer Nebenverdienst. Sind es zunächst Personen aus seinem – auch ranggemäßen – Umfeld, kommen im Verlauf des Jahres 1940 die Mächtigen des Dritten Reiches hinzu. Speer, Breker und Giesler sind die ersten, die Erinnerungsfotos bestellen, mal von sich, von Hitler oder von sich und gemeinsam mit Hitler. Bald folgen Hewel, Keitel, Morell. Ab Ende Juni gehört auch Himmler zu seinen Kunden.[58]

Die weiteren Stationen Hitlers und damit von Frentz sind das Führerhauptquartier »Tannenberg« im Schwarzwald, Frontfahrten zu alten Kampfstätten im Elsass und in den Vogesen, ein Besuch in Straßburg. Am 5. Juli 1940 begibt sich Hitler mit dem Zug nach Berlin. Frentz macht seine bekannten Filmaufnahmen und Fotos der Jubelfahrt durch Deutschland. Am 24. August ist er in Hamburg. Erhalten sind seine Fotos von der Indienststellung des Schlachtschiffes »Bismarck«.

In München beginnt Frentz mit einer weiteren Fotoserie, die er bis zum Ende des Dritten Reiches fortführt: Hitler vor Modellen seiner Neugestaltungspläne von Berlin, München, Linz. Nach kurzem Aufenthalt wechselt das Führerhauptquartier an den Obersalzberg. Frentz ist das erste Mal auf dem Berghof. Die Sujets der dort entstandenen Bilder werden sich künftig nur wenig ändern: Hitler, seine Gäste, Wohn- und Besprechungszimmer, Terrasse, Treppe, Spaziergänge, zwei Bänke am Weg, Schäferhündin Blondi und Eva Braun. Im Laufe der Jahre hält Frentz den Obersalzberg in vielen hundert Aufnahmen überwiegend als Idylle fest. Im Oktober 1940 ist er erneut auf der »Bismarck«. Im Kaiser-Wilhelm-Kanal macht er Filmaufnahmen vom Schlachtschiff. Dann filmt er Hitlers Treffen mit Pétain (24. Oktober, Montoire-sur-le-Loir) und dessen Fahrt zu Mussolini (28. Oktober, Florenz). Im November soll er bei einem Besuch Molotows in Berlin Stalins Kameramann Abraham Chawtschin kennen gelernt haben.[59]

Am 25. November 1940 heiratet Frentz Renate Wiegels, ein Hausmädchen seines Freundes Esser. Das gemeinsame Kind stirbt bei der Geburt. Die Ehe wird nach einem Jahr wieder geschieden.[60] Im Dezember bekommt Frentz das Abzeichen für Fliegerschützen und das Eiserne Kreuz 2. Klasse.[61] Weihnachten begleitet er Hitler an die französische Kanalküste. Sie besuchen Feiern des Jagdgeschwaders Lützow, des Infanterieregiments 125 und der Leibstandarte SS Adolf Hitler.

Zum 1. Februar 1941 erhält Frentz seine Beförderung zum

14 Berghof, Juli 1940

15 Vor dem Teehaus am Mooslahnerkopf unweit des Berghofs, Juli 1940

Leutnant der Reserve.[62] Am 6. April beginnt der Balkanfeldzug mit dem massiven Angriff der deutschen Luftwaffe auf Belgrad, ohne Kriegserklärung, ohne Ultimatum. Tausende Menschen kommen ums Leben. Das Führerhauptquartier ist erneut im Führersonderzug eingerichtet. Frentz befindet sich zumeist vor Ort. Am 14. April ist er wieder in seinem geliebten Jugoslawien – diesmal nicht als Paddler. Er begleitet Hitlers Luftwaffenadjutanten von Below bei dessen Flug nach Belgrad.[63] Luftaufnahmen und zahlreiche Fotos der zerstörten Hauptstadt entstehen. Jugoslawien kapituliert am 17. April. Rechtzeitig zu Hitlers Geburtstag ist Frentz zurück im Hauptquartier. Am nächsten Tag macht Frentz Filmaufnahmen und Fotos von Hitler bei der Entgegennahme eines sehr speziellen Geschenkes. Drei Kriegsberichter überreichen ihm die serbische »Mordtafel« zur Würdigung des Attentats auf Erzherzog Franz Ferdinand 1914 in Sarajewo. Das demontierte »Denkmal serbischer Blutschuld« wird nach Berlin gebracht, wo es zusammen mit dem Eisenbahnwagen aus dem Wald von Compiègne »der Welt symbolhaft den Triumph der nationalsozialistischen Idee über das Vergangene« zeigen soll.[64]

Bis zum deutschen Überfall auf die UdSSR am 22. Juni 1941 befindet sich Hitler überwiegend auf dem Berghof. Frentz ist mit dabei. Zwischendurch macht er kürzere Ausflüge, wie im tiefsten Frieden. Aber auch erste Bilder von Zerstörungen in Heidelberg entstehen.

Mit Beginn der Kampfhandlungen gegen die Sowjetunion wird das Führerhauptquartier nach Ostpreußen verlegt. In der »Wolfschanze« bei Rastenburg wird Frentz in den nächsten Jahren viel Zeit verbringen und tausende Fotos machen. Er filmt Hitler und Keitel bei Frontfahrten nach Kaunas (Litauen), Grodno (Weißrussland), befährt wenige Tage nach der Kesselschlacht bei Białystok und Minsk die Gegend, macht Filmaufnahmen, fotografiert. In den Arbeitspausen ist er am Wasser, badet, fährt Faltboot, vertreibt sich die Zeit in der Natur und auf

kleineren Reisen. Mitte Juli 1941 besucht er als Begleiter seines Freundes, des SS-Arztes Karl Brandt ein Kriegsgefangenenlager, macht eine Serie von etwa 70 ethnographisch anmutenden Einzelporträts von Gefangenen. Andere Bilder zeigen einen Wachmann mit Schlagstock. Bis zum Jahresende lassen die Deutschen etwa 2 Millionen sowjetischer Kriegsgefangener in den Lagern verhungern. Frentz fliegt nach Riga und ist Ende des Monats in Pskow. Die malerisch am Fluss gelegene Stadt, mit ihren zahlreichen Kirchen ein Zentrum altrussischer Baukunst, wird ausgiebig fotografiert. Die Fotos, wie auch andere aus dieser Zeit, verwendet er nach dem Krieg für seine Diavorträge.

Am 14. August 1941 reist Frentz im Gefolge des Reichsführers SS Himmler nach Minsk. Laut Frentz hatte Himmler ihm die Mitreise angeboten. Später sagt er, nur »aus Neugierde« mitgefahren zu sein: »Weil wir nie wegkamen, wir kamen ja nie an die Front.«[65] Am 15. August vormittags begleitet Frentz Himmler in einen Ort östlich von Minsk und ist bei einer Massenerschießung von mindestens 80 angeblichen Partisanen und Juden zugegen, darunter auch Frauen. In einer Ansprache übernimmt Himmler »vor Gott und Hitler« die Verantwortung für das Verbrechen: »Zwar sei ihm das blutige Handwerk zuwider [...] doch auch er gehorche [...] einem höheren Gebot, und er handele aus tiefer Einsicht in die Notwendigkeit dieses Auftrags«.[66] Frentz' Erinnerungen sind widersprüchlich, mal hat er das Massaker gefilmt, ein anderes Mal bestreitet er dies, will keine Filmkamera dabei gehabt oder nur ein einziges Farbdia gemacht haben. Dieses habe er wenig später auf Anweisung von Hitlers Wehrmachtsadjutanten Schmundt vernichten müssen, als er mit dem Bild über die Vorkommnisse im Führerhauptquartier aufklären wollte. Das heute von Himmlers Minskreise veröffentlichte Filmmaterial stammt mit großer Wahrscheinlichkeit von Frentz. Für den 19. November 1941 vermerkt Himmlers Dienstkalender: »20.15 Abendessen im Zug. Wochenschau u. Film

16 Deutsche Offiziere in Finnland, 13.-19. Oktober 1941

17 Von Frentz geführte Bestellliste für Abzüge seiner Bilder mit Hitlers Bestellung (hier: »Führer«) von Bild 5 (Bauarbeiten unweit der Marienburg in Westpreußen), Zusatz von Frentz: »geheim!«, September 1941

von Minsk«. Himmler ließ sich öfter Filme von Ereignissen vorführen, bei denen er anwesend war.[67]

Am 17. August, zwei Tage nach dem Massaker, geht Frentz paddeln, 35 km auf der Kruttinna in Ostpreußen. Die Tour notiert er akribisch in seinem Fahrtenbuch und nimmt sie nach dem Krieg in seine veröffentlichte Kajakfahrtenliste auf.[68] Am 21. August feiert Frentz seinen 34. Geburtstag. Beim Mittag- und Abendessen darf er – laut Tageskalender – auf dem »Ehrenplatz rechts vom Führer« sitzen. Stolz und mit dem Respekt des Untergebenen vermerkt er weiter die Schar der Gratulanten: »1. Der Führer – 2. Feldmarschall Keitel – 3. Reichsminister Dr. Todt – 4. General Jodl – 5. General Bodenschatz – 6. Reichsleiter der NSDAP Bormann […] 21. Prof. Heinrich Hoffmann«.[69]

Im Zuge der Minskreise wird Frentz in die SS aufgenommen. Die Transkription des verschollenen Tageskalenders, auf deren problematischen Quellenwert bereits eingegangen wurde, enthält für den 15. August den Eintrag: »Von Grf. [Gruppenführer –

18 Unbekannter Fotograf: Frentz mit Luftwaffenuniform und SS-Fellmütze, »Wolfschanze«, Anfang 1942

M.S.] Wolf [sic] als [nicht leserlich] in die SS aufgenommen.« Karl Wolff ist zu dieser Zeit Chef des Persönlichen Stabes Reichsführer SS und Chefadjutant Himmlers. Zu Frentz existiert eine SS-Stammakte, die seinen Eintritt für den 25. August 1941 vermerkt. Als Dienstgrad wird, seinem Luftwaffendienstrang als Leutnant entsprechend, SS-Untersturmführer angegeben.[70]

Zur SS-Zugehörigkeit wird er 1946 von den amerikanischen Untersuchungsbehörden befragt und gibt zu Protokoll: Die Einladung zur Minskreise sei durch einen Adjutanten Himmlers erfolgt. Dieser hätte ihn beim Filmen im Führerhauptquartier gesehen und gefragt, ob er nicht als Filmberichterstatter bei einer Inspektionsreise Himmlers dabei sein möchte. Auf das nach Beendigung der Reise vom Adjutanten gemachte Angebot, SS-Angehöriger zu werden, habe Frentz sich unter der Bedingung bereit erklärt, bis zum Kriegsende bei der Luftwaffe bleiben zu können und erst dann in die SS einzutreten. Ein paar Tage später habe er einen Fragebogen zu seiner Person für die Aufnahme in den persönlichen Stab Himmlers ausgefüllt. Er könne sich jedoch nicht erinnern, ob es ein Fragebogen zum Eintritt in die SS gewesen sei. Frentz erklärt weiterhin, nie offiziell und schriftlich von einer Aufnahme in die SS benachrichtigt worden zu sein, nie eine SS-Uniform getragen und nie irgendeine Entlohnung von der SS erhalten zu haben. Beim amerikanischen Beamten hinterlässt er einen indifferenten Eindruck.[71] Über zwei Jahrzehnte später interessiert sich das Ministerium für Staatssicherheit der DDR für seine SS-Zugehörigkeit und stellt am 6. August 1968 fest: »Über Frentz, Walter konnte kein belastendes Material über begangene Verbrechen erarbeitet werden.«[72] Frentz war im Dezember 1967 wegen seiner Kontakte zu einem in Dresden lebenden DDR-Bürger geheimdienstlich erfasst worden.

Es bleibt unklar, ob und in welchem Maße Frentz in der SS tätig war. Gegen eine aktive Zugehörigkeit spricht, dass mit seiner Beförderung zum Oberleutnant der Luftwaffe 1943 keine adäquate Beförderung in den Rang des SS-Obersturmführers erfolgte, was die übliche Praxis gewesen wäre. Andererseits ist in Frentz' SS-Akte eine typische Auszeichnung vermerkt, der so genannte Julleuchter, jedoch ohne Datum und Begründung. Als persönliches Geschenk Himmlers wurde diese Keramik durch den Reichsführer SS alljährlich im Dezember zum »Julfest« an SS-Männer übergeben. Laut Tageskalender soll ihm Himmler zudem 1941 eine Jangtsekiang-Kajakexpedition für die Zeit nach dem Krieg versprochen haben.[73] Noch einmal tritt Frentz nachweislich in direkte Beziehung zur SS: Im Oktober 1942 erhält er von Himmlers Adjutantur eine Drehgenehmigung für Aufnahmen im Konzentrationslager Theresienstadt; das Schriftstück der SS-Behörde führt jedoch Frentz' Luftwaffendienstgrad Leutnant an und nicht SS-Untersturmführer.[74]

Nach der gewonnenen Kesselschlacht bei Uman in der Ukraine besuchen Hitler und Mussolini am 28. August 1941 die italienischen Truppen vor Ort. Frentz ist für die Wochenschau mit dabei. Im Oktober fliegt er nach Finnland und Karelien, wo die

19 Unbekannter Fotograf: Frentz während eines Urlaubs beim Paddeln auf dem Schwarzwasser-Fluss, »Reichsgau Danzig-Westpreußen«, 6.-11. Juli 1942

20 Gauleiter Albert Forster (Reichsgau Danzig-Westpreußen) spielt Gitarre bei der Hochzeit von Hitlers Sekretärin Gerda Daranowski (links) und Eckhard Christian (2. von links), Danzig, November 1942

finnische Armee mit deutscher Unterstützung im so genannten Fortsetzungskrieg gegen die Sowjetarmee versucht, karelische Gebiete zu besetzen. Hitler wünscht sich Abzüge von Architekturfotos aus Helsinki.

Im Januar 1942 macht er ein Farbporträt des Reichsministers für Bewaffnung und Munition, Fritz Todt. Kurz darauf, am 8. Februar, kommt Todt bei einem Flugzeugabsturz ums Leben. Nachfolger als Rüstungsminister wird Speer. Hitler soll das Farbporträt von Todt gesehen und Frentz daraufhin beauftragt haben, die Größen des Dritten Reiches – Politiker, Militärs, Parteifunktionäre, Industrielle –, aber auch seine Gäste, in Farbe zu porträtieren. Bald kommen Bilder von den Ritterkreuzträgern nach der Ordensverleihung hinzu. Die Bezahlung übernimmt Bormann.[75] Im Laufe der nächsten Jahre entsteht eine Serie von ca. 3.000 Bildnissen. Eine Heldengalerie des Dritten Reiches. Zahlreiche Aufnahmen übernimmt Frentz' Assistent Fritz Schwennicke.[76] Oft bleiben den Fotografen nur wenige Sekunden Zeit. Von mindestens hundert der Farbdiapositive werden Farbabzüge nach dem Duxochrom-Verfahren im Format 30 x 40 cm hergestellt: Goebbels, Göring, Himmler, Rosenberg, Speer, Canaris, Guderian, Keitel, Rommel, Krupp sen. und jun., Heinkel, Messerschmitt, Porsche, Mussolini, Antonescu, Pavelić und so weiter. Frentz berichtet später, dass die fertigen Bilder Hitler übergeben wurden.[77] Einige werden als Geschenke weitergereicht. So soll, laut Frentz, Zar Boris III. von Bulgarien das Auswärtige Amt um 50 Abzüge seines Porträts gebeten haben, die ihm in einer Prunkkassette an den königlichen Hof nach Sofia geschickt wurden.[78] Auch Hitlers Schäferhündin Blondi porträtiert Frentz auf diese Weise.

Öffentlich werden Bilder der Serie in zwei Ausstellungen gezeigt. Im Oktober 1942 sind unter dem Titel »Lebensnahe Zeitporträts« im Rahmen der Tagung »Film und Farbe« in Dresden Aufnahmen von »Generalen, Ritterkreuzträgern und hervorragenden Männern der Wehrmacht« zu sehen, die »das größte Interesse bei den Besuchern […] fanden«.[79] Im Tagungsband schreibt

Frentz: »Die Photokamera und in besonderem Maße die Farbaufnahme vermag hier in bisher kaum geahnter Weise Mittler zu sein zwischen Führertum und Gefolgschaft.«[80] In Berlin sind Frentz' Duxochrome vom 16. April bis 16. Mai 1943 in der Ausstellung »Männer unserer Zeit – Farbaufnahmen aus dem Führerhauptquartier von Kriegsberichterstatter Walter Frentz« in der Berliner Kunsthalle zu sehen. Laut »Völkischem Beobachter« hat »der Kameramann Herz und Auge hier auf dem richtigen Fleck. Es verschwindet die ›malerische‹ Pose zugunsten des klar erfassten photographischen Moments, und hinzu kommt jenes durch den Krieg geförderte und bestimmte Element der äußersten Straffung und Vereinfachung.« Neben den »sprechenden Farbaufnahmen« (Porträts) zeigt Frentz »dem großen Thema der deutschen Luftwaffe gewidmete« Bilder sowie »packende Szenen aus dem Führerhauptquartier« (Gruppenaufnahmen). »Die Ausstellung Männer unserer Zeit ist erfasst vom Atem unserer Zeit. Sie ist einfach, lebensstark und unerbittlich in der Wiedergabe erkannter, beherrschter und auf das eine große Ziel des Endsiegs ausgerichteter Wirklichkeit.«[81] Es bleiben die einzigen Ausstellungen mit Frentz-Bildern im Dritten Reich.

Im April 1942 ordnet Bormann die »bomben- und brandsichere Unterbringung sämtlicher Kulturwerte« an.[82] Wohl in diesem Zusammenhang erhält Frentz von Hitler einen anderen Fotoauftrag, die Anfertigung von Farbdiapositiven kulturgeschichtlich wertvoller Kirchenfenster vor Beginn der Luftangriffe auf deutsche Städte.[83]

Das Führerhauptquartier befindet sich bis Mitte Juli 1942 hauptsächlich in der »Wolfschanze«. Frentz fliegt zwischen Berlin und Rastenburg hin und her. Der Jahrestag der Machtergreifung im Sportpalast (30. Januar), der Staatsakt für Todt in der Reichskanzlei (12. Februar) und die Hitlerrede vor Offiziersanwärtern im Sportpalast (14. Februar) bringen ihn nach Berlin. Doch die meiste Zeit sind Frentz und Hitler in Ostpreußen.

Mitte April 1942 ist Frentz auf der Krim. Der Grund für den Aufenthalt ist nicht bekannt. Er besucht den deutschen Soldatenfriedhof in Feodosia, fährt mit dem Auto am Meer entlang und macht Fotos von zerstörten Ortschaften. Dann fliegt er zurück zur »Wolfschanze«: Hitler feiert Geburtstag. Ende des Monats begleitet er ihn nach München zu Giesler. Hitler lässt sich Modelle der »Führerstädte« Linz und München zeigen. Frentz fotografiert. Anschließend geht es auf den Berghof. Mussolini kommt zu Besuch. Während des kurzen Aufenthaltes am Obersalzberg macht Frentz auf Bitten von Eva Braun eine Serie von Bildern: Der Führer mit Kindern und Eva Braun – der Diktator als Familienvater.

Anfang Juni 1942 fliegt Frentz erneut auf die Krim. Im Rahmen der deutschen Sommeroffensive beginnt das Unternehmen »Störfang«, die Erstürmung Sewastopols, des wichtigsten sowjetischen Flottenstützpunktes am Schwarzen Meer. Zusammen mit dem Marine-Kriegsberichter Gerhard Garms filmt Frentz die Beschießung der Festung durch den Mörser »Thor« und das Eisenbahngeschütz »Dora«, eine der größten Kanonen der Welt, in Farbe. Hitler nennt die von Krupp entwickelte und gebaute Waffe »meine stählerne Faust«. Er hatte die Farbauf-

nahmen befohlen.[84] Die Bilder werden in Schwarzweiß in der Deutschen Wochenschau Nr. 617 gezeigt. Die Einstellungen hatte die Redaktion auf das Finale von Liszts »Préludes« geschnitten. Jeder Abschuss fällt mit einem Paukenschlag zusammen. Musik und Bildrhythmus gehen zusammen. Auch wenn das Ergebnis nicht ganz dem Frentzschen Diktum – »Das Optische muss führen und nicht das Akustische« – entspricht, dürfte es dennoch seiner Vorstellung vom »filmischen Film« und von »dynamischer Fotografie« nahe kommen. »Bildeinstellung, Bildrhythmik – im ganzen gesehen – die Bildmelodie [werden] durch die [...] akustische Grundatmosphäre verstärkt«.[85] Die Wochenschau erhält von Goebbels, der persönlich an der veröffentlichten Fassung mitgearbeitet haben will, das Prädikat »Staatspolitisch und künstlerisch besonders wertvoll«.[86] Der »Völkische Beobachter« dankt den »PK-Männern für dieses dokumentarische Geschenk an die Heimat« und schwelgt: »Wenn in den letzten Metern der Wochenschau gezeigt wird, wie unsere Artillerie mit Geschützen und Mörsern bisher kaum für möglich gehaltener Kaliber auf die Festung trommeln, dann

21 Franz Gayk (?): Hitlers 54. Geburtstag (1. Reihe von links nach rechts: Heinrich Hoffmann, Eva Braun, Adolf Hitler, Marion Schönemann, Martin Bormann. 2. Reihe: Karl Brandt, Gerda Bormann, Anni Brandt, Herta Schneider. 3. Reihe: Albert und Margarete Speer, unbekannt, Johanna Morell, Margarete Braun, Gerhard Engel. 4. Reihe: Walter Frentz, Theodor Morell, Nicolaus von Below), Berghof, 20. April 1943

22 Geschütz am »Atlantikwall« feuert anlässlich von Albert Speers Besuch zwei Schüsse Richtung England ab, Mai 1943

23 Unbekannter Fotograf: Frentz zeigt Albert Speer und anderen Aufnahmen von der gemeinsamen Frankreichreise, Sommer 1943

erfüllt die Heimat eine tiefe Dankbarkeit gegenüber seinen Soldaten und im Anblick ihrer Waffen ein Gefühl der Überlegenheit über jeden Gegner [...] In diesem packenden Filmstreifen haben unsere Kriegsberichter nicht nur dem deutschen Soldaten, sondern auch sich selbst, ihrer militärischen Leistung wie ihrem fachlichen Können, ein Denkmal gesetzt.«[87] Die Ästhetisierung des Krieges im Film hat mit Hilfe der Frentzschen Aufnahmen einen Höhepunkt erreicht.

Mitte Juli 1942 wird wegen des Vordringens der Heeresgruppe Süd nach Osten das Führerhauptquartier in den Raum von Winniza (Ukraine) verlegt – Tarnname »Werwolf«. Kurz zuvor hatte Frentz eine mehrtägige Paddeltour auf dem Schwarzwasserfluss [heute Wda – M.S.] in Polen unternommen. Die Gegend war ihm bei Überflügen aufgefallen, wie er in einem Reisebericht für »Kanu-Sport« unter der Überschrift »Neue Flüsse für später« mitteilt. Neben üblicher Fahrtenberichterstattung zeigt sich Frentz von der deutschen Mission zur Eroberung neuen Lebensraumes durchdrungen. Ergriffen schreibt er von vermeintlich deutschen Wurzeln dieses Landstriches in dem »vor Jahrhunderten deutsche Bauern siedelten«, dessen »dickfällige Backsteinmauern [...] noch von diesen Zeiten künden, in denen der Kampf um den deutschen Lebensraum im Osten begann, den unsere Generation berufen wurde, weiterzuführen und zu einem endgültigen Abschluß zu bringen, als Beitrag unserer Zeit für ein Großdeutsches Reich«.[88]

Vom 28. Juli bis 2. August 1942 begleitet Frentz Rüstungsminister Speer auf einer Inspektionsreise zum Atlantikwall.[89] Eine Filmdokumentation soll entstehen. Die Reise führt über Brüssel, Brügge und Gent an die französische Kanalküste, anschließend nach Paris. Frentz macht touristische Aufnahmen, dazwischen Fotos der Befestigungsanlagen, die im Zusammenhang mit dem Filmauftrag entstehen. Im Kontaktabzugalbum markiert er sie mit roten Kreuzen als »geheim«.[90] Bis Ende September 1942 hält er sich überwiegend im Führerhauptquartier auf. Eine Reise führt ihn nach Kiew. Zwischen den Blockhäusern des

Führerhauptquartiers entsteht eine längere Fotoserie mit Schäferhündin Blondi. Dann fliegt er mit Hitler nach Berlin. Der Reichskanzler spricht vor Offiziersanwärtern im Sportpalast.

Auf den 25. Oktober 1942 datiert ein Schreiben von SS-Hauptsturmführer Grothmann, Himmlers Chefadjutanten: »Lieber Herr Frentz! Anliegend übersende ich Ihnen die gewünschte Bescheinigung für Ihre Reise nach Theresienstadt.« In dieser heißt es: »Im Auftrag des Reichsführer-SS wird Herr Leutnant Frentz Theresienstadt (Protektorat) besuchen, um hier Aufnahmen zu machen.«[91] Frentz gibt später an, zwar im Ghetto gewesen zu sein, zu drehen jedoch abgelehnt zu haben.[92] Tatsächlich finden im Herbst 1942 im Konzentrationslager unter der Überwachung des SS-Hauptsturmführers von Ott Filmarbeiten zu »Theresienstadt 1942« (Regie: Irena Dodalova) statt. Es wird angenommen, dass der inszenierte Film über die Deportation und das Leben im Ghetto für Himmlers Privatgebrauch bestellt worden war.[93] Das Kamerateam soll aus Mitgliedern des Sicherheitsdienstes (SD) bestanden haben. Häftlinge übernehmen Statistenrollen. Der Film gilt heute als verschollen. Es existiert ein Werkfilm aus Amateuraufnahmen »Theresienstadt 1942 – Dreharbeiten« (D 1942), auf denen Kameramänner in SS-Uniformen – jedoch nicht Frentz – zu sehen sind.[94] Letztlich kann nicht mit Gewissheit gesagt werden, ob Frentz in Theresienstadt gewesen ist oder dort Aufnahmen gemacht hat.

Ende Oktober wird das Führerhauptquartier zurück nach Rastenburg verlegt. Wenige Tage später ist Hitler in München, spricht im Löwenbräukeller, besucht Architekt Giesler und steht wieder vor den Linz- und München-Modellen. Am 23. November geht es zurück zur »Wolfschanze«. Einen Tag zuvor haben sowjetische Truppen den Ring um Stalingrad geschlossen. Am 31. Januar und 2. Februar 1943 ergeben sich die Deutschen und ihre Verbündeten.

Frentz, mittlerweile Oberleutnant, versieht weiter seinen Dienst im Führerhauptquartier. Er begleitet Hitler bei Frontfahrten, nach Berlin, zu Waffenvorführungen. Im März 1943 veröf-

24 Hitlers Schäferhündin Blondi, 1944

Die restliche Zeit des Jahres 1943 ist Frentz fast pausenlos unterwegs. Neben seinen Dienstaufgaben im Führerhauptquartier fährt er quer durch Europa. Wohl in direktem Auftrag Hitlers dokumentiert er den Zustand von Wehr- und Befestigungsanlagen. In der ersten Maihälfte begleitet er Rüstungsminister Speer erneut auf einer Inspektionsreise zum Atlantikwall in die Normandie. Danach besucht Frentz Anlagen in den Niederlanden, Belgien, der Bretagne bis hinunter an die spanische Grenze, die so genannte »Batterie Lindemann« bei Calais und den U-Boot-Hafen in La Rochelle. Zwischen den fast vierhundert überwiegend der Geheimhaltung unterliegenden Bildern, die auf der Reise entstehen, finden sich immer wieder Aufnahmen von Architektur, Landschaft und Menschen. Ein martialisch wirkendes Foto der »Batterie Lindemann« wird im Februar 1944 im farbigen Auslandsmagazin »Signal« veröffentlicht. Ein weiteres, ursprünglich nicht für die Öffentlichkeit bestimmtes Frentz-Foto findet sich im nachfolgenden ersten Märzheft der Propaganda-Illustrierten: Hitler als Privatmann auf der Terrasse des Berghofs.[97]

Eine andere Reise führt Frentz im August 1943 zu den Wehrbefestigungen an der Westküste Dänemarks. Seine Aufnahmen zeigen die desolate Lage des Verteidigungssystems. Doch er bringt nicht nur Fotos mit.[98] Seit längerer Zeit hatten in Dänemark Streik- und Sabotageaktionen erheblich zugenommen. In den Meldungen des Reichsbevollmächtigten Werner Best nach Berlin waren diese Zustände, wenn überhaupt, nur sehr zurückhaltend mitgeteilt worden. Auch Himmlers Bericht über die Sicherheitslage im Land war positiv ausgefallen. Frentz jedoch soll Zeuge von Sabotageakten gewesen sein – Sprengung einer Baracke für Wehrmachtshelferinnen, Anschlag auf Frentz' Hotel. Nach seiner Reise schildert er Hitler »die Ereignisse der vergangenen Tage und Wochen in so drastischen Farben, daß Hitler sich von Best und Himmler getäuscht sah und aufgebracht sofort scharfe Maßnahmen von der dänischen Regierung verlangte«.[99] Diese bleiben aus. Daraufhin wird am 29. August der militärische Ausnahmezustand in Dänemark verhängt. Die Regierung tritt zurück, das Parlament löst sich auf, das Heer wird entwaffnet, die Flotte versenkt ihre Schiffe.

Auch im Herbst ist Frentz unterwegs, diesmal in Norditalien. Das Interesse gilt den Brenner-Befestigungen. Die Reise führt ihn weiter nach Triest, wo er Friedrich Rainer, den Landeshauptmann und Gauleiter von Kärnten, aufsucht. Rainer hatte kurz zuvor, nach der Kapitulation Italiens im September 1943, auch das Amt des Reichsverteidigungskommissars der sogenannten Operationszone Adriatisches Küstenland übernommen. Als Chef der Zivilverwaltung des Friaul, von Slowenien und Istrien wurde er damit einer der mächtigsten Nationalsozialisten im Süden des Reiches. Neben seinen dienstlichen Aufgaben findet Frentz Zeit für Besuche in Miramare und Pola. Den entstandenen Film sieht Hitler wohl Mitte Dezember. Nach Goebbels bestärkt er ihn in seiner Kritik am zusammenbrechenden faschistischen System in Italien.[100]

fentlicht er in der Zeitschrift »Kinotechnik« den Artikel »Eine Hochleistungskamera für ›wenig Licht‹«. Im Laufe des Krieges hat Frentz mehrere Beutekameras erhalten, darunter auch eine französische Le Blay. Die Firma Carl Zeiss in Jena hatte die Handkamera nach seinen Instruktionen so umgebaut, dass Aufnahmen unter schlechten Lichtverhältnissen möglich waren, wie sie beispielsweise in der Marmorgalerie oder Hitlers Arbeitszimmer in der Neuen Reichskanzlei oder in den Bunkern der Führerhauptquartiere herrschten. Eine um 700 % höhere Lichtausbeute wird erreicht. Sogar Farbaufnahmen sind möglich. Frentz berichtet in seinem Artikel über die Neuerungen, bejubelt die deutsche Qualitätsarbeit und gibt Empfehlungen für die »friedensmäßige Weiterentwicklung«.[95] Er beteiligt sich auch an der Verbesserung von Filmmaterialien und steht in Kontakt mit der Forschungsabteilung von Agfa in Wolfen. Bereits im April 1941 hatte Frentz damit begonnen, neben Schwarzweiß- auch Farbaufnahmen für die Deutsche Wochenschau zu machen. Doch eine Wochenschau in Farbe ist nie erschienen.[96]

1944 erreicht Frentz' fotografische Produktion mit 3.000 Farb- und Schwarzweißbildern, die Dias nicht mitgerechnet, einen Höhepunkt. Er dokumentiert den Ausbau der Bunkeranlagen in der »Wolfschanze«, der im Februar beginnt und sich bis in den Juli hinzieht. Mitte März wird das Führerhauptquartier nach Berchtesgaden verlegt. Am Obersalzberg entstehen viele Farbporträts. In diese Zeit datieren die später sehr bekannten Fotos von Hitlers Spaziergang mit Himmler im Schnee. Frentz' Aufenthalt wird durch kürzere Privatreisen unterbrochen. Am 21. März ist er Gast bei Riefenstahls Hochzeit in Kitzbühel.

Neben seinen üblichen Dienstaufgaben erhält Frentz, wahrscheinlich von Speer im Mai 1944, den Auftrag zu einer Filmdokumentation über die letzte »Wunderwaffe« des Dritten Reiches, die Rakete A 4, von Goebbels »Vergeltungswaffe 2 (V 2)« genannt.[101] Frentz besucht die Konstruktionsstätte in der Heeresversuchsanstalt Peenemünde, das Testgelände auf dem SS-Truppenübungsplatz »Heidelager« bei Blizna, östlich von Krakau, und den Produktionsstandort bei Niedersachswerfen im Harz, das »Mittelwerk« von Dora, ein Außenlager des KZ Buchenwald. Daneben macht Frentz in den technischen Werkstätten zahlreiche Farbbilder, die einzigen überlieferten Farbfotos von Dora. Obgleich heute einzigartige Dokumente der Zwangsarbeit im Dritten Reich, können sie die Inszenierung nicht leugnen. Gut ausgeleuchtet und in hoher fotografischer Qualität zeigen sie neben technischen Details und Werkbildern ausgewählte Häftlinge bei scheinbar normalen technischen Arbeiten. SS-Wachmannschaften oder Kapos sind nicht zu sehen. Der Hintergrund der Zwangsarbeit, das grausame Prinzip der Ausbeutung und Vernichtung des Menschen durch Sklavenarbeit, das bei der Herstellung der »Wunderwaffen« Zehntausenden das Leben gekostet hat, bleibt ganz im Sinne des Auftrags ausgespart.[102] Etwa zwei Monate später ist der Film fertig. Speer will ihn auf einer Gauleitertagung vorführen. Am 12. Juli wird er Goebbels vorgeführt. Der Propagandaminister gibt sich begeistert.[103] Auf der Tagung am 3. August in Posen wird der Film vermutlich nicht gezeigt. Hauptthema sind nicht die Wunderwaffen, sondern die Lage nach den Ereignissen vom 20. Juli 1944, dem Attentat auf Hitler.

Frentz ist an diesem Tag nicht in der »Wolfschanze«.[104] Beim Anschlag wird Hitlers Chefadjutant der Wehrmacht Schmundt schwer verletzt. Er stirbt am 1. Oktober. Hitler ordnet einen Staatsakt im Reichsehrenmal Tannenberg an, der am 6. Oktober stattfindet. Frentz macht Aufnahmen. Derselbe Film zeigt eine Fotostrecke mit Blondi.

In einem Dokument vom 10. Oktober 1944 erteilt Speer Frentz den Auftrag, einen Farbfilm über einige neue Waffen herzustellen. Auch hier gilt das Interesse unterschiedlichen Stadien der einzelnen Rüstungsprojekte, wie »Fertigung, Erprobung oder praktische Tests«, und umfasst sowohl Waffen für das Heer (Panzer Tiger 2 und 38 T, Geschütze, Munition) und die Luftwaffe (Raketenabfangjäger Me 163, das erste Düsenflugzeug Me 262, Aufklärer Ar 234) als auch die Kriegsmarine (Räumboote R

21 und 23, Tragflächenschnellboot, Kleinst-U-Boote Bieber und Seehund).[105]

Im Mai und im Herbst des Jahres macht Frentz zwei Reisen mit dem Auto nach Südtirol und Italien. Bei der zweiten Reise besucht er den Gardasee und Venedig. Am 20. November wird das Führerhauptquartier aufgrund des Vordringens der Roten Armee nach Berlin verlegt.

Frentz ist in den Wintermonaten viel unterwegs. Seiner Aufgabe als »Filmberichter beim Führer« muss er nur noch eingeschränkt nachkommen. Hitlers Zittern – er leidet an Parkinson im fortgeschrittenen Stadium – hatte zugenommen, ein Zittern, das Frentz nicht bemerkt haben will.[106] Filmaufnahmen scheinen den Verantwortlichen nicht mehr opportun.[107] Frentz findet ein neues Thema. Im Januar 1945 beginnt er, Kriegszerstörungen

25 Unbekannter Fotograf: Frentz filmt auf der Trauerfeier für Hitlers Wehrmachtsadjutanten Rudolf Schmundt, der an den Folgen seiner Verletzungen vom 20. Juli 1944 gestorben war, Reichsehrenmal Tannenberg, Ostpreußen, 6. Oktober 1944

deutscher Städte in Farbe zu fotografieren: Nürnberg, München, Dresden, Köln, Paderborn, Berlin, Frankfurt am Main, Heilbronn. Fast systematisch, als eine Art Bestandsaufnahme, erscheint die ungewöhnliche Bildersammlung. Ob Frentz privat oder möglicherweise im Auftrag die Schadensdokumentation betreibt, ist ungeklärt. Für seine Fotoreisen muss ihm eine offizielle Erlaubnis erteilt worden sein. Privatleuten war es ab Mitte 1942 verboten, Kriegsschäden zu fotografieren oder zu filmen.[108] Frentz' Bilder zeigen mitunter eine merkwürdige Ruinenromantik, eine bizarre Idylle der Zerstörung. Nur vereinzelt sind Lösch- und Aufräumarbeiten zu sehen. Ein Blick aus den Fenstern der Reichskanzlei gilt dem zerstörten Propagandaministerium.

In der gleichen Zeit, wohl Anfang März 1945, macht Frentz eine seltsame Bilderserie. Farbaufnahmen zeigen bedeutende Kunstwerke: zwei Bronzestatuen, den Hermes aus Herkulaneum und den so genannten Omphalos-Apollo, den »Blindensturz« von Pieter Bruegel d. Ä., Tizians »Danaë«, Parmigianinos

26 Hermann Görings Modelleisenbahn in »Carinhall«, Frühjahr 1945

27 Unbekannter Fotograf: Frentz mit dem Helm Kaiser Karls V. (?) aus dem Museo di Capodimonte in Neapel, wohl Berlin, Februar/März 1945

»Antea«, eine Madonna von Bernardino Luini und einen Altar mit einer »Anbetung der Könige« von Joos van Cleve. Auf dem letzten Bild: Frentz selbst mit aufgesetztem Helm, vermutlich der Helm Kaiser Karls V. von Habsburg. Die kleine Sammlung umfasst Werke aus dem Museo Nazionale di Capodimonte in Neapel. Der Großteil von seinen Beständen war 1943 aus Sicherheitsgründen in das Kloster Montecassino ausgelagert worden. Von dort hatte sie die Panzerdivision Hermann Göring nach Spoleto verbracht und nach Protesten italienischer Stellen zurückgegeben, jedoch unvollständig. Mit einigen besonders ausgewählten Stücken wollten die Offiziere dem zweitgrößten Kunstsammler des Dritten Reiches, Herrmann Göring, eine Freude zum 51. Geburtstag am 12. Januar 1944 bereiten. Als der Reichsmarschall die Kunstwerke in seinem Waldhof Carinhall entgegennehmen sollte und von ihrer Herkunft erfuhr, lehnte er das Geschenk ab. Über Zwischenstationen gelangten die Werke auf Görings Anweisung im Februar 1945 in die Neue Reichskanzlei.[109] Frentz erklärt später, die Stücke auf »eigenen Befehl« gerettet und »sie in süddeutsche Burgen und Schlösser, die er von seinen Kajakfahrten her kannte«, ausgelagert zu haben.[110] Die Kunstwerke aus Neapel werden jedoch bereits am 14. März 1945 mit dem LKW nach Altaussee in Österreich abtransportiert. In einem Salzbergwerk war hier Anfang 1944 der zentrale Aufbewahrungsort für die so genannte Führersammlung eingerichtet worden.[111]

Andere Fotos von Frentz aus dieser Zeit zeigen Görings Modelleisenbahn in Carinhall und ein letztes Mal Hitler vor dem Modell von Linz in den Kellern der Reichskanzlei. Am 20. März macht Frentz die letzten Filmaufnahmen von Hitler für die Wochenschau Nr. 755 von Anfang April 1945, die heute ebenfalls zu seinen bekanntesten Aufnahmen gehören: Im Hof der Neuen Reichskanzlei zeichnet Hitler letzte Aufgebote im Rahmen des Volkssturms aus – Kindersoldaten.[112] Am 22. April durchbricht die Rote Armee die inneren Verteidigungsstellungen von Berlin. Von Hitlers Bunker trennen sie nur noch 12 Kilo-

meter. An diesem Tag trifft Frentz das letzte Mal mit Adolf Hitler zusammen. Hitlers Sekretärin Traudl Junge schreibt: »Einer nach dem anderen reichte Hitler zum Abschied die Hand: [Walter Frentz, alle Presseleute bis auf Heinz Lorenz, die Adjutanten Bormann und Schaub. – in der Druckfassung gestrichen – M.S.] Nur die wichtigsten Verbindungsoffiziere blieben zurück.«[113]

Wohl am 24. April 1945 verlässt Frentz – gemeinsam mit Bormanns Bruder Albert – Berlin in der Führermaschine vom Flugplatz Tempelhof aus in Richtung München.[114] Dass er trotz seines niedrigen Dienstgrads, als Oberleutnant, so spät noch ausgeflogen wird, ist erstaunlich. Frentz schreibt später den Befehl dazu seinem Vorgesetzten Oberst von Below zu. Es ist davon auszugehen, dass viele Personen in Hitlers Umfeld, so auch Frentz, nicht mehr damit rechneten, noch vor der Einnahme Berlins durch die Rote Armee aus der Stadt heraus kommen zu können.[115] Mancher wollte Hitler auch nicht verlassen. Riefenstahl berichtet später über die Situation, ohne Frentz namentlich zu nennen: »Überraschend kam ein Anruf vom Obersalzberg. Eine mir bekannte Stimme sagte: ›Leni, wir sind eben aus Berlin gekommen, aus dem Bunker der Reichskanzlei‹. Es war die Stimme eines Kameramannes, der früher für mich gearbeitet hatte und im Krieg für das Hauptquartier Hitlers abgestellt worden war. ›Gottlob‹, sagte ich, ›dann bist du gerettet‹. ›Was sagst du da? […] der Führer hat uns belogen. Er hat gesagt, dass er mit der nächsten Maschine nachkommt, und nun hören wir im Rundfunk, daß er in Berlin bleibt‹. ›Wolltest Du mit Hitler sterben?‹ ›Ja‹, rief er, ›wir wollten alle mit Hitler sterben, keiner wollte den Führer verlassen‹.«[116]

In München angekommen, begibt sich Frentz in der Nacht mit dem Auto zum Obersalzberg. Eva Braun hatte ihm gestattet, seine restlichen Negative in ihrem Luftschutzkeller auf dem Berghof zu sichern. Einen Großteil der Bilder und Negative sowie die Kontaktabzugalben hatte er bereits zuvor auf eine Burg bei Sigmaringen und zu seinen Eltern nach Bad Ischl gebracht.[117] Auf dem Obersalzberg wird Luftwaffenoffizier

Frentz auf Befehl Bormanns vom Sicherheitsdienst der SS ver- haftet. Hitler hatte in den Tagen zuvor angekündigt, bis zum Schluss in der Reichskanzlei verbleiben zu wollen. Daraufhin hatte Göring am 23. April per Telegramm von Berchtesgaden aus Hitlers Einverständnis zur Übernahme der Staatsgeschäfte erbeten. Unter Bormanns Einfluss veranlasste Hitler die Verhaf- tung Görings sowie seine Enthebung aus allen Ämtern und sei- nen Parteiausschluss. Frentz berichtet später, dass Bormann als sein Feind sowohl gegen Göring als auch gegen ihn intrigiert und ihn bei Hitler als Verräter denunziert hätte. Mit dem inhaf- tierten Göring wird Frentz nach Salzburg gebracht, kann weni- ge Tage später aber zurück. Frentz muss die Negative der Auf- nahmen von den Rüstungsprojekten und von Eva Braun an die SS aushändigen. Dann darf er gehen. Die Negative sind bis heute verschwunden.[118]

Am 28. April 1945 testet Hitler das für ihn bestimmte Gift an Blondi. Es wirkt. Noch am selben Tag heiratet er Eva Braun. Am 30. April begehen beide Selbstmord. Am 8. Mai 1945 ist der Krieg zu Ende. Frentz hat überlebt.

28 Unbekannter Fotograf: Frentz im Gefängnis, 1945 oder 1946

Danach – Reisen im Frieden
Wie Walter Frentz die ersten Nachkriegsmonate verbringt, bleibt unklar. Er geht zu seinen Eltern nach Bad Ischl, später nach Stuttgart. Irgendwann ist er in Frankfurt/Main wohnhaft. Im September 1945 sieht ihn Speer bei einem kurzen Zwischen- aufenthalt auf dem Weg nach Nürnberg im seiner Meinung nach »berüchtigten Vernehmungslager Oberursel bei Frank- furt«.[119] Am 22. Mai 1946 wird Frentz von den amerikanischen Behörden in Frankfurt – vermutlich zum zweiten Mal – verhaf- tet. Im Verhör zwei Tage später konfrontiert man ihn mit seiner SS-Stammakte. Seine Erklärungen können CIC Special Agent Jack Friedlander nicht überzeugen.[120] Frentz wird ins Lager Hammelburg gebracht, in dem überwiegend SS-Angehörige inhaftiert sind. Nach eigener Aussage überstellt man ihn sechs Monate später in eine Arbeitsstätte des amerikanischen Roten Kreuzes – die Behörden hatten sich überzeugen lassen, dass er »nur« Fotograf war.[121]

Frentz' gute Zeit scheint zunächst der Vergangenheit anzuge- hören. Nach seiner Freilassung bemüht er sich um Arbeit als Kameramann. Er versucht es bei der britisch-amerikanischen Wochenschau »Welt im Film«. Hier trifft er, wie er später erklärt, auf einen früheren Chefkameramann der Deutschen Wochen- schau. Dieser hatte die Freisler-Prozesse im Volksgerichtshof gegen die Beteiligten des Attentates auf Hitler am 20. Juli 1944 gefilmt.[122] Bei seinem Verhör durch die britischen Behörden hätte er – laut Frentz – ihn als Kameramann dieser Aufnahmen denunziert, in der Annahme, dass Frentz nicht lebend aus Ber- lin herausgekommen sei. Frentz war bei den Aufnahmen jedoch nicht anwesend.[123] Eine Arbeit für die Wochenschau kommt für Frentz somit nicht mehr in Frage.

Doch bald ist er wieder im Geschäft. Es beginnt klein, mit Lichtbildvorträgen Ende 1946. Im August 1947 erhält er als Bild-

berichter für den Verlag »Das junge Volk« eine Arbeitsbestäti- gung des Württembergischen Kultministeriums [Kultusministe- rium – M.S.]: »Militärische und zivile Dienststellen werden gebeten, Herrn Frentz bei seiner Arbeit zu unterstützen. In Sachen Wohnraum – Arbeitsraum und Materialbeschaffung verdient er mit Rücksicht auf seine berufliche Funktion beson- dere Berücksichtigung.«[124] Frentz dreht kleine Lehrfilme für das Ministerium, hält Vorträge mit »Farblichtbildern vor Tausenden von Besuchern«. 1948 plant er ein größeres Farbfotobuch über Deutschland, das jedoch nicht erscheint.[125]

Frentz' fotografische Arbeit war im April 1945 unterbrochen worden. Für 1946 finden sich einige wenige Aufnahmen der Familie, von Freunden, Kindern. Ab 1947 macht Frentz überwie- gend Dias, die er für seine Vorträge verwendet. In Schwarzweiß fotografiert er – wie schon in den letzten Jahren des Krieges – nur noch selten.

1947 gibt es die erste Nachkriegseintragung in seinem Fahr- tenbuch: eine Paddeltour auf Werra und Weser. Frentz macht wieder regelmäßig Kajaktouren, bis ins hohe Alter hinein. Sei- ne Lichtbildvorträge werden ab 1948 in den »Kanusport-Nach- richten«, einem Nachfolger der »Kanu-Sport und Faltboot- Sport«, angekündigt, zeitweilig unter der eigenständigen Rubrik »Frentz-Vorträge«. Neben den Volkshochschulen und der Urania Berlin werden die Kanuvereine bis in die 1990er Jah- re hinein zu den treuesten Kunden des Markenzeichens »Frentz«. Als 1948 der Deutsche Kanu-Verband neu gegründet werden darf, plädiert Frentz in der Verbandszeitschrift für die Beibehaltung der alten schwarz-weiß-roten Fahne, als »Symbol aller deutschen Kanufahrer und Wasserwanderer, gleich viel welcher politischen, sozialen oder religiösen Herkunft sie auch immer waren.« Denn »Kanusport und Politik hatten schon ihrem Wesen nach nie etwas miteinander gemein: Kanusport [...] ist Triumph des Individuums, Politik Triumph der Masse.«[126]

1949 heiratet Frentz die Malerin Trude Esser (geb. Bewerunge), die Witwe seines alten Kanufreundes Carl-Egon Esser. Jener

WALTER FRENTZ

In den Schluchten

EUROPAS

29 Buchumschlag, 1952

war am 2. Mai 1945 in den letzten Kämpfen um Berlin auf den Spandauer Rieselfeldern gefallen. Frentz wird Stiefvater von vier Kindern. Die Hochzeitsreise geht nach Venedig, mit dem Fahrrad. Die Familie lebt zunächst in Mülheim an der Ruhr, zieht 1950 nach Stuttgart, wo 1953 auch der Sohn Hanns-Peter geboren wird. 1968 erfolgt der Umzug nach Überlingen am Bodensee.

1950 und 1951 macht Frentz zwei große Kajaktouren, bei denen Aufnahmen für Filme entstehen: »Vom Matterhorn zum Mittelmeer« (BRD 1950) und »Spanienfahrt 1951« (BRD 1951). In den »Kanusport-Nachrichten« erscheinen ausführliche Beiträge. Viele Jahre lang sind nun zahlreiche Fotos oder Berichte von Frentz zu finden.[127] Auch 1952 begibt sich Frentz auf große Fahrt. Ziel ist wieder einmal Jugoslawien. Im selben Jahr veröffentlicht er einen Großteil seiner Fahrtenberichte aus den 1920er und 1930er Jahren in dem Buch »In den Schluchten Europas«. Frentz widmet das Buch seinen »besten Freunden« Esser, Klinke und Staelin, die – noch ganz in alter Diktion – »für unsere Zukunft ihr Leben geben mußten.«[128] Das Vorwort schreibt Carl Diem, Organisator der Olympischen Spiele 1936 in Berlin.

Im Sommer 1952 befindet sich Frentz zum zweiten Mal, nach 1941, in Helsinki. Wieder ist er als Kameramann für einen offiziellen Olympiadefilm tätig. Er dreht für Finnland bei den Olympischen Sommerspielen. Es sind die ersten, an denen Deutschland nach dem Krieg teilnehmen darf.[129] Laut Zeitschrift »Die Wildente«, einem Informationsblatt für ehemalige PK-Mitarbeiter der Luftwaffe, sind unter den Kameraleuten viele Kollegen aus früherer Zeit: Sepp Allgeier, Horst Grund, Gerhard Garms, Erich Stoll.[130] Werkfotos zeigen Frentz mit der Unterwasserkamera beim Turmspringen. Hans Ertls Bildideen von 1936 – unter anderem das Eintauchen der Springer ins Wasser, mit der Kamera durchgehend aufgenommen – gehören zu diesem Zeitpunkt bereits zum Standard der Sportberichterstattung.

Frentz steht für die Reportage »5000 Jahre Ägypten« (BRD 1953) hinter der Kamera. In den nächsten drei Jahrzehnten ist er als Regisseur von Kultur-, Reise-, Lehr- und Industriefilmen gut im Geschäft. Kontinuierlich erhält er Filmaufträge, so vom Land- und Hauswirtschaftlichen Auswertungs- und Informationsdienst e.V. (»So soll es sein das Schwein«, BRD 1957), vom Deutschen Stahlbauverband, vom Deutschen Jugendherbergswerk (»Kein schöner Land«, BRD 1956) oder von der Alfred Töpfer-Stiftung (»Die Kunst zu bauen, das Erbe Europas«, BRD 1976). Einige Filme werden international vermarktet, verschiedene Sprachfassungen erstellt. Darüber hinaus realisiert Frentz Produktionen ohne fremden Auftrag, so über den aus Esslingen stammenden Künstler Rolf Nesch (BRD 1966), der 1933 nach Nor- wegen emigriert war. Reisefilme wie »Skizzen aus Dänemark« (BRD 1959) und weitere Kajakfilme entstehen. Daneben zeichnet er auch für die Postproduktion anderer Filme verantwortlich.

Das Jahr ist fast immer nach dem gleichen Schema geteilt. Im Sommer dreht der »Filmgestalter« (W.F.) Filme, geht auf Kanufahrten, macht auf Reisen Fotos für seine Diavorträge. Vom Herbst bis zum Frühjahr schneidet er die Filme, fährt durch die Bundesrepublik, hält als »Dozent für Erwachsenenbildung« Vorträge an Volkshochschulen, bei der Urania, anderen Bildungseinrichtungen und Kanuvereinen. Manches Jahr sind es bis zu 200 Auftritte. Die Themenliste umfasst am Ende ca. 30 Titel, überwiegend Reise- und Städtebilder aus Europa: Dänemark, Norwegen, Schweiz, Griechenland. Im Angebot sind auch – natürlich neben Jugoslawien – zahlreiche sozialistische Länder: Tschechoslowakei, Ungarn, Rumänien, Bulgarien, Albanien, Sowjetunion. Das Interesse an Ost-, Mittel- und Südosteuropa ist eine Konstante in seinem Leben. In den 1960er Jahren beginnt er wieder mit Reisen dorthin. Durch die Reiseerleichterungen, die sich aus Willy Brandts Ostpolitik ab 1969/70 ergeben, verstärkt sich Frentz' Engagement weiter. Er versteht sich selbst als »Brückenbauer über die Mauer«.[131] 1988 hat er auch den Vortrag »Wer kennt Deutschland?« über die DDR im Programm.

Einen Teil seiner Vorträge bestreitet er zunächst mit Fotos, die er während seiner aktiven Kajakzeit vor 1939 und während seiner Dienst- und Privatreisen im Zweiten Weltkrieg gemacht hatte, so beispielsweise in »Von Finnland bis zum schwarzen Meer«, einer Fotoreise von Finnland über Estland, Riga, Pleskau, Minsk, Kiew zur Krim. In seinem Textmanuskript zum Vortrag spricht er von der »geheimnisvollen Welt des Ostens« oder von Russland als »1/6 der Erde« und als »Schicksalsland«. In seinen einleitenden Worten verspricht Frentz: »Keine Politik! [...] sondern Tatsachen«.[132] Unter den Bildern finden sich Aufnahmen von seiner Fahrt mit Brandt und von der Minskreise mit Himmler 1941.

Seine alten Bilder haben auch andere nicht vergessen. Regelmäßig melden sich Bekannte mit Anfragen nach Abzügen. Mitunter führt Frentz seine im Krieg begonnenen Bestelllisten weiter. Bildhauer Arno Breker bittet 1966 um Abzüge von Parisbildern, die Frentz auf dem gemeinsamen Blitzbesuch mit Hitler am 23. Juni 1940 gemacht hatte.[133] Neben Frentz' altem Freund Richard Schulze-Kossens, einem vormaligen SS-Obersturmbannführer und Mitglied der Leibstandarte SS Adolf Hitler, meldet sich 1971 Otto Skorzeny, ebenfalls früher SS-Obersturmbannführer und Mitglied der Leibstandarte, aus Madrid, wo er den persönlichen Schutz von Diktator Franco genießt. Er hatte Frentz' Adresse von »unserem gemeinsamen Freund Otto Günsche«, dem ehemaligen SS-Adjutanten Hitlers, erhalten, möchte Abzüge »aus der Kriegszeit«.[134] Frentz schickt sie ihm, berichtet von seinen Filmarbeiten und fragt nach Skorzenys Einschätzung des »Kriegsschriftstellers« und späteren Holocaust-Leugners David Irving, der sich kurz zuvor an Frentz mit der Bitte um ein Gespräch gewandt hatte.[135] Skorzenys Antwort: »Mr. Irving kenne ich persönlich und muß sagen, daß er ein außergewöhnlich sympathischer Mensch ist, der mit unerhörtem Fleiß das Material zu seinen Büchern sammelt. Er bemüht sich in seinen Büchern wirklich neutral zu sein, und scheut sich auch nicht, Dinge, die positiv für Deutschland waren und sind, beim Namen zu nennen.«[136]

Mit Riefenstahl ist Frentz nach 1945 in ständigem Kontakt. Die ersten Nachkriegsfotos von ihr entstehen 1947. Manchmal feiern sie gemeinsam Geburtstag. Regelmäßig werden Briefe gewechselt. 1957 fragt Riefenstahl an, ob Frentz bei ihrem Spielfilmprojekt »Schwarze Fracht« in Afrika als Kameramann zur Verfügung stehen würde. Er lehnt ab. Seine Auftragslage ist zu gut. Eine Zusammenarbeit kommt nicht mehr zustande. Auch Riefenstahls Bitten um Filmtechnik erfüllt Frentz nicht, was sie »sehr geschmerzt« hat.[137] Seine Geräte benötigt er für die eigene Arbeit. Neben ausführlichen Berichten über ihre derzeitigen Projekte und Persönliches, klagen beide mitunter über den gesellschaftspolitischen Umgang mit ihrer früheren Tätigkeit. Einen Höhepunkt der brieflichen Empörung erreichen sie im Zuge der Auseinandersetzung über die geplante Aufführung der Olympiafilme im Mai 1972 im Berliner Zoopalast. Nach Protesten der Jüdischen Gemeinde und anderer Verbände wird die Veranstaltung abgesagt. Riefenstahl fühlt sich »bedroht« und »flüchtet« nach Ibiza: »Die Feindschaft der Juden gegen mich ist in der

30 Frentz auf dem Titel der Zeitschrift »Der deutsche Kameramann«, November 1961

ganzen Welt organisiert – ich bin auch müde, dagegen anzugehen.« Frentz' Antwort trägt antisemitische Züge. Auch erinnere ihn die »Berliner Hetze« an die »Nazi-Zeiten [...], wo ein Nolde, wo viele großartige moderne Maler und Künstler aus den blödesten Gründen abgelehnt und verdammt wurden«.[138]

Zu Speer pflegt Frentz nach dessen Haftentlassung einen losen Briefkontakt. Er schickt ihm einen Willkommensgruß. Die Ehepaare besuchen sich einige Male. 1975 tritt Frentz mit einem Anliegen an Speer heran: »Mon professeur [...] mein Schwiegersohn (Ing. in einem Flugzeugwerk, das viel mit der Bundeswehr zu tun hat) meinte, wenn man heute sähe, wie wenig effektiv der Weg der Bürokratie in oft ›lebenswichtigen‹ Fragen der Nation sei, frage man sich manches Mal (und höre auch von Älteren davon!), daß diese ›Verfahren‹ im 3. Reich viel schneller und leichter gelöst wurden. Sein Vorschlag: Ein Mann der Wirtschaft oder der dafür zuständige Minister (also Sie, lieber Herr Reichsminister!) sollte rein sachlich und fachlich ohne jede Politik einmal darüber berichten, wie es damals möglich war solch erstaunlich schnelle und gute Lösungen technischer Probleme zu erzielen.«[139] Speer lehnt ab.

In Briefen und Gesprächen äußert Frentz häufig, dass er für eine Beschäftigung mit der Vergangenheit keine Zeit habe und: »Außerdem halte ich es für wichtiger die Gegenwart und Zukunft zu ›bewältigen‹ und nicht die Vergangenheit. Die bewältigt sich selbst, je länger sie vorbei ist.«[140] Doch erzählt er vielen, die sich dafür interessieren, seine Geschichten. Ende der 1960er Jahre beginnt seine Karriere als gefragter Zeitzeuge. Er gibt ein Interview für das dänische Fernsehen. Die BBC wird auf ihn aufmerksam. 1971 gibt er David Irving und John Toland Auskunft. Später befragen ihn Gitta Sereny, Ian Kershaw, Anton Joachimsthaler und viele andere. Seine Bilder werden von allen Lagern benutzt. Seriöse, wissenschaftliche, populäre, revisionistische oder rechte Publikationen erhalten Abzüge und Abdruckgenehmigungen von Frentz.

1977/78 entsteht ein Film über Nationalparks in den USA. Es ist Frentz' letzter. Die späten Lebensjahre kümmert sich Frentz neben seinen Vorträgen überwiegend um sein Fotoarchiv. 1992 gewinnt Filmemacher Jürgen Stumpfhaus den nunmehr 85jährigen Frentz für die Mitarbeit an einem Porträt.[141] Gemeinsam besuchen sie alte Wirkungsstätten – Reichsparteitagsgelände in Nürnberg, Olympiastadion in Berlin, Obersalzberg –, treffen alte Mitstreiter – Leni Riefenstahl und die Kameramänner Heinz von Jaworsky, Guzzi Lantschner. Mit Stumpfhaus geht Frentz auf große Fahrt – noch einmal mit dem Dampfer nach New York. Ein Jahr später beendet er seine Tätigkeit als Vortragsreisender. 1995 befasst sich Frentz mit der Neuauflage seines Buches »In den Schluchten Europas«, versucht zahlreiche Zeitungsredaktionen für Rezensionen zu gewinnen.[142] Trude Frentz stirbt 1997, Walter Frentz am 6. Juli 2004 in einem Altersheim in Überlingen. Nachrufe erscheinen auf nationaler (Frankfurter Allgemeine Zeitung, Die Welt, Kanusport) und internationaler Ebene (Independent, Washington Post, New York Times), in Fachzeitungen (epd, Der Kameramann) sowie auf rechten Internetseiten.

Walter Frentz: »Ich war kein Nazi. Warst Du einer?«[143]
Eine Einschätzung

Frentz hat viele Fotos gemacht. Wichtig waren ihm Landschaften, dann Architektur, dann Menschen. Frentz fotografierte Frauen und Männer. Frauen gefielen ihm. Seine Freunde sind mitunter posenhaft inszeniert, doch dabei weit entfernt von Riefenstahls Hymnen auf den schönen, kraftvollen Körper. Der Blick auf Landschaft, Stadt und Architektur ist touristisch, auf Freunde und Bekannte interessiert, auf Fremde distanziert. Auch wenn Frentz nicht zu den Großen der Fotografie zählt, ist ein hohes Maß an Professionalität erkennbar. Frentz arbeitete schnell, bewies in seinen Fotos Gespür für den richtigen Augenblick und wirkungsvolle Bildausschnitte.

Frentz hat einen eigenen Stil. Seine Sicht auf die Dinge ändert sich kaum. Die Bilder aus den 1920er Jahren richten oft die gleichen Blicke auf die gleichen Sujets wie die aus den 1930er oder späteren Jahren. Der Tisch auf der Terrasse vom Berghof wird

genauso gesehen wie der Holztisch unter den Bäumen der »Wolfschanze« oder der elterliche Wohnzimmertisch. In der Frentzschen Trümmerfotografie ist nur der Gegenstand zerstört – es bleibt seine Art der Stadt- und Architekturfotografie. Wie in vielen anderen Bildern setzt er Architektur – hier Ruinen – gern malerisch ins Licht. Kriegsverbrecher, Sekretärinnen und Fahrer fotografiert Frentz ebenso wie Kajaksportler, Freunde, ihre Frauen und Kinder.

Gern hat er Hitler fotografiert. Zumindest lässt die Zahl der Bilder darauf schließen. Es sind Hunderte: Hitler bei den Lagebesprechungen, vor Architekturmodellen, Hitler allein, in Gesellschaft, fröhlich, ernst, sitzend, gehend, stehend. Die Stilisierungen aus der Hoffmannschen Fotofabrik treffen sich nur selten mit den privateren Sujets in Frentz' Fotos. Auch Schäferhündin Blondi hat er gemocht. Ganze Fotoserien gibt es – mal mit, mal ohne Hitler. Blondi liegt, schläft, schaut, spielt, Blondi macht Übungen, Blondi macht Männchen.

Haltung drückt sich nicht zwangsläufig oder vordergründig in Bildern aus. So spiegeln sich in den tausenden Fotos aus der Zeit des Dritten Reiches, die Frentz hinterlassen hat, kaum Überzeugungen. Völkische Momente, »rassische« Typisierungen, wie bei Erna Lendvai-Dircksen, sind nicht zu erkennen. Die Suche nach »Herren-« und »Untermenschen« bleibt ohne Erfolg. Bilder von Kriegsgefangenen entbehren vordergründiger Denunzierung. Die wenigen BDM-Mädchen und HJ-Jungen, die Frentz fotografiert, erscheinen als Kinder und Jugendliche, nicht als Mitglieder der Volksgemeinschaft. Den Mädchen bläst der Wind die Haare ins Gesicht. Ihre künftigen Pflichten als deutsche Mütter interessieren Frentz nicht. Die Jungen haben Spaß am Spiel. Noch sind sie keine Kämpfer, die darauf brennen, für Großdeutschland zu sterben.

Interessant sind seine Auslassungen, seine Ausblendungen. Von 1939 bis 1945 macht Frentz tausende Schwarzweißbilder auf seinen Wegen zu den europäischen Schlachtfeldern. Mitunter sind Zerstörungen zu sehen, selten Verwundete, vereinzelt Friedhöfe und nur ein einziger Toter. Nach dem Massaker in Minsk geht er paddeln.

Ein paar Mal ändert sich sein Blick, meist im Zusammenhang mit Filmen. Seine Schiffs- und New-York-Bilder (1933), die Fotografien von den Industrieanlagen, entstanden bei den Dreharbeiten zu »Hände am Werk« (1934), oder die Aufnahmen zu »Artisten der Arbeit« (1937) sind der Moderne der 1920er Jahre verpflichtet. Frentz changiert hier zwischen dem Realismus neusachlicher Fotografie und dem von der menschlichen Wahrnehmung abstrahierenden Neuen Sehen.

Über seine filmischen Präferenzen, »sein« Kino ist wenig bekannt. Walter Ruttmann, Willy Zielke, René Clair gibt er später als Vorbilder an. Béla Balász' »Der Geist des Films« (1930) nennt er seine filmische Bibel. Doch vor allem ist es die sowjetische Kinematographie, die ihn beeindruckt. Er mag Eisensteins geschlossene Montagerhetorik, Wertows Bildgestaltungen – das »Primat des Bildes« (W.F.) und der Kamera. Aus

deutscher Produktion der 1920er und frühen 1930er Jahre interessieren ihn Fancks Bergfilme, vor allem wegen der Natur- und
Sportelemente. Fancks Verbindung des »mitunter auch gesuch-
ten menschlichen Dramas« mit der »gewaltigen Dramatisie-
rung der Naturkräfte und Katastrophen« kommen Frentz' Liebe
zur Natur, zum Wasser und zu den Bergen nahe.[144]

Durch die Arbeit an den Kajakfilmen war Walter Frentz zu
einem Meister der Handkamera geworden. Bereits seine frühen
Filme lassen eine Stilistik in der Bildgestaltung, in den Sujets
und in der Montage erkennen, wie sie sich später in den eigenen Filmen, aber auch in Beiträgen zu den Filmen anderer
Regisseure wieder finden. Frentz lässt den Zuschauer durch
den Einsatz von subjektiver Kamera an Bewegung, am Sehen,
am Geschehen teilnehmen. Ereignisse, Personen, Handlungen
werden selten nur von außen aufgenommen, sondern immer
wieder geschickt mit Bildern verbunden, die das subjektive
Empfinden und Sehen einzufangen versuchen. Dabei scheint es
egal, ob die Kamera einen Kajakfahrer, einen Marathonläufer,
einen Radfahrer, einen Segelflieger oder Adolf Hitler begleitet,
egal auch, ob es in der Luft, auf Jugoslawiens Flüssen (Kajak),
in Nürnberg (NSDAP-Parteitag), Breslau (Radrennfahrt) oder
Danzig (Siegesfeier während des Polenfeldzugs) passiert.

Weitere Merkmale seiner Filmgestaltung sind ein sicheres
Gefühl für Rhythmus, das Herausheben von Details, die Frag-
mentierung körperlicher oder technischer Bewegungsabläufe,
ohne sie zu zerstören. Dabei interessieren ihn handwerkliche
und industrielle Technologien – bei der Spiegelherstellung,
beim Handeln auf albanischen Märkten, bei künstlerischer oder
gärtnerischer Tätigkeit – ebenso wie sportliche Bewegungsabläufe – Hände, Arme, Beine beim Segeln, Eiskunstlauf, Radfah-
ren, Segelfliegen. Elemente, wie sie auch in der Deutschen
Wochenschau beim Laden des Eisenbahngeschützes »Dora«
und beim Abschuss der Granaten auf Sewastopol zu sehen
sind.

Frentz' Filmsprache ist originell, ihre Mittel sind aber nicht
neu. Sie erklärt sich aus einer Entwicklung, die in Deutschland
Mitte der 1920er Jahre einsetzte. Mit ihr trug er wesentlich zu
Riefenstahls Bildwelt bei. Allgeier, Ertl, Frentz oder Jaworsky
waren für Bilder und Rhythmus einzelner Riefenstahl-Sequen-
zen zuständig. Die Regisseurin selbst kompilierte das Material.
»Triumph des Willens« und »Olympia« hätten ohne Frentz und
seine Kollegen anders ausgesehen. »Feldzug in Polen« und die
Deutsche Wochenschau auch. Durch seine Beiträge zu wichtigen Werken nationalsozialistischer Kinematographie wurde er
mitverantwortlich für die Propaganda des Dritten Reiches.

»Im Leben und in der Fotografie kommt es auf dasselbe an:
auf unsere Einstellung.« (W.F.) Doch wie stand es um Haltungen
bei Walter Frentz, dem Mann, der von Bekannten als kosmopoli-
tisch, weltoffen und freundlich charakterisiert wird, der sich für
Kunst, Architektur und Neue Musik interessierte? Nationalsozialistische Ideologie, die Grundlage der von 1933 bis 1945 verüb-
ten Verbrechen, wurde mit seinen Bildern propagiert. Doch

31 Unbekannter Fotograf: Frentz mit Leica, 1980er Jahre

Frentz fühlte sich als bloßer Chronist der Ereignisse, nicht als
Teilnehmer. Verantwortung für das Geschehen und seine Bilder
hat er offenbar nicht empfunden. Konnte er den Zusammenhang von Bildproduktion, Ideologievermittlung und Wirklichkeit
nicht erfassen? Wusste er nicht um Propaganda- und Wirkungs-
mechanismen? Oder stellte es kein Problem für ihn dar?

Frentz widersprach sich mitunter in seiner ausgestellten
Unbedarftheit. Wenn er hoffte, wie er vorgab, durch seine Aufnahmen vom Massaker bei Minsk Hitler oder dessen Umge-
bung aufrütteln zu können, müsste er an die Macht der Bilder
geglaubt haben. Doch Reflexion schien seine Sache nicht. Die
geheimen Fotografien und Filme von den Festungsanlagen des
Atlantikwalls, von den V 2-Produktionsstätten im KZ Dora-Mit-
telbau und anderen Rüstungsprojekten, die Frentz in direktem
Auftrag von Hitler und Speer angefertigt hatte, beeinflussten
Entscheidungen hinsichtlich Planung und Strategie im Zweiten
Weltkrieg. Für Frentz blieben sie bloße Reproduktionen einer
Wirklichkeit, die er nicht zu verantworten hatte.

Frentz mochte Hitler, mochte den Mann, dessen filmisches
Bild er im Wesentlichen mitgeprägt hat. Bis zum Ende seines

Lebens hing er dem weit verbreiteten, naiven und zugleich ungeheuerlichen Glauben an, dass Hitler über viele Vorgänge im Dritten Reich nicht informiert wurde, dass er vom Ausmaß der Verbrechen nichts gewusst habe, ein Ausmaß, das Frentz zudem leugnete. Ihr Kontakt dauerte Jahre. Er reichte bis in des Führers Essens- und Teerunden hinein.[145] Von Hitler entfernt hat sich Frentz innerlich wohl nie. Noch 1989 bemüht er sich bei der Entwicklungsabteilung von Kodak Stuttgart intensiv um ein Dia von Hitler. Kodak hatte es verlegt. Frentz insistiert, dass es das »menschlichste« Foto von ihm gewesen sei. In seiner Erinnerung existierte eine persönliche Beziehung zu Hitler, eine Zuneigung, die Hitler für ihn empfunden habe. In Briefen nach dem Krieg nennt er ihn zumeist »A. H.«, mal auch »Chef«.

Frentz vermittelte gern den Eindruck eines unpolitischen Menschen. Kein Mitglied der NSDAP gewesen zu sein, galt ihm als wichtiges Indiz dafür.[146] Seine SS-Zugehörigkeit, zu der es im Zusammenhang mit der Minskreise gekommen war, nahm er als solche nicht wahr, blendete sie aus. 1985 äußerte er im Interview: »[Ich] habe mich nicht für Politik an sich interessiert«. Ähnlich argumentierte er 1946 bei der Befragung durch amerikanische Behörden. Doch der zuständige Vernehmer notiert: «It may be assumed, however, that a man who came in close contact with Adolf Hitler and other high-ranking Nazi officials must have been screened thoroughly by the Gestapo and must, in the eyes of the Nazi regime, have been considered ›politically 100 % reliable‹.«[147]

Frentz bewunderte jüdische Künstler und pflegte andererseits übliche antijüdische Ressentiments. Die »Entjudung« des Hochschulrings Deutscher Kajakfahrer, unter der HDK-Führerschaft von Frentz betrieben, ließ ihn 1933 zum Mittäter an der beginnenden Ausgrenzung und Entrechtung der Juden werden. Sein Antisemitismus ist monströs im Leugnen der Zahl. Relevanz und Irrelevanz der Zahl hatte Frentz nicht begriffen: sechs oder zwei Millionen ermordete Juden.[148]

Frentz hatte nach 1945 ein ungebrochenes Verhältnis zu seiner Vergangenheit und zum Dritten Reich. Er hielt Lichtbildvorträge und verwendete dabei Aufnahmen, die er während des Zweiten Weltkrieges gemacht hatte, bei seinen Reisen an die Front und im Hinterland. Er zeigte seine alten Kajak- und Kulturfilme, kümmerte sich um seine Farbporträtserien. Und er verdiente Geld mit den alten Bildern. Viele bestellten Abzüge bei ihm, nicht nur Historiker, Publizisten, Journalisten, sondern ebenso rechte Verlage und alte Kameraden. Auch nach dem Krieg reflektiert er nicht darüber, wie seine Bilder benutzt werden und von wem.

Frentz' Interesse an alten Verbindungen war oft professioneller Natur. Dem Informationsblatt für ehemalige PK-Mitarbeiter der Luftwaffe »Die Wildente« bot er sein Werk »In den Schluchten Europas« für eine Rezension unter der Rubrik »Bücher – die Kameraden schreiben« an; daneben berichtete er über seine Arbeit.[149] Zu Treffen der Hilfsgemeinschaft auf Gegenseitigkeit ehemaliger Angehöriger der Waffen-SS (HIAG) fuhr er Ende der 1950er Jahre im Auftrag einer amerikanischen Produktionsfirma, um Filminterviews mit hoch dekorierten Offizieren durchzuführen. Die HIAG unterstützte ihn bei der Suche nach geeigneten Interviewpartnern. Seine frühere Tätigkeit im Führerhauptquartier kam ihm bei dieser Arbeit zu Gute. Frentz traf auf Leute, die, noch durchdrungen von den Kämpfen, von ihren eigenen Taten geschwärmt haben sollen und deren Kameradschaftsgeist ihn beeindruckt habe.[150] Darüber hinaus finden sich keine Belege für eine Teilnahme an Kameradschaftstreffen, organisierter Traditionspflege oder Beerdigungen alter Funktionsträger und Weggefährten. Vielleicht hat es ihn nicht interessiert. Ganz sicher aber hatte er nur wenig Zeit. Doch Netzwerke existierten. In Frentz' randvollen Adressbüchern mit hunderten Eintragungen von Kajakfreunden, Volkshochschulen, Filmleuten und vielen anderen finden sich immer wieder auch Namen wie aus einem »Who is who« der Führerhauptquartiere und anderer Schlüsselstellen des Dritten Reiches: Günsche, Dietrich, die Familien Todt und Brandt, Speer, Hippler, Darges, von Below, Linge, Schröder, Junge und so weiter. Und die Verbindungen funktionierten nicht nur bezüglich der Fotos. Man hielt Kontakt, informierte und half einander, berichtete, gab Adressen weiter.

Frentz pflegte seine ganz persönlichen Mythen: Speers Lichtdom über dem Reichsparteitagsgelände von Nürnberg oder der Olympia-Prolog auf der Kurischen Nehrung – seine Ideen –, der vermeintliche Protest gegen die Massenerschießung bei Minsk oder die Kunstrettungsaktion in den letzten Kriegstagen – seine Initiativen –, die Konkurrenz zu Riefenstahl und Hitlers Vertrauen in Frentz – seine Überzeugung.

Einer von Frentz' Lieblingsreimen lautete: »Zum Sehen geboren, zum Schauen bestellt, der Kamera verschworen, gehört uns die Welt.«[151] Frentz hat viel gesehen. Traudl Junges »toten Winkel« kann er nicht für sich reklamieren. »Eines muss immer und überall möglich sein: Die eigene Illusion.« (W.F.) Das ist Frentz gelungen. – Ich war nur der Kameramann.

1 Zwei Filmporträts widmen sich Frentz: »Filmdokumente zur Zeitgeschichte – Walter Frentz über seine Tätigkeit als Kameramann 1932-1945« (Gesprächspartner: Dr. Karl Stamm, BRD 1985) stellt ihn im Interview vor, zeigt Filmausschnitte. »Das Auge des Kameramanns – Walter Frentz« (Regie: Jürgen Stumpfhaus, D 1992) kompiliert verschiedene Quellenebenen. Neben Interviewpassagen, Aussagen von Frentz im Originalton und Filmausschnitten werden Frentz' Ausführungen von einem Sprecher in der dritten Person präsentiert. Weiterhin wird ausgiebig das so genannte Filmtagebuch (Tageskalender) der Jahre 1933-45 zitiert, bei dem es sich wohl eher um Kalender mit tagebuchartigen Eintragungen gehandelt haben wird, ein Vorgehen, das Frentz auch vor 1933 praktizierte und nach 1945 beibehielt. Im Film werden jedoch fehlerhafte Angaben gemacht, die sich so nicht unter Frentz' Eintragungen befunden können. Daten und Aussagen werden zeitlich und inhaltlich verschoben, passend gemacht. Damit erweist sich der Quellenwert als problematisch. Auf beide Filme wird hier zurückgegriffen (abgekürzt zitiert: Frentz in Stamm 1985, Frentz in Stumpfhaus 1992). In der Hauptsache wurden Originalaussagen von Frentz verwendet. Bei weitergehender Bezugnahme wird darauf hingewiesen. – In »Die Macht der Bilder – Leni Riefenstahl« (Regie: Ray Müller, D 1999) sowie »Rollenwechsel« (Regie: Jürgen Stumpfhaus, D 1992) über Heinz von Jaworsky wird Frentz zu den jeweiligen Personen befragt beziehungsweise beim Zusammentreffen mit ihnen gefilmt. – Weiterhin berichtet Frentz in zahlreichen BBC-Produktionen wie »The Eye of the Dictator« (Regie: Hans-Günther Stark, GB 1988), »The Nazis« (Regie: Laurence Rees, GB 1996) oder »War of the Century« (Produktion: Laurence Rees, GB 1999).

2 Laut Jürgen Stumpfhaus wurden die Kalenderbücher Ende 1992 wieder in das Archiv von Walter Frentz zurückgeführt, wo sie jedoch nicht aufgefunden werden konnten. Teile der Dokumente wurden abgefilmt, von zahlreichen Auszügen sollen Transkriptionen erstellt worden sein. Entgegen eigener wiederholter Bekundungen hat Stumpfhaus bis heute weder der Familie Frentz noch wissenschaftlichen Einrichtungen, wie dem US Holocaust Memorial Museum Washington, diese Transkriptionen und Filmaufnahmen zur Verfügung gestellt. Übergeben wurden lediglich besagte zwei Seiten. Die Transkription ist nicht beglaubigt. Sie weist handschriftliche Nacheintragungen auf, die an mindestens einer Stelle fehlerhaft sind.

3 In vielen Gesprächen gab Hanns-Peter Frentz bereitwillig und ohne Tabus Auskunft über seinen Vater, stellte Bild- und Textdokumente zur Verfügung. Ohne ihn wäre diese Arbeit nicht möglich gewesen. Ihm gilt mein besonderer Dank. – Für anregende Gespräche und inhaltliche Kritik danke ich Guido Altendorf und Michael Bischoff. – Dank auch an Werner Jacobs.

4 Daten zum Lebenslauf, wenn nicht anders vermerkt, aus Dokumenten (Archiv H.-P. Frentz) und Literatur zum Themenkomplex Kanusport und Frentz. Hier, wenn nicht anders vermerkt: Walter Frentz, Personalien, in: Kanusport o. Nr. (1982); Stefan Andreas Schmidt, Walter Frentz – weitgereister Herr mit Linse, in: Kanusport 8 (1996), S. 358 f; Walter Frentz, In den Schluchten Europas. Erstbefahrungen und Erlebnisse der Faltbootpioniere, München 1995² [1. Auflage Stuttgart 1952]; Thomas Theisinger, Walter Frentz, in: Herbert Kropp (Hg.), Binsenbummeln und Meeresrauschen, 3. Internationales Jahrbuch des Faltbootsports 2005/2006, Oldenburg 2005, S. 195-213. Mit Dank an Thomas Theisinger für zahlreiche wertvolle Hinweise.

5 Schmidt 1996 (wie Anm. 4), S. 358.

6 Frentz in Stumpfhaus 1992 (wie Anm. 1).

7 Die Vereinsgeschichte des HDK (Kiel) unter: http://www.ifm.uni-kiel.de/other/sport/kajak/history.htm (Zugriff 24. April 2006): Gründung 18. Dezember 1928; Kanu-Sport und Faltboot-Sport 6 (9. Februar 1929): HDK-Gründung im Sommer 1928.

8 Frentz 1982 (wie Anm. 4).

9 Frentz in Stamm 1985 (wie Anm. 1).

10 Ebd.

11 Frentz 1995 (wie Anm. 4), S. 48.

12 Theisinger 2005 (wie Anm. 4), S. 198 (Anzeige für Januar 1933). – Fotos in: Fluß und Zelt (1929/30), Kanu-Sport und Faltboot-Sport (1929).

13 Kanu-Sport und Faltboot-Sport 15 (12. April 1930). – 1930 erscheint das 1. Jugoslawien-Sonderheft in: Kanu-Sport und Faltboot-Sport 25 (1930), S. 247-285 von Frentz.

14 Frentz 1995 (wie Anm. 4), Anhang o. S. [d. i. S. 226]. – Zu Quincke siehe Filmographie.

15 Siehe hierzu: Kanu-Sport und Faltboot-Sport 2 (20. Januar 1934), A 9.

16 Frentz 1995 (wie Anm. 4), Anhang o. S. [d. i. S. 226 f]. – Siehe hierzu: Drehbericht von Frentz und Hanns-Peter Klinke in: Kajaksport im Tonfilm, in: Kanu-Sport und Faltboot-Sport 2 (21. Januar 1933), S. 15-19, hier: S. 15-18 sowie Film-Kurier, 4. Januar 1933. – Entgegen der eigenen Darstellung von Frentz, nach der »Wildwasserfahrt durch die schwarzen Berge« als Vorfilm zu »Nanuk der Eskimo« (Regie: Robert J. Flaherty, USA 1921) eingesetzt wurde.

17 Frentz 1995 (wie Anm. 4), S. 54.

18 Zit. n. Theisinger 2005 (wie Anm. 4), S. 200.

19 Kanu-Sport und Faltboot-Sport 11 (29. April 1933), A 116.

20 Kanu-Sport und Faltboot-Sport 14 (20. Mai 1933), A 114.

21 Siehe hierzu: Mitteilung in Kanu-Sport und Faltboot-Sport 2 (20. Januar 1934), A 9. Frentz hatte während des Studiums Serbokroatisch gelernt und war wohl 1932 der Einladung des Slowenischen Alpenvereins zu einer Vortragsreise gefolgt. Der Bericht vermeldet weiter, dass die Zentrale für Fremdenverkehrwerbung in Jugoslawien 70 Bilder von Frentz angekauft habe. – Schmidt 1996 (wie Anm. 4), S. 359; Frentz 1995 (wie Anm. 4), S. 112.

22 Frentz in Stumpfhaus 1992 (wie Anm. 1).

23 Frentz in Stamm 1985 (wie Anm. 1).

24 Ebd.

25 Ebd.

26 Hans Barkhausen, Die NSDAP als Filmproduzentin, in: Günter Moltmann/Karl Friedrich Reimers (Hg.), Zeitgeschichte im Film- und Tondokument. 17 historische, pädagogische und sozialwissenschaftliche Beiträge, Göttingen/Zürich/Frankfurt am Main 1970, S. 145-176, hier: S. 158.

27 Frentz in Stamm 1985 (wie Anm. 1).

28 Dank an Felix Moeller für den freundlichen Hinweis.

29 Die Tagebücher von Joseph Goebbels. Im Auftrag des Instituts für Zeitgeschichte und mit Unterstützung des Staatlichen Archivdienstes Rußlands hg. von Elke Fröhlich, Teil II, Diktate 1941-1945, Bd. 10, München u.a. 1995, S. 517.

30 Die Tagebücher von Joseph Goebbels, hg. von Elke Fröhlich, Teil II: Aufzeichnungen 1923-1941, Band 3/I: April 1934-Februar 1936, München 2005, S. 199. – Über den Quellenwert der Tagebücher wurde umfassend diskutiert. Wahrscheinlich seit Beginn 1934, sicher seit dem 22. Oktober 1936, hatte sie Goebbels zur Veröffentlichung nach seinem Tode vorgesehen. Die Äußerungen des Ministers für Volksaufklärung und Propaganda müssen vor diesem Hintergrund gelesen werden. Siehe hierzu Felix Moeller, Der Filmminister. Goebbels und der Film im Dritten Reich, Berlin 1998, S. 32-56.

31 Frentz in Stamm 1985 (wie Anm. 1).

32 Film-Kurier, 10. Juli 1936.

33 Film-Kurier, 14. Januar 1935.

34 Zit. n. Theisinger 2005 (wie Anm. 4), S. 202.

35 Film-Kurier, 5. März 1935.

36 Kanu-Sport und Faltboot-Sport 25 (10. August 1935), A 213. – Siehe hierzu: Bericht eines mitfahrenden Hitlerjungen »Mit dem Faltboot durch Albanien«, in: Hilf mit! Illustrierte deutsche Schülerzeitung 11 (August 1936), S. 392-331, auf: http://www.paddlersepp.de/drin.html (Resi und Sepp Schächner: Kajaksport – Wasser – Natur in Europa; Zugriff: 14. Juni 2006).

37 Film-Kurier, 29. Oktober 1935: »Am Telefon – Walter Frentz«.

38 Martin Loiperdinger, Willy Zielke und die Reichsbahn. Die Geschichte vom »Stahltier«, in: Filmwärts 30 (1994), S. 50-55, hier: S. 50.

39 Frentz in Stumpfhaus 1992 (wie Anm. 1).

40 Film-Kurier, 3. Februar 1938; Loiperdinger 1994 (wie Anm. 38), S. 50.

41 Filmmuseum Potsdam, Nachlass und Krankenakte Willy Zielke.

42 Weitere Beispiele für die Verwendung von Frentz-Sequenzen in anderen Filmen: aus »Hände am Werk« und »Wildwasserparadiese in Österreich und Jugoslawien« im Olympiadewerbefilm »Die Glocke ruft« (D 1935) oder aus »Hände am Werk« in »Der ewige Jude« (Regie: Fritz Hippler, D 1940). Siehe hierzu auch den Beitrag von Karl Stamm in diesem Buch. – Zur allgemeinen Praxis der Nutzung vorhandener Filmmaterialien in anderen Produktionen siehe auch: Stig Hornshøj-Møller, »Der ewige Jude« – Quellenkritische Analyse eines antisemitischen Propagandafilms. Institut für den Wissenschaftlichen Film, Göttingen 1995, S. 14.

43 Stumpfhaus 1992 (wie Anm. 1).

44 Frentz in Stumpfhaus 1992 (wie Anm. 1).

45 Leni Riefenstahl, Memoiren. 1902-1945, Frankfurt am Main/Berlin 1996, S. 344.

46 Frentz in Stumpfhaus 1992 (wie Anm. 1).

47 Frentz' Anteil an den deutschen Kriegswochenschauen ist hoch. Von September 1939 bis April 1945 lieferte er Bildmaterial für mindestens 20% aller veröffentlichten Wochenschauen (siehe: Filmografie Walter Frentz in diesem Band, S. 251). Damit wurde er zu einem wichtigen Bildlieferanten für eines der effektivsten Propagandainstrumente der Nationalsozialisten. Zunächst werden Frentz' Aufnahmen für die Ufa-Tonwoche verwendet, beispielsweise in Nr. 473 oder 475. Im Juni 1940 werden die vier in Deutschland existierenden Wochenschauen zu einer einheitlichen Kriegswochenschau, der sogenannten Deutschen Wochenschau zusammengefasst, hergestellt von der Ufa, unter Aufsicht und direkter Einflussnahme des Reichsministeriums für Volksaufklärung und Propaganda und Adolf Hitlers. – Zur Verantwortlichkeit, Organisation und Auswertung sowie zur Bedeutung der Wochenschau als effektives Propagandamittel: Ulrike Bartels, Die Wochenschau im Dritten Reich. Entwicklung und Funktion eines Massenmediums unter besonderer Berücksichtigung völkisch-nationaler Inhalte, Frankfurt am Main 2004 sowie Moeller 1998 (wie Anm. 30), S. 364-402; zum Hitlerbild in der Deutschen Wochenschau ebenfalls dort sowie Stephan Dolezel/Martin Loiperdinger, Adolf Hitler in Parteitagsfilmen und Wochenschau, in: Martin Loiperdinger/Rudolf Herz/Ulrich Pohlmann (Hg.), Führerbilder – Hitler, Mussolini, Roosevelt, Stalin in Fotografie und Film, München/Zürich 1995, S. 77-100.

48 Wenn nicht anders ausgezeichnet, Orts- und Zeitangaben zu den Führerhauptquartieren und Aufenthalten von Hitler und Frentz aus Franz W. Seidler/Dieter Zeigert, Die Führerhauptquartiere. Anlagen und Planungen im Zweiten Weltkrieg, München 2000 sowie Frentz' Kontaktabzugalben 1939-45, Archiv H.-P. Frentz.

49 Die zweite Fassung von »Feldzug in Polen« endet mit Hitlers Siegesparade in Warschau am 5. Oktober 1939, zu Teilen auch von Frentz gefilmt. Die neue Fassung wurde nicht nur aufgrund der weiteren Entwicklung des Polenfeldzuges erstellt. Hitler selbst hatte Einwände gegenüber der ersten Fassung. Siehe hierzu: Moeller 1998 (wie Anm. 30), S. 362 (Anm. 61).

50 Kanu-Sport und Faltboot-Sport 27 (Oktober 1939), S. 468, Rubrik: «Wo stecken unserer Kameraden im grauen Rock?»

51 Headquarters, Counter Intelligence Corps, United States Forces European Theater, Region II (Frankfurt), Apo 757, Memorandum vom 1. Juni 1946 von Frentz' Verhör, Punkt 2, BArch RK (ehem. BDC) 2703. – Laut Personalakte Walter Frentz, BA (LP 67297) wird Frentz erst am 1. November 1939 als Wehrmachtsangehöriger geführt. Eventuell war er zunächst noch als Reservist ins Führerhauptquartier abkommandiert.

52 Kanu-Sport und Faltboot-Sport, (Dezember 1939), S. 477.

53 Kontaktabzugalbum 1939-40, Blatt Nr. 4004, Archiv H.-P. Frentz.

54 Zur Entwicklung der Propagandakompanien der Luftwaffe siehe: Hans Barkhausen, Filmpropaganda für Deutschland im Ersten und Zweiten Weltkrieg, Hildesheim/Zürich/New York 1982, S. 213 f sowie Richard Volderauer, Die LWKBK zu Kriegsbeginn, in: Die Wildente. Informationen. PK-Mitteilungsblatt, 17. Folge (Februar 1958), S. 53 f und Artikel über Entwicklung und Ausbildung [o. N. u. T.], in: Die Wildente. Informationen. PK-Mitteilungsblatt, 21. Folge (Oktober 1959), S. 50-61. – Im Februar 1941 wird Frentz bei der Luftwaffen-Kriegsberichterkompanie (mot.) 6 geführt. Beförderungsvorschlag für Frentz vom 28. Februar 1941 (Kopie), Archiv H.-P. Frentz.

55 Frentz in Stumpfhaus 1992 (wie Anm. 1).

56 Erstmals veröffentlicht in der Deutschen Wochenschau Nr. 512. – Siehe hierzu: Beitrag von Kay Hoffmann in diesem Band.

57 Brief von Frentz an Otto Skorzeny vom 4. Juli 1971 (Durchschlag), Archiv H.-P. Frentz. – Zur Bedeutung der Fotografie und des Fotografen Heinrich Hoffmann bei der Entwicklung und Installierung des Führerbildes siehe Rudolf Herz, Hoffmann & Hitler. Fotografie als Medium des Führer-Mythos, München 1994, zur Geschichte des Medienunternehmens Hoffmann dort S. 48-63. Die Fotos aus der unmittelbaren Umgebung Hitlers, wie auch die Hitler-Porträts, Hoffmann persönlich vorbehalten. Im Laufe der Zeit wurden diese Aufgaben auch von seinen »Cheffotografen« Fritz Schulz und Franz Gayk sowie Heinrich Hoffmann jun. übernommen. Hoffmanns Großverlag mit Stammhaus in München, zehn Niederlassungen und 1943 über 300 Mitarbeitern bilanzierte für das Jahr einen Umsatz von 15,4 Mio. Reichsmark. Hauptschwerpunkt der Geschäftsaktivitäten bildete die Pressefotografie. Daneben gab es einen Buch- und Postkartenverlag.

58 Frentz führt aus diesem Grund Listen in seinem Kontaktalbum. Die Liste wird auch nach dem Krieg weitergeführt. So bestellt Arno Breker am 12. Januar 1966 Abzüge einiger Parisbilder, die dann in seinen Memoiren erscheinen. Kontaktabzugalbum 1939-40, Beiblatt zu Blatt Nr. 4027, Archiv H.-P. Frentz.

59 Frentz in Stumpfhaus 1992 (wie Anm. 1).

60 BA SSO (ehem. BDC), Frentz, Walter 21.08.1907.

61 Urkunden vom 12. Dezember 1940 (EK I) und 16. Dezember 1940 (Kopien), Archiv H.-P. Frentz. – Wofür Frentz das EK II erhielt, ist unklar. Als Luftwaffen-Bildberichter besaß er die Genehmigung für Luftaufnahmen, die er jedoch nur vereinzelt anzufertigen hatte. Bildberichter griffen selten in Kampfhandlungen ein. Bei der Luftwaffe konnte dies jedoch erforderlich sein. Oft hatte der Kriegsberichter bei Feindberührung das Maschinengewehr am Heck zu bedienen. Es herrschte Platzmangel. So gab es auch hier Auszeichnungen für »kriegerische Leistungen«. Der Bildberichter Helmut Grosse erhielt 1940 für den Abschuss eines englischen Jagdflugzeuges das EK I. In der Regel wurde eine Auszeichnung an Filmberichter jedoch wegen »hervorragender filmischer Leistungen« vergeben, beispielsweise an Horst Grund (14. November 1942, EK I). Siehe hierzu: Barkhausen 1982 (wie Anm. 54), S. 219 f und 236.

62 Personalakte Walter Frentz, BA (LP 67297).

63 Siehe hierzu: Nicolaus v. Below, Als Hitlers Adjutant 1937-45, Mainz 1980, S. 270.

64 »Mit der Mordtafel von Sarajewo zum Führer« von Kriegsberichter Gerhard Emskötter, in: Völkischer Beobachter 115 (25. April 1941), S. 3.

65 Frentz in Stumpfhaus 1992 (wie Anm. 1).

66 Peter Witte u.a. (Hg.), Der Dienstkalender Heinrich Himmlers 1941/42, Hamburg 1999, S. 193-196. – Eine kurze Beschreibung der Ereignisse in Raul Hilberg, Die Vernichtung der europäischen Juden, Frankfurt am Main 1990 [1. Aufl. Berlin 1982, engl. Originalausgabe London 1962], S. 347 f, Zitate ebd., S. 348.

67 Witte u.a. 1999 (wie Anm. 66), S. 269. – Zur Minsk-Reise von Frentz sowie zur Bedeutung von Himmlers Aufenthalt in Minsk für die weitere Planung und Entwicklung der NS-Vernichtungspolitik siehe den Beitrag von Klaus Hesse in diesem Band.

68 5. Fahrtenbuch 1933-1947, Archiv H.-P. Frentz; Frentz 1982 (wie Anm. 4).

69 Transkribierte Seite des Tageskalenders von Frentz vom 21. August 1941 (Kopie), Archiv H.-P. Frentz.

70 BA SSO (ehem. BDC), Frentz, Walter 21.08.1907.

71 Memorandum 1946 (wie Anm. 51).

72 BStU 43, Bl. 42.

73 Frentz in Stumpfhaus 1992 (wie Anm. 1).

74 BA NS 19/3165, Bl. 144f. – Siehe hierzu S. 29.

75 Frentz in Stumpfhaus 1992 (wie Anm. 1).

76 Frentz hatte für seine Arbeit mehrere Gehilfen. Fritz Schwennicke hat wohl am häufigsten für ihn gearbeitet. Von ihm stammen auch zahlreiche Filmaufnahmen, die für die Deutsche Wochenschau eingereicht worden sind. Siehe hierzu: »Filmaufnahme-Tagesberichte« sowie die »Laufzettel für Sendung belichteter Filmstreifen«, Archiv H.-P. Frentz. Es handelt sich dabei um die Beipackzettel für die belichteten und zur Entwicklung weitergereichten Filmkassetten mit Angabe des Sujets, des Filmmaterials, der Länge, des Kameramanns usw. Die Zettel waren pro Block durchlaufend nummeriert. Das Original ging an das Reichsministerium für Volksaufklärung und Propaganda, Durchschläge an die Propaganda-Einheit und das Kopierwerk, ein Durchschlag verblieb beim Kameramann. Mit ihrer Hilfe können viele Einzelsujets und damit Frentz' Bildanteil an der Deutschen Wochenschau zumindest in Teilen genau bestimmt werden, nicht alle sind jedoch erhalten. – Einige Porträtfotografien schreibt Frentz in seinen Kontaktabzugalben dem Fotografen Paul Damm zu. – Joachim Jauert, Ordonnanzoffizier in der »Wolfsschanze«, spricht von einem anderen Assistenten, Karl Schulmeister, der Frentz immer begleitet haben soll. Weiterhin berichtet er, dass Frentz im Führerhauptquartier über ein eigenes Arbeitszimmer und ein Fotolabor verfügt haben soll, Jauert, persönliche Mitteilung vom 4. März 2000 an Markus Henneke. Dank an Markus Henneke.

77 Rolf Sachsse, »Die größte Bewährungsprobe für den Kleinfarbfilm«. Der Führerauftrag zur Dokumentation wertvoller Wand- und Deckenmalereien in historischen Bauwerken, in: Angelika Beckmann/Bodo von Dewitz, Dom, Tempel, Skulptur. Architekturphotographien von Walter Hege, Köln 1993, S. 68-72, hier: S. 68.

78 Frentz in Stamm 1985 (wie Anm. 1).

79 Film und Farbe. Vorträge gehalten auf der Gemeinsamen Jahrestagung »Film und Farbe« der Deutschen Kinotechnischen Gesellschaft e.V., der Deutschen Gesellschaft für Photographische Forschung e.V. und des Deutschen Farben-Ausschusses unter Schirmherrschaft des Staatssekretärs im Reichsministerium für Volksaufklärung und Propaganda Leopold Gutterer in Dresden, vom 1.-3. Oktober 1942. Zusammengestellt von Dr. Joachim Grassmann, Dr. Walter Raths. Schriftenreihe der Reichsfilmkammer Bd. 9, Berlin 1942, S. 89-92.

80 Film und Farbe, Berlin 1942 (wie Anm. 79), S. 92.

81 Völkischer Beobachter 108 (18. April 1943), S. 8.

82 Sachsse 1993 (wie Anm. 77), S. 69.

83 Die Aufnahmen sollen sich zusammen mit den »Führerexemplaren« der Protokolle von Hitlers Lagebesprechungen in einem Tresorraum im Voßstraßentrakt der Reichskanzlei befunden haben. Siehe hierzu: Helmut Heiber (Hg.), Hitlers Lagebesprechungen. Die Protokollfragmente seiner militärischen Konferenzen 1942-1945, Stuttgart 1962, S. 18. Über nähere Umstände, Umfang und Realisierung des Auftrags sowie den Verbleib der Bilder gibt es derzeit keine Informationen. In einem Gespräch mit Rolf Sachsse hat Frentz den Auftrag bestätigt, aber keine näheren Angaben gemacht (Rolf Sachsse, persönliche Mitteilung, 14. Juni 2006). – Eine Teilnahme von Frentz am so genannten Führerauftrag »Farbphotographie« zur Dokumentation von Wand- und Deckenmalereien in historischen Bauwerken (1943-1945) wird derzeit nicht angenommen. Siehe hierzu auch: http://www.zi.fotothek.org (Zentralinstitut für Kunstgeschichte – Farbdiaarchiv zur Wand- und Deckenmalerei; Zugriff 20. Mai 2006) sowie Sachsse 1993 (wie Anm. 77), S. 68-72.

84 Gerhard Garms, Familienchronik Hildegard und Gerhard Garms, Typoskript zur Geschichte der Nordmark-Film (unveröffentlichte Quelle, Kopie Archiv Ralf Forster), S. 53 f. Dank an Ralf Forster.

85 Film-Kurier Nr. 28, 3. Februar 1938; Martin Loiperdinger, Willy Zielke und die Reichsbahn. Die Geschichte vom »Stahltier«, in: Filmwärts 30 (Juni 1994), S. 50-55, hier: S. 50. – Frentz zu Heinz von Jaworsky 1992: »Der Verarbeiter ist der Verantwortliche, der nachher aus dem Material etwas anderes macht, als es ursprünglich war.« Frentz in Stumpfhaus 1992 (wie Anm. 1).

86 Goebbels, Tagebücher (wie Anm. 29), Teil II, Bd. 4, S. 649.

87 Völkischer Beobachter 185 (4. Juli 1942), S. 2. – Der erste Teil der Wochenschau behandelt die Erstürmung von Tobruk in Nordafrika, der zweite Teil betrifft Sewastopol.

88 Kanu-Sport 1 (23. Januar 1943), S. 2 f.

89 Siehe hierzu: Rudolf Wolters, Chronik der Speerdienststellen 1942, Typoskript (unveröffentlichte Quelle, Kopie Archiv H.-P. Frentz), S. 30. Als Mitarbeiter Speers führte Wolters die Chronik während Speers Dienstzeit als Generalbauinspektor und als Minister für Rüstung und Kriegsproduktion. Siehe hierzu: Gitta Sereny, Albert Speer. Sein Ringen mit der Wahrheit, München 2005, S. 269-274.

90 Kontaktabzugalbum 4222-24, Archiv H.-P. Frentz.

91 BA NS 19/3165, Bl. 144 f.

92 Jürgen Stumpfhaus, persönliche Mitteilung. – Ein Bezug zum Propagandafilm »Theresienstadt – Ein Dokumentarfilm aus dem jüdischen Siedlungsgebiet« (D 1944) kann nicht nachweislich hergestellt werden und ist unwahrscheinlich. Der Plan für diesen Film stammt wahrscheinlich frühestens vom Dezember 1943. Siehe hierzu: Karel Margry, Das Konzentrationslager als Idylle: »Theresienstadt« – Ein Dokumentarfilm aus dem jüdischen Siedlungsgebiet, auf: http://www.cine-holocaust.de (Fritz-Bauer-Institut – Cinematographie des Holocaust; Zugriff: 21. März 2006).

93 Hans Günther Adler, Theresienstadt 1941-1945. Das Antlitz einer Zwangsgemeinschaft. Geschichte, Soziologie, Psychologie, Tübingen 1955, S. 181. Adler datiert die Dreharbeiten jedoch auf die »bewegte Zeit des Lagers, im September 1942«.

94 Zu beiden Filmen siehe: http://www.cine-holocaust.de (Fritz-Bauer-Institut – Cinematographie des Holocaust; Zugriff: 21. März 2006).

95 Walter Frentz, Eine Hochleistungskamera für »wenig Licht«, in: Kinotechnik 3 (1943).

96 Bisher ist davon ausgegangen worden, dass erst 1942 die Idee für eine farbige Wochenschau aufgekommen war und der Auftrag für Farbaufnahmen an einige PK-Filmberichter (Hans Bastanier, Hans Ertl, Frentz, Horst Grund, Heinz von Jaworsky, Gerhard Garms) ergangen sei. So sollten beispielsweise Frentz und Garms die Eroberung von Sewastopol (12. Juni 1942) in Farbe drehen. – Zur farbigen Wochenschau siehe: Moeller 1998 (wie Anm. 30), S. 379; Barkhausen 1982 (wie Anm. 54), S. 238 f; Bogusław Drewniak, Der deutsche Film 1938-1945, Düsseldorf 1987, S. 686 f. Karl Stamm, Panorama. Farbige Auslands-Filmpropaganda 1944/ 45, in: Filmblatt 12 (1999/2000), S. 30-37, hier: S. 31 f; Ralf Forster, Farbenfrohe Welt in Agfacolor (1940-44), in: Ramón Reichert, Kulturfilm im Dritten Reich, Wien 2006, S. 67-83, hier: S. 70 f.

97 Signal 4 und 5 (1944).

98 Laut Bestelllisten im Kontaktabzugalbum 1943 (Archiv H.-P. Frentz) erhält auch die Presse Abzüge von Aufnahmen dänischer Wehranlagen.

99 Ulrich Herbert, Best. Biographische Studien über Radikalismus, Weltanschauung und Vernunft 1903-1989, Bonn 1996, S. 351 f; Siegfried Matlok (Hg.), Dänemark in Hitlers Hand: Der Bericht des Reichsbevollmächtigten Werner Best über seine Besatzungspolitik in Dänemark mit Studien über Hitler, Göring, Himmler, Heydrich, Ribbentrop, Canaris u.a., Husum 1988, S. 40: »Nach seiner [Frentz – M. S.] Rückkehr ins Führerhauptquartier schloß sich die Zufallskette, indem der Oberleutnant X, weil er Geburtstag hatte, bei der Mittagstafel neben Hitler sitzen durfte und von diesem natürlich über seine Erlebnisse in Dänemark ausgefragt wurde. Was er hier erzählte, löste weittragende Folgen aus.«

100 Goebbels, Tagebücher (wie Anm. 29), Teil II, Bd. 10, S. 517.

101 Auch andere PK-Kameramänner erhielten Aufträge für Aufnahmen von Rüstungsprojekten wie der V 1 und V 2. So soll an Horst Grund vom Führerhauptquartier der Auftrag zu Aufnahmen von V 1 sowie für einen Informationsfilm von Kleinkampfmitteln der Marine in Farbe (über Sprengboote vom Typ Bieber) ergangen sein. Siehe hierzu: Barkhausen 1982 (wie Anm. 54), S. 236. – Der Film von Frentz gilt als verschollen.

102 Neben den Filmaufnahmen und Farbbildern hat Frentz auch etwa 100 Diaaufnahmen gemacht, die Hanns-Peter Frentz 1998 beim Umzug seines Vaters in ein Altersheim entdeckte. – Zu den Dora-Bildern siehe: Beitrag von Bernd Boll in diesem Band.

103 Goebbels, Tagebücher (wie Anm. 29), Teil II, Bd. 13, S. 105 f.

104 Joachim Jauert, persönliche Mitteilung vom 4. März 2000 an Markus Henneke. Jauert war zu dieser Zeit Ordonnanzoffizier in der »Wolfschanze«.

105 Filmauftrag vom 10. Oktober 1944, (Kopie) Archiv H.-P. Frentz.

106 Frentz in Stumpfhaus 1992 (wie Anm. 1).

107 Zu krankheitsbedingten Veränderungen, die in Hitlers Auftreten in Wochenschauberichten sichtbar werden, siehe »Hitlers Parkinson-Syndrom. Eine Analyse von Aufnahmen der Deutsche Wochenschau aus den Jahren 1940-1945« (Regie: Ellen Gibbels, D 1994, Produktion des Instituts für den wissenschaftlichen Film Göttingen, IWF-Edition-G 254). Die Aufnahmen von Hitler in den untersuchten über 80 Wochenschauen stammen überwiegend von Frentz. – Hierzu auch: Ellen Gibbels, Hitlers Nervenkrankheit. Eine neurologisch-psychiatrische Studie, in: Vierteljahreshefte für Zeitgeschichte 2 (1994), S. 157-220. Gibbels hatte Frentz, Gerda Christian und Otto Günsche zu deren Beobachtungen von Krankheitssymptomen befragt.

108 Für das Fotografieren benötigte man eine Sondergenehmigung, die jedoch ohne besondere Schwierigkeiten zu erhalten war. Zur Fotografie unter Kriegsbedingungen im Dritten Reich und zu Verbotsregelungen, siehe Katja Protte, Beruf »Bildberichterstatterin« im »Dritten Reich«. Fotografien aus den Jahren 1937 bis 1944 von Liselotte Purpur, in: Mitteilungen des Deutschen Historischen Museums 20 (1997), S. 2-27, hier: S. 21 f.

109 Im Propagandamagazin »Signal« findet sich im Februar 1945 zum »Blindensturz« von Pieter Bruegel d. Ä. nachfolgende Meldung: »Vor kurzem ist das Gemälde in Stockholm aufgetaucht. Wie ist es dorthin gekommen, wer hat es von seinem rechtmäßigen Platz entfernt?« Anschließend folgt die Schuldzuweisung an »Engländer und Amerikaner« und jüdische Kunsthändler. Signal 4 (1945), S. 3. – Zur so genannten Montecassino-Affäre siehe: Günther Haase, Kunstraub und Kunstschutz, Hamburg 1991, S. 150; Robert M. Edsel, Rescuing da Vinci. Hitler and the Nazis Stole Europe's Great Art – America and Her Allies Recovered It, Dallas 2006, S. 119; Richard Overy, Verhöre. Die NS-Elite in den Händen der Alliierten 1945, Berlin 2005, Dokument 5: Ein Souvenir von Montecassino (Verhör von Hermann Görings am 8. Oktober 1945), S. 281-290, hier: S. 282 f. – Siehe auch: Katharina Hammer, Glanz im Dunkel. Die Bergung von Kunstschätzen im Salzkammergut am Ende des 2. Weltkrieges, Altaussee 1996 sowie Veronika Hofer (Hg.), Berg der Schätze – Die dramatische Rettung europäischer Kunst im Altausseer Salzbergwerk, Scharnstein 2006.

110 Frentz in Stumpfhaus 1992 (wie Anm. 1).

111 Haase 1991 (wie Anm. 109), S. 150, 209, 222-225. Die Kunstwerke aus Neapel wurden in der 2. Hälfte des Jahres 1945 zum Collecting Point in München gebracht und 1947 an Italien zurückgegeben. Siehe: Capodimonte. Vom Museo Farnesiano zur Galleria Nazionale (1734-1957), in: Napoli! Museo Nazionale di Capodimonte, Köln 1996, S. 37-145, hier: S. 145.

112 Frentz datiert die Aufnahmen in seinem Gespräch mit Stamm auf den 21. oder 22. März. Film und Fotos des Ereignisses werden häufig falsch auf den 20. April datiert. Auch an Hitlers Geburtstag hat nach Speer eine Auszeichnung von Kindersoldaten stattgefunden, die jedoch nicht gefilmt wurde.

113 Traudl Junge, Auszug aus dem nicht veröffentlichten Teil des Manuskripts ihrer Erinnerungen, aufgezeichnet 1947, später erschienen als »Meine Zeit bei Adolf Hitler« in: Traudl Junge (unter Mitarbeit von Melissa Müller), Bis zur letzten Stunde. Hitlers Sekretärin erzählt ihr Leben, (ohne Ort) 2000, S. 35-230, hier: gestrichen aus Kapitel VI, vor Beginn S. 181, Archiv H.-P. Frentz.

114 Junge 2000 (wie Anm. 113), S. 221; Notizen von John Toland über das Interview mit Frentz 1971 in Überlingen, Archiv H.-P. Frentz.

115 H.-P. Frentz, persönliche Mitteilung.

116 Riefenstahl 1996 (wie Anm. 45), S. 405.

117 Toland 1971 (wie Anm. 114) sowie H.-P. Frentz, persönliche Mitteilung.

118 Toland 1971 (wie Anm. 114). – Zu den abgenommenen Negativen existieren im Archiv H.-P. Frentz teilweise die zugehörigen Kontaktabzugalben. Die angesprochenen V 2-Diaaufnahmen waren zum Zeitpunkt von Frentz' Verhaftung bereits bei seinen Eltern in Bad Ischl.

119 Speer schreibt an Frentz in seinem ersten Brief nach der Freilassung 1966: »Seitdem Sie in Oberursel am gegenüberliegenden Fenster auftauchten, haben wir uns nicht mehr gesehen.« (Brief von Speer an Frentz vom 21. Oktober 1966, Archiv H.-P. Frentz) Speer befand sich wahrscheinlich nur einmal in Oberursel. Siehe hierzu: Albert Speer, Erinnerungen, Berlin 1969, S. 509.

120 Memorandum 1946 (wie Anm. 51).

121 Toland 1971 (wie Anm. 114).

122 Mit großer Wahrscheinlichkeit handelt es sich um Erich Stoll. – Die Prozesse fanden vom 7. August 1944 bis in den März 1945 vor dem Volksgerichtshof statt und wurden bis zum 20. Oktober gefilmt. Das Material sollte in der Deutschen Wochenschau und in Dokumentarfilmen aufbereitet werden. Die Aufnahmen wurden jedoch von Goebbels zur »Geheimen Reichssache« erklärt. Das Auftreten, die Antworten der Verschwörer, aber auch die Verhandlungsführung, die entwürdigenden Äußerungen des Vorsitzenden des Volksgerichtshofes Roland Freisler schienen ihm für eine Veröffentlichung nicht geeignet. Auch die Hinrichtungen wurden gedreht. Frentz und Speer berichten übereinstimmend, dass eine Kopie des Films mit den Hinrichtungen in die »Wolfschanze« gebracht wurde, wo sie, laut Frentz, nur von SS-Gruppenführer Hermann Fegelein, Verbindungsoffizier der Waffen-SS zum Führerhauptquartier, gesehen wurde. Speer zufolge ließ sich Hitler den Film immer wieder vorführen. Siehe hierzu: Ian Kershaw, Hitler 1936-45, Stuttgart 2000, S. 1258.

123 Frentz in Stumpfhaus 1992 (wie Anm. 1).

124 Arbeitsbestätigung vom 21. August 1947, Archiv H.-P. Frentz.

125 Einschätzung durch das Württembergische Kultministerium vom 13. Mai 1948 (Kopie), Archiv H.-P. Frentz.

126 Kanusport-Nachrichten, 6 (1949).

127 Theisinger 2005 (wie Anm. 4), S. 206.

128 Walter Frentz, In den Schluchten Europas. Pionier- und Wasserfahrten im Kajak auf europäischen Berg- und Wildflüssen, Stuttgart 1952 sowie ergänzte Neuauflage: Frentz 1995 (wie Anm. 4). Hier heißt der entsprechende Teil der Widmung: »die ihr Leben geben mussten im 2. Weltkrieg«, S. 9. – Nach Theisinger stammen einige Texte, die Frentz als seine ausgibt, nachweislich nicht von ihm.

129 Nur die BRD nimmt teil.

130 Die Wildente. Informationen. PK-Mitteilungsblatt, 9. Folge, April 1955, S. 50.

131 Undatierte Themenliste von Frentz, Archiv H.-P. Frentz.

132 Undatiertes Vortragsmanuskript von Frentz mit Dialiste, Archiv H.-P. Frentz.

133 Breker verwendet sie in seinen Memoiren (Arno Breker, Hitler et moi,

Paris 1970). Handschriftliche Widmung im Exemplar für Frentz, Archiv H.-P. Frentz: »Meinem lieben Walter Frentz in alter Freundschaft. Arno Breker Jan. 1972.«

134 Brief von Skorzeny an Frentz vom 9. Juni 1971, Archiv H.-P. Frentz. Otto Günsche, SS-Sturmbannführer, Mitglied der Leibstandarte SS Adolf Hitler, zeitweise Hitlers persönlicher Adjutant.

135 Brief von Frentz an Skorzeny vom 22. Juni 1971 (Durchschlag), Archiv H.-P. Frentz.

136 Brief von Skorzeny an Frentz vom 28. Juni 1971, Archiv H.-P. Frentz. – Skorzeny sucht weitere Fotos, meldet sich auf Frentz' Anraten beim Bundesarchiv in Koblenz. Bald schreibt er an Frentz: »habe auch zwei sehr nette Fotos aus meiner Aktion Budapest bekommen« [Operation Eisenfaust, Oktober 1944: Besetzung wichtiger Regierungsstellen in Budapest, Festnahme des ungarischen Staatschefs Miklós Horthy – M.S.]. Brief von Skorzeny an Frentz vom 15. September 1971, Archiv H.-P. Frentz.

137 Brief von Riefenstahl an Frentz vom 11. Oktober 1968, Archiv H.-P. Frentz.

138 Briefe von Riefenstahl an Frentz vom 18. und 26. Mai 1972 und Frentz' Antwort vom 19. Juni 1972, Archiv H.-P. Frentz.

139 Brief von Frentz an Speer vom 27. März 1975 (Durchschlag), Archiv H.-P. Frentz.

140 Brief von Frentz an Schulze-Kossens vom 17. September 1972 (Durchschlag), Archiv H.-P. Frentz.

141 »Das Auge des Kameramanns – Walter Frentz« (Regie: Jürgen Stumpfhaus, D 1992). Siehe auch Anm. 2.

142 Frentz 1995 (wie Anm. 4). Frentz' zahlreiche Rezensionsanfragen im Archiv H.-P. Frentz

143 Frentz im Gespräch mit Heinz von Jaworsky in Stumpfhaus 1992 (wie Anm. 1).

144 Frentz 1995 (wie Anm. 4), S. 48.

145 Siehe hierzu: Henrik Eberle, Matthias Uhl (Hg.), Das Buch Hitler. Geheimdienstdossier des NKWD für Josef W. Stalin, zusammengestellt aufgrund der Verhörprotokolle der Persönlichen Adjutanten Hitlers, Otto Günsche, und des Kammerdieners Heinz Linge, Moskau 1948/49, Bergisch-Gladbach 2005, S. 201: Zum üblichen Tagesablauf auf dem Berghof: »Zum Mittagessen versammelten sich die Bewohner des Schlosses – Dr. Morell mit Frau, Hitlers Chirurg Brandt mit Frau, Hoffmann, Dietrich, Hewel, Lorenz, der Filmreporter des Hauptquartiers Frentz, Hitlers Sekretärinnen und seine Adjutanten mit ihren Frauen, Bormann mit Frau, Speer mit Frau, Dietrichs Frau.«

146 Frentz war kein Mitglied der NSDAP, wie es in fotohistorischen Veröffentlichungen mitunter angeben wird. Rolf Sachsses Hinweis auf eine Parteimitgliedschaft in einer Kurzbiografie zu Frentz im Ausstellungskatalog »Deutsche Fotografie – Macht eines Mediums 1870-1970« (Bonn 1997) wurde in anderen Publikationen übernommen, beispielsweise von Robert Lebeck und Bodo von Dewitz in »Eine Geschichte der Fotoreportage« (Köln 2001). Die Gründe hierfür liegen im irrtümlichen Rückschluss von einer SS-Mitgliedschaft auf eine dafür notwendigerweise vorhandene Parteimitgliedschaft. In seinem Buch »Die Erziehung zum Wegsehen – Fotografie im NS-Staat« (2003) führt Sachsse Frentz nicht mehr als Mitglied der NSDAP.

147 Memorandum 1946 (wie Anm. 51).

148 H.-P. Frentz, persönliche Mitteilung.

149 Die Wildente. Informationen. PK-Mitteilungsblatt, 9. Folge (April 1955), S. 58 sowie 12. Folge (Mai 1956), S. 55.

150 H.-P. Frentz, persönliche Mitteilung.

151 Frentz in Stumpfhaus 1992 (wie Anm. 1).

Die Anfänge

Mostar, Kajakfahrer unter dem »Stari Most«, 1930

1923 begann Walter Frentz mit dem Kajaksport. Sein Leben lang blieb das Paddeln seine große Leidenschaft. Im Rahmen einer sechswöchigen Kajaktour durch Jugoslawien befuhr Frentz mit seiner Gruppe die Neretva und passierte die »Alte Brücke« von Mostar. Während der Reise drehte er Aufnahmen für seinen ersten Kajakfilm »Wildwasserparadiese in Österreich und Jugoslawien«.

Kajak auf dem Wasser, um 1930

Frentz filmte oft direkt aus dem Kajak heraus. Auch bei wilder Fahrt gelang es ihm, die Handkamera ruhig halten. Die subjektiven Einstellungen sollten dem Zuschauer das Gefühl geben, selbst im Boot zu sitzen und die schnelle Wildwasserfahrt mitzuerleben. Die ungewöhnlichen Perspektiven, die Frentz für seine Kajakfilme nutzte, kamen ihm später oft zu Gute. Leni Riefenstahl engagierte ihn 1933 als Kameramann für ihren ersten NSDAP-Parteitagsfilm. 1936 prägte er mit seinem Stil wichtige Sequenzen in ihrem Olympia-Film.

Cuxhaven, Abfahrt der MS Hamburg nach New York, Anfang Juni 1933
Im Juni 1933 fuhr Walter Frentz mit der MS Hamburg nach New York. An Bord filmte er mit der Handkamera das Bordleben für den Ufa-Kulturfilm »Wasser hat Balken«. Das Foto entstand bei der Abfahrt in
Cuxhaven. Der die Aufnahme bestimmende »deutsche Gruß« war von der NSDAP zu diesem Zeitpunkt
bereits weitgehend durchgesetzt.

Reisende an Bord der MS Hamburg, Juni 1933

New York, Empire State Building, Juni 1933
Aufnahmen in starker Untersicht sind eines der wichtigsten Gestaltungsprinzipien des »Neuen Sehens«
der 20er Jahre. Die Untersicht hebt das Motiv aus seinem alltäglichen Zusammenhang heraus, es wirkt
abstrakt und monumental. Walter Frentz übernahm dieses Gestaltungsmittel und übertrug es später auch
auf andere Motive, nicht zuletzt auf Personen.

Ankunft in Cuxhaven, 7. Juli 1933
Am Ende der New York-Reise fotografierte Walter Frentz vom Deck aus die Besatzung beim Ausladen des Gepäcks. Durch die Vogelperspektive abstrahierte er das Motiv. Die harten Schatten erzeugen ein graphisches Bild, das kaum etwas über das Ereignis erzählt, sondern vor allem ein Interesse an Formen und Strukturen widerspiegelt.

KARL STAMM

Avantgarde und Propaganda
Der Film »Hände am Werk –
Ein Lied von deutscher Arbeit« (1935)

Wenn man »Hände am Werk« heute sieht, wird man einem Wechselbad der Eindrücke und Gefühle ausgesetzt. Wird man im Titelvorspann den pflügenden Bauern mit der darüber gelegten Frakturschrift sowie den ›Deutschland‹-Gesang am Anfang noch als einschlägig nationalsozialistisch empfinden, so folgen Industrie-Sequenzen, die man ganz anders verortet: da gibt es viele Einstellungen, die an die Fotografie der ›Neuen Sachlichkeit‹ erinnern, Schnitte, die man aus Montageformen des sowjetischen Films kennt (vgl. Abb. 1–3), eine Szene (das Kartenspiel in der Arbeitspause), die man ganz unauffällig in einen der ›linken‹ bzw. ›proletarischen‹ Filme der Weimarer Republik schneiden könnte (vgl. Abb. 4), und dazu eine Musik, die ihre avantgardistische Herkunft nicht ganz verleugnen kann und etwa an Hanns Eisler erinnert. Dagegen finden sich in den Sequenzen vom Landleben Einstellungen, die an Fotos von Erna Lendvai-Dircksen oder Hans Retzlaff erinnern und üblicherweise mit dem Begriff des ›Völkischen‹ konnotiert werden. Es folgt – als dramaturgischer Höhepunkt – eine Rede Hitlers, deren O-Töne einschlägige NS-Propaganda bieten, während die Bilder ungewöhnliche Perspektiven enthalten.

Aus heutiger Sicht stellt sich natürlich die Frage, wie es zu einer solchen Gestaltung kommen konnte, die man als heterogen und eine Abfolge von Stilbrüchen wahrnehmen kann, und wie vor allem die ›linken‹ Elemente in eine Produktion der Reichspropagandaleitung der NSDAP kommen.

Entstehungsgeschichte

Walter Frentz hat sich in zwei audiovisuellen Dokumenten von 1985[1] und 1992[2] sowie in zwei schriftlichen Ausführungen von 1971[3] und 1989[4] zur Entstehungsgeschichte des Films geäußert. Hiernach ergibt sich, ergänzt durch mündliche Äußerungen gegenüber dem Verfasser, folgendes Bild:

Der Reichspropagandaleitung (RPL) der NSDAP, Abteilung Film, in Berlin war Frentz zunächst eher negativ aufgefallen, als er sich 1932 darüber beschwerte, dass sein Film »Wildwasserfahrt durch die Schwarzen Berge« einzig vom »Angriff«, der Berliner Tageszeitung der NSDAP, völlig ignoriert worden war.

Nachdem er jedoch als jüngster Kameramann für Leni Riefenstahls »Sieg des Glaubens« auf dem Reichsparteitag im September 1933 mit seiner Handkamera gedreht und seine Aufnahmen komplett in dem Film verwendet worden waren, trat man mit einem Angebot an ihn heran. Eberhard Fangauf[5], der Frentz sowohl von seinem ›Protestbesuch‹ in der RPL als auch von seiner Tätigkeit in Nürnberg kannte, bestellte ihn in sein Büro und erklärte, die RPL wolle einen Film von der 1. Mai-Feier auf dem Tempelhofer Feld 1934 drehen und diese Arbeit ihm übertragen.

Der Hintergrund für diesen Auftrag war wohl, dass die RPL/Film sich übergangen fühlte, weil Hitler den Auftrag für den Reichsparteitagsfilm 1933 an Leni Riefenstahl und nicht an die RPL seiner Partei vergeben hatte, und man sich nun bei nächster Gelegenheit (und dafür bot sich der 1. Mai 1934 an) selbst mit einem ähnlichen Filmwerk profilieren und vielleicht auch einen gewissen Gegenpol zu Riefenstahl etablieren wollte.

Eine Bedingung war jedoch mit dem Auftrag verbunden: Frentz sollte arbeitslose Kameramänner für diese Arbeit beschäftigen. Er wandte ein, dies sei ein erhebliches Handicap, da er »allein nach künstlerischen Fähigkeiten, mindestens aber nach Kamera-Film-Stil Mitarbeiter für diese ohnehin jeweils selbst zu lösenden Aufgaben (wegen der Verteilung an weit voneinander liegende Plätze) suchen« wolle.[6] Dem wurde entgegnet, als nationalsozialistische Partei (mit Betonung auf der zweiten Worthälfte) sei man verpflichtet, arbeitslose Kameramänner zu unterstützen. Um das Unternehmen nicht insgesamt zu gefährden, akzeptierte Frentz trotz schwerwiegender Bedenken.

Das Resultat war, wie Frentz es befürchtet hatte. »›Man‹ ließ auf Atelierstativen fest montiert seine Debrie oder Askania herunterrasseln, sobald vorbeimarschierende Arbeiter auf den Straßen und Plätzen Berlins erschienen – ohne jede filmkünstlerische Ambition, ohne jedes Verständnis für filmische Auflösungsmöglichkeiten eines solchen Vorgangs«.[7] Frentz dagegen hatte »wieder mit der Handkamera gearbeitet, mal da, mal dort, diese Szenen schienen zumindest brauchbar für einen moderneren Filmstil einer dokumentarischen Aussage zum 1. Mai«.[8]

1-3 »Hände am Werk« (D 1935): ›Sowjetische Montage‹ kurzgeschnittener Einstellungen (Filmstills)

Bei einer Vorführung des gesamten aufgenommenen Materials wenige Tage später erklärte Frentz, so könne dies niemals ein interessanter Film werden. Er regte stattdessen an, einen neuen Film zu drehen, der, als Querschnitt durch die Vielseitigkeit der deutschen Arbeitswelt, den Hauptteil des Films ausmachen sollte, dessen Finale dann die brauchbaren Aufnahmen vom 1. Mai bilden sollten. Dieser Vorschlag wurde akzeptiert, ein Arbeitsvertrag abgeschlossen, und Frentz drehte mit einem Assistenten an den verschiedensten Orten in Deutschland fast ein halbes Jahr lang das »Lied von deutscher Arbeit«.

Als er nach Berlin zurückkehrte, glaubte man bei der RPL, der Film könne nun ganz kurzfristig fertiggestellt werden. Als Frentz geltend machte, dass vieles an der filmischen Gestaltung erst am Schneidetisch umgesetzt werden könne und sich zudem auf eine recht aufwendige Abstimmung mit der Musik des Schönberg-Schülers Walter Gronostay einließ, wurde er von Fangauf massiv unter Druck gesetzt (bei Frentz ist von »Höllentagen« und »nervlichen Strapazen bei diesen ständigen Vorwürfen« die Rede)[9]. Er setzte sich jedoch letztlich durch und brachte den Film nach seinen Vorstellungen zu Ende.

Über die Rezeption des Films seitens der RPL und des Ministers Goebbels gibt es von Frentz selbst unterschiedliche Darstellungen. Einerseits heißt es bei ihm über eine ›Uraufführung‹ im Reichsministerium für Volksaufklärung und Propaganda: »Nachdem der Film vorgeführt war – zunächst bei eisiger Stille, da sicher dieser Stil völlig unerwartet –, erhob sich einer der Herren als ›Sprecher‹ der Anwesenden: ›Dieser Film ist so gut, dass wir uns ernsthaft überlegen müssen, wie wir ihn auf breiter Ebene über die Partei überall in ganz Deutschland einsetzen und der Öffentlichkeit bekanntmachen können.‹«[10] In dem Redemanuskript von 1989 schreibt er: »Zuerst sahen ihn [i.e. den Film] einige Funktionäre der Reichspropagandaleitung an, sie wagten aber kein endgültiges eigenes Urteil. Dann wurde der Film ohne meine Anwesenheit dem Reichspropagandaminister Dr. Joseph Goebbels vorgeführt. Da ich selbst nicht zugegen sein durfte, fragte ich einen Ministerialbeamten: ›Was hat denn der Minister dazu gesagt?‹ (...) Der Beamte nahm mich in eine stille Ecke und sagte mir vertraulich: ›Dr. Goebbels sagte nach der Vorführung: »Der Frentz ist ja ein halbes Genie.«‹«[11]

Die ›Welturaufführung‹ des Films fand noch vor seiner Zensur in einer nicht öffentlichen Veranstaltung statt, und zwar im Rahmen einer »künstlerischen deutschen Feierstunde im Ufa-Palast Saarbrücken« zur »Rückgliederung des deutschen Saarlandes« am 3. März 1935, wie es in einer Vorschau des ›Film-Kuriers‹ heißt.[12] Die Zensur durchlief der Film erfolgreich am 25. März 1935.[13] Die erste öffentliche Aufführung des Films fand laut Presseberichten allerdings erst am 8. September des Jahres statt, und zwar im Rahmen einer Matinee und Wohltätigkeitsveranstaltung der Gaufilmstelle Groß-Berlin der NSDAP gemeinsam mit dem Amt für Volkswohlfahrt, Gau Groß-Berlin, im Ufa-Palast am Zoo.[14]

Gliederung des Films

In einem Artikel in der Fachzeitschrift »Der Film« mit der Überschrift »Das Hohelied der Arbeit«, offenbar dem provisorischen Titel des Films, wird eine Gliederung in drei Abschnitte angegeben: »Ein Tag der Arbeit« (»Dieser Filmteil wird einen Arbeitstag in seine einzelnen Arbeitsgänge zerlegen…«), »Ein Jahr der Arbeit« (»…befasst sich mit den Erfolgen, die das erste Jahr nationalsozialistischer Regierung auf dem Gebiete der Arbeitsbeschaffung aufweisen konnte.«) und »Feiertag der Arbeit« (also die Aufnahmen von den 1. Mai-Feiern).[15] Mit gewissen Modifikationen ist es bei dieser Gliederung geblieben.

In seiner uns überlieferten Fassung weist der Film folgende Gliederung auf:[16]

A Einleitungsteil (Titelvorspann, Bilder unterschiedlicher Arbeiten und Arbeiter) (3 Min.)

B Industriesequenzen (Bergwerk, Stahlwerk, Arbeitspause, verschiedene Industrien, Feierabend) (22 Min.)

C Landwirtschaft (2 Min.)

D Handwerk (6 Min.)

E NS-Leistungsschau (Vergangenheit, Gegenwart, Zukunft, »Deutsche Alpenstraße«, »Reichsautobahn«, »LZ 129«) (12 Min.)

F 1. Mai (»Der Feiertag der Arbeit«, Rede Hitlers) (7 Min.).

In Teil A wird in Art einer Vorschau ein Querschnitt der unterschiedlichen Themen und Menschen des Films gegeben. Ein gesprochener Text auf Schwarzfilm bildet den Übergang zum Teil B, den Industriesequenzen, die mit einem markanten Schwenk auf ein Industriegebäude eingeleitet werden und mit einem entsprechenden Abschwenk von diesem Gebäude enden.[17] Es folgt eine Feierabend-Szene, die die Überleitung zum Teil C bildet. Durch Landschaftsaufnahmen, die mit einem Bauernhof enden, wird der Übergang zu dem relativ kurzen, der Landwirtschaft gewidmeten Abschnitt geschaffen. Der Übergang zum Teil D wird durch das Ausklingen des Gesangs »Da loben wir den Herrn« und einen ›Schnitt über das Motiv‹ bewirkt: über Wasser als Naturgewalt und Wasser, das sozusagen ›domestiziert‹ ein Mühlrad antreibt. Der Übergang zum Teil E erfolgt wiederum durch einen Text auf Schwarzfilm, dessen Inhalt direkt zum nächsten Thema »Arbeitsdienst« unter dem Titel »Wir schufen« (Vergangenheit) überleitet. Die Wechsel zu den Titeln »Wir schaffen« (Gegenwart) und »Wir werden es schaffen« (Zukunft) werden neben den Schrifttiteln durch einen Wechsel der Musikmotive bewirkt, ebenso wie die Wechsel zu den Schrifttiteln »Deutsche Alpenstraße« und »Reichsautobahn«, wobei beim Wechsel zu »Reichsautobahn« wie auch beim Wechsel zu »LZ 129« (dem Zeppelin »Hindenburg«) jeweils auch im Bild ›Schnitte über das Motiv‹ überleiten, im ersten Fall über Loren, im zweiten Fall über Züge. Der Übergang zum letzten Teil wird einmal durch das heroische Musikmotiv bei den Aufnahmen der Luftschiffswerft in Friedrichshafen, zum anderen wieder durch einen ›Schnitt über das Motiv‹ bewirkt: Wir sehen einen Zeppelin beim Flug über Berlin, der zu den Maifeiern übergeleitet (und aus dessen Perspektive im folgenden weitere Einstellungen dieser Feiern eingeschnitten werden). Am Schluss des Films werden einige Einstellungen des Films nochmals eingeschnitten, um die Aussagen Hitlers quasi zu ›bebildern‹.

Was die Gliederung des Films anbetrifft, so hat Walter Frentz immer den Gedanken des ›Querschnittfilms‹ betont: nicht nur die Behandlung unterschiedlicher Bereiche wie Industrie, Handwerk und Landwirtschaft, sondern auch von der Schwerindustrie mit gewaltigen Maschinen bis zur Prüfung der Solinger Rasiermesser an Haaren (Abb. 5-6), »vom höchsten Arbeiter auf der Zugspitze, dem Meteorologen, bis zum tiefsten Arbeiter im Ruhrgebiet, dem Bergmann 900 Meter unter der Erde«[18], »auf möglichst vielen, gegensätzlichen Gebieten und an möglichst gegensätzlichen Orten«[19].

»Filmischer Film«

Was im gesamten Film (außer den Flugaufnahmen und der Rede Hitlers am Schluss), insbesondere aber in den Industriesequenzen auffällt, sind die relativ kurzen Einstellungen. Walter Frentz hat dies immer damit erklärt, dass »Hände am Werk« mit einer 35-mm-Kinamo-Handkamera gedreht worden ist, die zwar über ein Filmmagazin von 25 m verfügte, jedoch jeweils nur einen Filmdurchzug von 5 m mittels Federwerkaufzug erlaubte.[20] Das Problem, die vielen kurzen Filmstücke in eine einigermaßen homogene und ›flüssige‹ Montage zu bekommen, konnte nur dadurch gelöst werden, die Bewegungen mehrerer Einstellungen hintereinander kontinuierlich in dieselbe Richtung verlaufen zu lassen (man kann dies besonders gut in den Industriesequenzen oder bei den Aufnahmen von der NS-Mustersiedlung Ramersdorf bei München beobachten).[21]

4 »Hände am Werk«: Die Mittagspause (Filmstill)

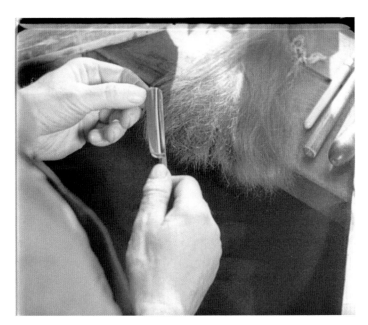

5, 6 »Hände am Werk«: Industrie – schwere und feine Arbeit (Filmstills)

Ebenso wie die Kürze der Einstellungen fällt deren permanente Bewegtheit auf. Wenn die Kamera steht, bewegen sich die Motive, wenn die Motive eher statisch sind, bewegt sich die Kamera. Häufig werden Bewegungen der Motive durch Kameraschwenks oder –fahrten noch akzentuiert, und es werden bei den Motiven alle Möglichkeiten zusätzlicher Bewegungen ausgeschöpft: das Spiel von Schatten etwa auf fahrenden Güterwaggons, gegenläufig sich drehende Förderräder oder der Rauch aus Schornsteinen.

Dies entspricht der Konzeption des ›filmischen Films‹[22], die Walter Frentz mit Leni Riefenstahl und den Kameramännern der ›Bergfilme‹ Arnold Fancks verbunden hat (vgl. S. 248).

In einem Artikel im »Film-Kurier« beschwört er »die Handkamera als wesentliches Werkzeug mit natürlicher Beweglichkeit«[23]. In einem späteren Artikel spricht er von »dynamische[r] Fotografie«[24].

Zum Motiv der Bewegung kommen immer wieder zwei weitere Bildelemente: zum einen eine Mehrschichtigkeit des Bildes (Staffelung in Vorder- bzw. Mittelgrund und Hintergrund), die manchmal eine regelrechte ›Vergitterung‹ der Motive bewirkt (Abb. 7), manchmal auch die Bewegung verstärkt, zum anderen eine generell zu beobachtende Nahsichtigkeit durch Großaufnahmen, die häufig extreme Formen annimmt und die Unschärfe des Vordergrundes nicht scheut (z.B. bei der Töpferszene). Dadurch gewinnt die Bewegung der Objekte erheblich an Dramatik, und es wird eine große Plastizität und Tiefenwirkung des Bildes erreicht. Der Betrachter verliert dabei zwangsläufig jede Distanz zu den Objekten und rückt dabei etwa einem schaufelnden Arbeiter so nahe, dass die ausgeschaufelte Erde unmittelbar vor ihm durch die Luft zu fliegen scheint.

Auffällig ist weiterhin das Herausarbeiten von materiellen Strukturen der Gegenstände, die bisweilen abstrakte Muster bilden, sowie eine gewisse Vorliebe für filigrane Strukturen, etwa bei diagonal durchs Bild laufenden Seilen oder Leitungen sowie bei der Zeppelinwerft in Friedrichshafen. Hiermit geht überein, dass generell starke Schwarz-Weiß-Kontraste gesucht werden, die den Bildern eine besondere Prägnanz geben.

Hervorzuheben sind nicht zuletzt die Aufnahmewinkel, die vielen Einstellungen einen ungewohnten Charakter verleihen, vor allem die häufig verwendete Untersicht (etwa von Lokomotiven oder Straßenwalzen), gelegentlich aber auch eine prononcierte Aufsicht (etwa auf die Tische bei der Arbeitspause).

Es ist in diesem Zusammenhang interessant, eine Folge von Leica-Fotos heranzuziehen, die Walter Frentz im Rahmen der Dreharbeiten zu »Hände am Werk« angefertigt hat.[25] Diese Aufnahmen geben häufig sehr exakt die Kadrierungen des Films wieder und deuten darüber hinaus weitere, nicht gedrehte Kompositionsmöglichkeiten an (Abb. 8). Sie zeigen ferner, wie Frentz z.B. die Bildwirksamkeit der Untersicht ausgelotet hat, zum Teil ganz unabhängig vom Motiv (Abb. 9, 10) und noch stärker als im Film (Abb. 11).

Der Schnitt geht gelegentlich an die Grenzen formaler Abstraktion, etwa wenn zu Beginn der Industriesequenzen Aufnahmen der in die Fabrik strömenden Menschen in Beziehung gesetzt werden zu sich drehenden Weichensignalen und einschwenkenden Eisenbahnweichen (auch wenn dahinter vielleicht die Vorstellung gelenkter Verkehrsströme steht). Im Allgemeinen jedoch verlaufen die Bildfolgen nach klaren Vorstellungen von Arbeitsabläufen wie: der Abbau von Kohle unter Tage, das Heraufschaffen ans Tageslicht, der weitere Transport und die Verladung in Schiffe, die Fahrt der Schiffe auf einem Strom, die Entladung der Schiffe und schließlich der Einsatz der Kohle in der Schwerindustrie (Abb. 12-14). Ebenso: die Herstellung von Garnen und ihre Verarbeitung auf großen Web-

7 »Hände am Werk«: Mehrschichtigkeit des Bildaufbaus (Filmstill)

stühlen, aus denen dann die fertigen Stoffbahnen kommen. Analoges gilt vom Bier (Brauen, Abfüllung in Flaschen, Verladung von Fässern etc.) oder, vielfältiger ausgestaltet, vom Holz (Gewinnung im Wald, Transport auf Flößen, unterschiedliche Anwendungsformen).

Als Vorbilder für die beschriebenen stilistischen Eigenschaften des Films sind Eisenstein, Wertow, Ruttmann, Fanck und Riefenstahl genannt worden.[26] Dem wird man kaum widersprechen können, auch wenn es sehr schwer fällt, konkrete Szenen oder Einstellungen zu benennen oder auch nur Prioritäten zu bestimmen. Frentz selbst hat immer betont, welch großen Eindruck ihm die russischen Filme insbesondere durch ihre Montage gemacht haben und dass er manches daraus für seine Filmarbeit zu adaptieren versucht habe.[27] In »Hände am Werk« wird dies an mehreren Stellen deutlich: am Anfang des Films im harten Aneinanderschneiden sehr kurzer Einstellungen von Industrieschornsteinen aus versetzten Winkeln (was eine Art

von ›kubistischem‹ Effekt ergibt) (Abb. 1-3), in der Reihung von kurzen Großaufnahmen der Köpfe unterschiedlicher Arbeiter und Handwerker oder etwa in der ineinanderfließenden Abfolge von Einstellungen, die zeigen, wie Industriearbeiter Material in einen Hochofen schaufeln.

Des weiteren hat sich Frentz von Leni Riefenstahls Spielfilm »Das blaue Licht« (1932) sehr beeindruckt gezeigt, den er als Ausdruck eines »deutschen Filmstil[s]«empfand.[28] Dazu passt, dass er das Buch »Der Geist des Films« von Béla Balázs (Halle 1930) sehr geschätzt hat.[29]

Aber auch fotografische Einflüsse sollte man nicht ausschließen. Auch wenn Frentz später immer betont hat, das Filmen sei sein eigentliches Metier gewesen und das Fotografieren sei eher nebenher geschehen, so hat er sich doch während seines Studiums in München sehr intensiv mit »Gesetzmäßigkeiten der Fotografie« wie z.B. dem ›Goldenen Schnitt‹ auseinandergesetzt und hat dort auch einer fotografischen Gesellschaft angehört.[30] So mag sein Experimentieren mit Effekten der Untersicht (vgl. Abb. 9-11) mit der Kenntnis sowjetischer Fotografie, etwa Alexander Rodtschenkos, zusammenhängen. Näherliegend und wohl auch wichtiger dürfte hingegen die Fotografie der »Neuen Sachlichkeit« bzw. das »Neue Sehen« sein.[31] Gerade wenn man die im Zusammenhang mit dem Film entstandenen Leica-Fotos von Frentz (S. 62-67) heranzieht, ergibt sich eine Verwandtschaft mit Industriefotos etwa von Albert Renger-Patzsch. Freilich hatte dieser Stil von Industriefotografie eine so große Verbreitung,[32] dass es auch hier schwerfällt, individuelle Vorbilder auszumachen. Auf einen gewissen Einfluss von Renger-Patzsch könnte allerdings der erste Band des Jahrbuchs »Das deutsche Lichtbild« von 1927 hindeuten, von dem sich Frentz besonders beeindruckt zeigte.[33] Die dort abgebildete Fotoserie »Töpferhände« von Renger-Patzsch[34] lässt sich durchaus mit den entsprechenden Einstellungen in »Hände am Werk« vergleichen. Allerdings werden bei solchen Vergleichen, insbesondere in der Industriefotografie, auch Unterschiede in der Bildauffassung deutlich: Frentz sucht immer, in seinen Fotos wie im Film, atmosphärische Elemente wie Wolken oder Rauch ins Bild einzubeziehen, wo-

8 Kontaktstreifen mit Fotografien zu »Hände am Werk«, 1934

9, 10 Experimente mit der Untersicht bei ganz unterschiedlichen Motiven, Fotos von Walter Frentz, 1934

durch ein stärker poetischer bzw. expressiver Bildcharakter entsteht, der sich der Strenge und Unbelebtheit vieler Fotos der »Neuen Sachlichkeit« entzieht.

Bild und Musik

Es war das grundsätzliche filmische Credo von Walter Frentz, »dass der Film nicht ein gefilmtes Theater sein darf, sondern dass der Film eine Partitur hat, bei der die ersten Geigen die Kameras sein müssen, d.h., die führenden Elemente sein müssen«[35]. Im Zusammenhang mit »Hände am Werk« hat er von »Bildsätzen mit Musik« sowie von einer »Komposition in optischen Sätzen« gesprochen[36] – und fand in Walter Gronostay einen kongenialen Filmkomponisten.

Frentz war auf Gronostay insbesondere durch den holländischen Film »Dood Water« (»Totes Wasser«) von Gerard Rutten (1934) aufmerksam geworden.[37] Vor allem die musikalische Gestaltung des ›Prologs‹ hatte ihn begeistert.[38] Die Zusammenarbeit fasst Frentz folgendermaßen zusammen: »Als ich Walter Gronostay bat, sich meinen fertigen Bildschnitt anzusehen, war (…) er sofort bereit, seine Musik hierfür zu komponieren. Er

bekam die Längen meiner ›Bild-Sätze‹ für jede der gefilmten Arbeitsszenen, und ich versprach ihm, nachträglich, wenn er seine Musik dazu geschrieben hat, noch einmal meinen Bildteil danach umzuschneiden, damit Bild und Musik zu einer geschlossenen Komposition werden kann.«[39]

Curt Belling hat in zwei Zeitungsartikeln im Februar 1935 die Zusammenarbeit von Frentz und Gronostay bei der Synchronisation von »Hände am Werk« geschildert.[40] Es heißt dort: »In der Atelierhalle 7 der »Jofa« [der Johannisthal-Film AG, d. Verf.] hat ein großes Orchester Platz genommen und unter der Leitung des Komponisten Walter Gronostay sind vierzig Musiker am Werk, einem Bildgemälde durch die musikalischen Rhythmen die letzte mitreißende Wirkung zu geben. Oberhalb der Rückwand befindet sich eine kleine Filmleinwand, auf welche die in mehrmonatiger Arbeit eingefangenen Filmbilder projiziert werden, immer Stücke von 2 bis 3 Minuten Dauer, die nun musikalisch untermauert werden sollen«. Und weiter: »Eberhard Fangauf, der Herstellungsleiter, weist darauf hin, dass der kurz vor seiner Fertigstellung stehende Film einen reinen künstlerischen Stil in neuartiger Form sucht und Bild, Musik und

Wort daher gemeinsam aufgebaut werden. Aus dieser Gemeinschaftswirkung heraus soll die große Linie kommen, das Bild selbst ist der Träger der Idee, die durch die Musik gedeutet wird«.[41] Ansonsten wird betont, wie kameradschaftlich Frentz und Gronostay, der als »eigenwilliger Musikschöpfer« bezeichnet wird,[42] zusammenarbeiten, immer bereit, ein Stück Film oder Musik zu opfern, bis die jeweiligen Längen genau aufeinander passen.

Aufnahme und Verbreitung des Films
»Hände am Werk« ist in der Fachpresse überaus positiv besprochen worden. Bereits im Winter 1934/35 wurde Frentz im »Film-Kurier« als »Junger Meister der Kamera« vorgestellt und legte seine Auffassung von Kameraarbeit dar.[43] Ende Februar 1935 erschienen die beiden bereits zitierten Artikel von Curt Belling über die Synchronisation des Films.[44] Anlässlich der Uraufführung in Saarbrücken erschienen am 5. März 1935 ausführliche Besprechungen im »Kinematograph«, im »Film-Kurier« und in »Licht Bild Bühne«,[45] die deutlich die Artikel Bellings reflektieren und offenbar einen Pressetext der RPL/Film verwertet haben. Folgende Punkte werden in diesen Besprechungen in

ähnlichen Formulierungen hervorgehoben: der »symphonische« Charakter im Zusammenklingen von Bild und Musik, die »packende« künstlerische Leistung von Frentz und Gronostay sowie der »neue Stil« des Films. So heißt es etwa im »Film-Kurier« abschließend: »Es ist das Verdienst des Herstellungsleiters Eberhard Fangauf, daß er den Mut gehabt hat, rücksichtslos eine künstlerisch neuartige Linie im Film zu bringen und daß er künstlerisch eigenwillige Künstler gestalten ließ, wie sie es sich dachten. Ein Film, den ein neuer Mann, Walter Frentz, bildlich schuf, gibt neue Anregungen und erbringt den Beweis, daß man jungen Kräften die Möglichkeit geben soll, sich zu entfalten. Wird man daraus lernen?«[46] In »Licht Bild Bühne« heißt es: »Walter Frentz schuf die Bilder und gestaltete den Film in seiner jetzigen Form. Wunderbare Aufnahmen zeugen vom künstlerischen Sehen und von schöpferischem Format. Ebenso starke Wirkungen holt aber auch die Musik heraus, die Walter Gronostay in eigenwilligen Akkorden aufklingen läßt... Alles ist neu an diesem Film, die Form, die Art der Gestaltung und schließlich die künstlerische Auffassung«. Der Artikel schließt, ähnlich wie im »Film-Kurier, mit dem Satz: »Ein neuer Weg wurde gewiesen – hoffen wir, daß er weiterhin beschritten wird.«[47]

11 Schornsteine in extremer Untersicht, Foto von Walter Frentz, 1934

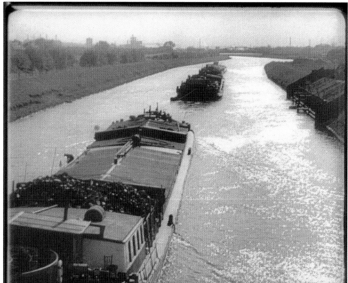

12-14 »Hände am Werk«: Vom Abbau der Kohle über ihren Transport bis zu ihrer Verwendung in der Industrie (Filmstills)

Sehr ähnlich lesen sich Besprechungen der Berliner Erstaufführung des Films Anfang September 1935: »Das Bild ist Träger der Idee – die Musik deutet sie. Daraus ergibt sich ein neuer künstlerischer Filmstil (…).«[48] Was das Publikum betrifft, so wird bei beiden Aufführungen von starkem Beifall berichtet, wobei es sich um offizielle ›Feierstunden‹ handelte.

Über das weitere Schicksal des Films ist wenig bekannt. Es ist vermutet worden, dass der Film als »kulturbolschewistisch« schnell im Archiv verschwunden sei.[49] Walter Frentz selbst »hörte nur immer wieder von überall von Bekannten, Freunden, Kollegen, daß der Film von Seiten der NSDAP da oder dort gelaufen sei. Er wurde durch die Ortsgruppen ›gepeitscht‹.«[50] Durch ein erhaltenes Plakat (Abb. 15) ist eine derartige Aufführung einer NSDAP-Ortsgruppe 1936 dokumentiert.[51]

Auch die Länge des Films macht seine Verbreitung vornehmlich durch Parteiorgane wahrscheinlich. Mit 54 Minuten Laufzeit war er als ›Kulturfilm‹ zwischen Wochenschau und Hauptfilm nicht einzusetzen, andererseits war er nicht ›abendfüllend‹, nur schwer mit einem anderen Film zu kombinieren und wohl auch vom Thema her für den normalen Kinobetrieb wenig attraktiv.

Der Film wurde am 27. August 1935 »für die staatspolitischen Filmveranstaltungen in den Schulen mit Ausnahme der Grundschulen zugelassen«. Diese Zulassung wurde am 15. Oktober 1936 »im Einvernehmen mit der Reichspropagandaleitung (Amtsleitung Film) der NSDAP« widerrufen.[52]

Gegen eine Verbannung des Films ins Archiv spricht allerdings, dass der Film am 5. Mai 1939 eine zweite Zensur durchlief und dabei neben dem bereits 1935 verliehenen Prädikat »staatspolitisch wertvoll« zusätzlich das Prädikat »volksbildend« erhielt.[53] Da eine solche Zensur und Prädikatisierung keinen Sinn macht, wenn man einen Film nur als Archivmaterial benutzen will, wird man davon ausgehen müssen, dass »Hände am Werk« auch noch im Zweiten Weltkrieg im Rahmen von Parteiveranstaltungen gezeigt worden ist.

Als Archivmaterial haben Einstellungen und Sequenzen aus »Hände am Werk« allerdings häufig gedient, wenn man attraktive Aufnahmen aus den Bereichen Industrie und Handwerk etwa für Propagandafilme benötigte, wobei es sich gut traf, dass man über diese Aufnahmen frei verfügen konnte, da der Film ja parteieigen war. So finden sich Aufnahmen aus »Hände am Werk« etwa in den Filmen »Opfer der Vergangenheit« (1937), »Gestern und Heute« (1938) und »Der ewige Jude« (1940), wobei diese Aufnahmen jeweils als positive Beispiele ›deutscher‹ oder ›wertschöpfender‹ Arbeit negativ besetzten Themenkomplexen wie ›Irrsinn‹, ›Systemzeit‹ oder ›Juden‹ entgegengesetzt werden. Dass sich »Hände am Werk« gut als ›Steinbruch‹ für Aufnahmen historischer Arbeitsformen eignet, weiß man übrigens auch bei den heutigen Fernsehanstalten.

Zusammenfassung

»Hände am Werk« fällt in die ersten Jahre des ›Dritten Reichs‹, in denen es in der NSDAP widersprüchliche kulturpolitische Bestrebungen gab, eine ›völkische‹ und eine ›modernistische‹.[54] Die figürliche Malerei des deutschen Expressionismus, insbesondere Nolde, galt Goebbels, Hans Weidemann (Referent im RMVP und später Vizepräsident der Reichsfilmkammer), dem Maler Otto Andreas Schreiber oder auch dem späteren Reichsfilmintendanten Fritz Hippler als eine revolutionäre nationale Kunstrichtung.[55] Erst allmählich setzten sich der »Kampfbund für deutsche Kultur« bzw. das »Amt Rosenberg« mit ihrer ›völkischen‹ Kunstdoktrin durch, und erst mit der Eröffnung des »Hauses der deutschen Kunst« sowie der Ausstellung »Entartete Kunst« im Juli 1937 waren die Würfel endgültig gefallen.

So ist es nicht verwunderlich, dass Goebbels von den ästhetischen Qualitäten von »Hände am Werk« beeindruckt war und in den Besprechungen dieses Films in der Fachpresse von einem »neuen Weg« die Rede ist, von dem ungewiss war, ob er weiter beschritten werde. Es gab ja noch keine filmästhetischen Festlegungen eines ›nationalsozialistischen‹ Filmstils, und im dokumentarischen Bereich war ja ein neuer Filmstil gerade erst im Entstehen: der später häufig so genannte ›Riefenstahl-Stil‹, der in vielem auf den ›deutschen Bergfilm‹ Arnold Fancks zurückging.[56] Hiervon ist auch in »Hände am Werk« einiges zu spüren, vor allem in der ›Arbeitsdienst‹-Sequenz, die viel mit vergleichbaren Aufnahmen in »Triumph des Willens«, die ja fast zeitgleich entstanden sind, gemeinsam hat.

Hieraus erklärt sich der eigenartig ambivalente Charakter von »Hände am Werk«: es werden neue Inhalte in zu diesem Zeitpunkt bereits retrospektiven avantgardistischen Bildformen gezeigt, um damit einen neuen Stil zu schaffen. Auch die Musik scheint noch einen Anklang an die musikalische Avantgarde der 20er Jahre zu haben, auch wenn sie keine Autonomie beansprucht, sondern die »Bildsätze« sehr konzentriert interpretiert. Und selbst in den pathetischen Gesängen und Rezitationen wird eine gewisse Ambivalenz spürbar: sie stehen in einer proletarisch-künstlerischen Tradition, die hier aber im nationalsozialistischen Sinne umgedeutet wird.[57]

Von der Kameraarbeit her erscheinen die Industrie-Sequenzen im Sinne des ›filmischen Films‹ am gelungensten, wo die maschinellen Abläufe schon von sich aus viel Bewegungspo-

15 Plakat zu »Hände am Werk« mit Variation des Untertitels

tential beinhalten, während bei Handwerk und Landwirtschaft gelegentlich etwas gekünstelte Bewegungen der Personen bzw. der Kamera nötig sind, um das Bild entsprechend zu stilisieren – so z.B. beim Schornsteinfeger und dem pflügenden Bauer. Ähnliches gilt für die Musik, die in den Industrie-Sequenzen prägnanter erscheint als in den späteren Sequenzen, wo zum Teil dieselben Melodien in entsprechender Modifikation verwendet werden, auch wenn sie hier vielleicht abgerundeter erscheinen. Insgesamt jedoch ist filmkünstlerisch die souveräne Kameraarbeit von Walter Frentz und der Zusammenklang seiner »Bildsätze« mit der Musik von Walter Gronostay auch heute noch sehr spannend.

1 »Walter Frentz über seine Tätigkeit als Kameramann 1932-1945«. Persönlichkeitsaufnahme des Instituts für den Wissenschaftlichen Film, Göttingen (heute IWF Wissen und Medien gGmbH) (G 217). Im Folgenden als »Film 1985« bezeichnet.

2 »Das Auge des Kameramannes« von Jürgen Stumpfhaus. Erstsendung am 26. November 1992 (ARD). Im Folgenden als »Film 1992« bezeichnet.

3 Brief von Walter Frentz an den Sprecher einer Arbeitsgruppe beim Institut für den Wissenschaftlichen Film, Göttingen, (heute IWF Wissen und Medien gGmbH) vom 13. November 1971, überliefert in den Akten des IWF. Im Folgenden als »Brief 1971« bezeichnet.

4 Redemanuskript von Walter Frentz für einen Vortrag über »Hände am Werk« auf dem XIII. IAMHIST (International Association for Media and History) Congress, 26.-31. Juli 1989, in der Frostburg State University, Frostburg, Maryland, USA. Im Folgenden als «Manuskript 1989" bezeichnet. Eine Kopie befindet sich in den Akten des IWF Göttingen.

5 Zur Person vgl. Ulrike Bartels, Die Wochenschau im Dritten Reich. Entwicklung und Funktion eines Massenmediums unter besonderer Berücksichtigung völkisch-nationaler Inhalte, Frankfurt a. M. etc. 2004, S. 89-90.

6 Brief 1971 (wie Anm. 3), S. 3.

7 Ebd.

8 Ebd.

9 Brief 1971 (wie Anm. 3), S. 4.

10 Brief 1971 (wie Anm. 3), S. 5.

11 Manuskript 1989 (wie Anm. 4), S. 4. Vgl. dazu auch den Beitrag von Matthias Struch in diesem Band.

12 Film-Kurier, 17. Jg., Nr. 51, 1. März 1935, S. 3. Diese Angaben werden in einer Meldung des Film-Kuriers Nr. 53 vom 4. März 1935, S. 1, bestätigt. Eine ausführliche Besprechung des Films findet sich dann im Film-Kurier Nr. 54 vom 5. März 1935, S. 4.

13 Nach Hans Barkhausen, Die NSDAP als Filmproduzentin, in: Zeitgeschichte im Film- und Tondokument, hg. von Günter Moltmann und Karl Friedrich Reimers, Göttingen etc. 1970, S. 145-176, hier S. 171.

14 Vgl. Film-Kurier, 17. Jg., Nr. 209, vom 7. September 1935, S. 3 und Film-Kurier Nr. 210 vom 9. September 1935, S. 2.

15 Der Film, Nr. 22, 2. Juni 1934.

16 Der Verfasser stützt sich hierbei auf ein ausführliches Bild- und Tonprotokoll sowie ein Schema des Filmaufbaus von Volker Kühn in den Produktionsakten des IWF Göttingen sowie eine vorläufige maschinenschriftliche Veröffentlichung als Begleitpublikation des IWF zu diesem Film. Die Zeitangaben sind Näherungswerte.

17 Dabei handelte es sich, wie Walter Frentz dem Verfasser erläutert hat, um einen Trick: es wurde beide Male dieselbe Aufnahme verwendet, beim zweiten Mal in Spiegelung.

18 Manuskript 1989 (wie Anm. 4), ähnlich auch in Film 1985 (wie Anm. 1) und Brief 1971 (wie Anm. 3). Der Wetterwart auf der Zugspitze ist im fertigen Film offenbar auf der Strecke geblieben.

19 Brief 1971 (wie Anm. 3).

20 Manfred Romboy, der Berufskameramann ist und zwei Nachrufe auf Walter Frentz verfasst hat (Manfred Romboy, Nekrolog für einen Ruhelosen, in: Club Daguerre aktuell 94 (August 2004), S. 6-10, und Manfred Romboy, Nachruf für einen der Großen der Kamera, in: Movie 7 (2004), Nr. 23, S. 28-30), geht dagegen davon aus, dass »Hände am Werk« weitgehend mit einer Debrie Parvo L Stativkamera gedreht worden ist und die Zeiss Kinamo Handkamera nur für bestimmte Zwecke eingesetzt wurde, da sie eine primitive Kamera mit schlechtem Bildstand und unpräzisem Sucher sei (Mail vom 11. Januar 2006 an den Verfasser).

21 So hat dies auch Albert Baumeister, der nach eigenem Bekunden an den Schnittarbeiten zu diesem Film beteiligt war, dem Verfasser in einem Gespräch in Baden-Baden vor etwa 25 Jahren erläutert.

22 »Der filmische Film« ist auch die Überschrift eines Artikels im Film-Kurier (20. Jg., Nr. 28, 3. Februar 1938, S. 3), in dem Auszüge eines Vortrags von Walter Frentz in einem Filmseminar der Lessing-Hochschule publiziert worden sind.

23 »Von der Kamera her«, in: Film-Kurier, 17. Jg., Nr. 11, 14. Januar 1935, S. 3.

24 Wie Anm. 22.

25 Die originalen Kontaktstreifen sowie die Negative befinden sich heute im Besitz seines Sohnes Hanns-Peter Frentz, der die Fotos dem Verfasser in großzügiger Weise zugänglich gemacht hat.

26 Vgl. Peter Zimmermann, Der Kulturfilm als Vor- und Hauptfilm im Kino, in: Geschichte des dokumentarischen Films in Deutschland, Bd. 3: ›Drittes Reich‹ 1933-1945, hg. von Peter Zimmermann und Kay Hoffmann, Stuttgart 2005, S. 133-151, hier S. 138 sowie Romboy, Nekrolog, 2004 (wie Anm. 20), S. 7, und Romboy, Nachruf, 2004 (wie Anm. 20), S. 28.

27 So z.B. in Film 1985 (wie Anm. 1) und Film 1992 (wie Anm. 2).

28 Manuskript 1989 (wie Anm. 4) und im Gespräch mit dem Verfasser.

29 Mündliche Mitteilung von Hanns-Peter Frentz.

30 Mündliche Mitteilung von Walter Frentz.

31 Vgl. hierzu zuletzt: Neues Sehen in Berlin. Fotografie der Zwanziger Jahre (Ausst.-Kat. Kunstbibliothek/Museum für Fotografie Berlin, 16. September-20. November 2005), Berlin 2005.

32 Man vgl. etwa Das Werk. Technische Lichtbildstudien. Neudruck der Ausgabe 1931, Königstein i.T. 2002.

33 Mündliche Mitteilung von Hanns-Peter Frentz.

34 Das deutsche Lichtbild, Jahresschau 1927, hg. von Hans Windisch, Berlin 1927, S. 36-37. Vgl. Kat. Berlin 2005 (wie Anm. 31), S. 121-122, Kat. Nr. 77.

35 Film 1985 (wie Anm. 1).

36 Film 1992 (wie Anm. 2) sowie mündliche Mitteilung von Walter Frentz.

37 Walter Frentz hat als Autor dieses Films gelegentlich Joris Ivens genannt, was eine Verwechslung mit dessen Film »Nieuwe Gronden« (bzw. »Zuiderzee«) von 1934 darstellt. So auch fälschlich bei Barkhausen 1970 (wie Anm. 13), S. 158. Die Verwechslung kommt wohl daher, dass beide Filme von der Zuiderzee handeln und auch Ivens' Film ein markantes Musikmotiv enthält, nämlich eine Komposition von Hanns Eisler für den Film »Kuhle Wampe« von Slatan Dudow (1932). – Eine interessante Kritik zu »Totes Wasser« findet sich im Film-Kurier, 17. Jg., Nr. 96, vom 25. April 1935 (Beilage).

38 Brief 1971 (wie Anm. 3) und Manuskript 1989 (wie Anm. 4).

39 Manuskript 1989 (wie Anm. 4).

40 Curt Belling, Musikerhände am Werk, in: Film-Kurier, 17. Jg., Nr. 44, 21. Februar 1935, S. 2, sowie Curt Belling, Hände am Werk, in: Der Kinematograph, Nr. 38, vom 22. Februar 1935. Belling war Reichhauptstellenleiter und Pressesprecher der Reichspropagandaleitung der NSDAP. Dass er praktisch gleichzeitig zwei wenig variierte Artikel zu diesem Thema in der Filmpublizistik lanciert hat, zeigt die propagandistische Bemühung der RPL/Film um »Hände am Werk«.

41 Beide Zitate aus Belling, Hände, 1935 (wie Anm. 40).

42 Belling, Musikerhände, 1935 (wie Anm. 40), S. 2. – Eine musikwissenschaftliche Darstellung von Gronostays Musik zu »Hände am Werk« findet sich bei Ulrich Rügner, Nicht nur Symphonik und Chorgesang. Musik im Kulturfilm. In: Zimmermann/Hoffmann 2005 (wie Anm. 26), S. 198-210, hier S. 202-203.

43 Film-Kurier, 16. Jg., Nr. 297, 19. Dezember 1934, S. 2 und Film-Kurier, 17. Jg., Nr. 11, 14. Januar 1935, S. 3.

44 Vgl. Anm. 40.

45 Der Kinematograph, 29. Jg., Nr. 45, 5. März 1935, S. 4; Film-Kurier, 17. Jg., Nr. 54, 5. März 1935, S. 4; Licht Bild Bühne, 28. Jg., Nr. 55, 5. März 1935, S. 3.

46 Film-Kurier, 17. Jg., Nr. 54, 5. März 1935, S. 4.

47 Licht Bild Bühne, 28. Jg., Nr. 55, 5. März 1935, S. 3.

48 Film-Kurier, 17. Jg., Nr. 209, 7. September 1935, S. 3.

49 Film 1992 (wie Anm. 2)(Kommentar) und Romboy, Nekrolog, 2004 (wie Anm. 20), S. 28 sowie Romboy, Nachruf, 2004 (wie Anm. 20), S. 7.

50 Brief 1971 (wie Anm. 3).

51 Das Plakat befindet sich in der Plakatsammlung des Deutschen Historischen Museums, Berlin. Ein vergleichbares Plakat zu einer Filmmatinée (ohne Jahresangabe) einer NSDAP-Ortsgruppe mit einem wiederum variierten Untertitel des Films (»Das hohe Lied der Arbeit«) befindet sich im Graphikarchiv des Filmmuseums Berlin – Deutsche Kinemathek.

52 Diese Information verdanke ich Gerd Albrecht. Die beiden Entscheidungen finden sich im Amtsblatt des Wissenschaftsministeriums (RMinAmtsblDtschWiss.) 1935, Nr. 459, S. 370 und 1936, Nr. 555, S. 454.

53 Diese Informationen verdanke ich Jan Kindler und Hans-Gunter Voigt.

54 Vgl. hierzu Kirsten Baumann, Wortgefechte. Völkische und nationalsozialistische Kunstkritik 1927-1939, Weimar 2002, bes. Kapitel 2.7, sowie die Arbeiten von Hildegard Brenner (Die Kunst im politischen Machtkampf der Jahre 1933/34, in: Vierteljahreshefte für Zeitgeschichte 10 (1962), S. 17-42; Die Kunstpolitik des Nationalsozialismus, Reinbek bei Hamburg 1963).

55 Vgl. Albert Speer, Erinnerungen, Frankfurt/M. etc. 1975, S. 40-41.

56 Vgl. hierzu Barkhausen 1970 (wie Anm. 13), S. 157-168 sowie Peter Zimmermann/Kay Hoffmann, Bekannte Regisseure zwischen Avantgarde,

Sachlichkeit, Idyllik und Propaganda, in: Zimmermann/Hoffmann 2005 (wie Anm. 26), S. 111-132, hier S. 114-117.

57 In diesem Sinne auch Irmgard Wilharm, Film und Zeitgeschichte. Zur Nutzung des dokumentarischen Films durch die Geschichtswissenschaft. In: Zimmermann/Hoffmann 2005 (wie Anm. 26), S. 720-732, hier S. 727, die abschließend feststellt: »Der Film ist im Nebeneinander von modernen und antimodernen Zügen ambivalent.« (S. 728) - Dass der Sprechertext auf Schwarzfilm verbannt wurde, hat Walter Frentz damals listig damit begründet, dadurch wirke er eindringlicher. Tatsächlich befürchtete er, die banalen Texte könnten seine Bildmontagen zerstören.

Für Hinweise und Materialien danke ich Gerd Albrecht (Köln), Christopher Carlson (Göttingen), Ruth Heftrig (Bonn), Hans Georg Hiller von Gaertringen (Berlin), Jan Kindler (Berlin/Dresden), Susanne Loosemann (Berlin), Anno Mungen (Bonn), Lothar Prox (Bonn), Karl Friedrich Reimers (Ismaning), Manfred Romboy (Wesseling), Anett Sawall (Berlin), Horst-Peter Schulz (Bonn), Stefan Strötgen (Bonn), Hans-Gunter Voigt (Berlin), ganz besonders aber Hanns-Peter Frentz (Berlin).

Der Film »Hände am Werk« kann unter bestimmten Voraussetzungen beim Bundesarchiv/Filmarchiv (Fehrbelliner Platz 3, 10707 Berlin) angesehen und entliehen werden. Für Zwecke des Schul- und Hochschulunterrichts sowie der Erwachsenenbildung steht eine 16-mm-Filmkopie unter der Bestellnummer G 131 bei der IWF Wissen und Medien gGmbH (Nonnenstieg 72, 37075 Göttingen) zur Ausleihe zur Verfügung.

Schlot (Werkaufnahme für »Hände am Werk«), 1934

1934 erhielt Walter Frentz von Goebbels' Ministerium für Volksaufklärung und Propaganda den Auftrag zu einem Kulturfilm zum 1. Mai, seit 1933 »Tag der Arbeit«. Der Film zeigt in schnellen Schnitten und bewegten Einstellungen einen Querschnitt durch das Arbeitsleben in Deutschland und endet mit einer Rede Adolf Hitlers zum 1. Mai 1934. Stilistisch erinnert der Film an die Avantgarde der 20er Jahre. Er ist damit ein bedeutendes Dokument aus der Frühphase des Dritten Reiches, als man sich über die kulturpolitische Linie nicht einig war und formale Experimente noch zuließ. Einen großen Teil des Films nehmen Industrie-Sequenzen ein. Die hier gezeigten Fotografien sind während der Dreharbeiten entstanden und zeigen Einstellungen, die sich so auch im Film finden. Viele Einstellungen des Films arbeiten mit Untersicht. Die Industriefotografen der 20er Jahre, allen voran Albert Renger-Patzsch, setzten Schlote ganz ähnlich ins Bild. Im Vergleich zu den isolierten Schloten bei Renger-Patzsch ist die Bildstruktur allerdings komplexer.

Montage (Werkaufnahme für »Hände am Werk«), 1934
Abstrakt wirkende Einstellungen wie diese durchziehen den ganzen Film. Ein für Frentz typisches
Merkmal ist hier der Arbeiter, durch den die Komposition auch eine erzählerische Komponente bekommt.

Förderband und Schlote (Werkaufnahme für »Hände am Werk«), 1934
Viele Industrieaufnahmen baute Walter Frentz mehrschichtig auf und be-
wirkte so eine regelrechte ›Vergitterung‹ des Motivs.

Lore und Schlote (Werkaufnahme für »Hände am Werk«), 1934
Oft bezog Walter Frentz, in seinen Fotos wie im Film, atmosphärische Elemente wie Wolken oder Rauch
mit ein. Dadurch entsteht ein stärker poetischer bzw. expressiver Bildcharakter, der sich der Strenge und
Unbelebtheit vieler Fotos der »Neuen Sachlichkeit« entzieht.

Friedrichshafen, Luftschiff »Hindenburg« im Bau (Werkaufnahme für »Hände am Werk«), 1934
Das Bild zeigt das Traggerüst der »Hindenburg«, das aus Duraluminium bestand. Für Walter Frentz lag der Reiz des Motivs wohl in dem Gegensatz von Monumentalität und filigraner Struktur. Mit dem Bau des Luftschiffs wurde im Herbst 1931 in der Friedrichshafener Luftschiffwerft begonnen. Im März 1936 wurde es fertiggestellt und nach dem zwei Jahre zuvor verstorbenen Reichspräsidenten auf den Namen »Hindenburg« getauft. Es war eines der größten Luftschiffe aller Zeiten und wurde von den Nationalsozialisten als Triumph deutscher Technik gefeiert. 1937 verbrannte es beim Landeanflug auf Lakehurst in den USA. Infolge dieses katastrophalen Ereignisses wurde die Entwicklung der Luftschifffahrt in Deutschland nicht weiter betrieben.

Luftschiff »Graf Zeppelin« (Werkaufnahme für »Hände am Werk«), 1934

»Die Kamera muss führen« war das filmische Credo von Walter Frentz. Er suchte stets nach ungewöhnlichen Bildern. Der Zuschauer sollte vor allem durch die Einstellungen gefesselt werden, und erst danach durch Text und Musik. Der links angeschnittene und dadurch scheinbar ins Bild fliegende Zeppelin ist dafür ein gutes Beispiel.

Die 1928 in Betrieb genommene »Graf Zeppelin« hat Frentz vermutlich in Friedrichshafen fotografiert. Das Luftschiff hatte zu diesem Zeitpunkt bereits die Welt umrundet und flog regelmäßig nach Südamerika.

1 Die Regisseurin und ihr Kameramann. Leni Riefenstahl und Walter Frentz bei den Dreharbeiten zu »Olympia«, 1936

JÜRGEN TRIMBORN

Ein Meister der subjektiven Kamera
Karriere im Windschatten
Leni Riefenstahls

Von 1933 bis 1936 gehörte Walter Frentz zum festen Mitarbeiterstab Leni Riefenstahls und war maßgeblich an den filmischen Erfolgen von Hitlers Lieblingsregisseurin beteiligt – sowohl bei der Parteitags-Trilogie wie auch bei Riefenstahls zweiteiligem Olympia-Film über die Olympischen Sommerspiele des Jahres 1936 in Berlin. Die Zusammenarbeit mit Leni Riefenstahl brachte Frentz, der bis dato ein absoluter Außenseiter des Filmbetriebs war, Ruhm und eine ganze Reihe von Parteiaufträgen ein, bis er bei Ausbruch des 2. Weltkriegs zum persönlichen Bildberichterstatter Adolf Hitlers aufstieg. Wie auch viele seiner Kollegen aus dem Stab Riefenstahls machte Walter Frentz im Windschatten der »Filmemacherin des Führers« Karriere und profitierte nachhaltig von seiner Mitarbeit an den Parteitagsfilmen und besonders dem Olympia-Film, der dem Dritten Reich auf internationaler Ebene Ansehen verleihen sollte und das nationalsozialistische Gewaltregime als friedfertigen Gastgeber inszenierte.

Im Team der Regisseurin war Walter Frentz zunächst eher ein Außenseiter. Er war der einzige Kameramann, den Riefenstahl nicht aus dem Mitarbeiterstab ihres Mentors, des Bergfilmregisseurs Arnold Fanck, rekrutierte. Fancks Kameraleute waren im Gegensatz zum Großteil ihrer Kollegen, die vor allem an Studioaufnahmen gewöhnt waren, auf das Filmen in Extremsituationen im Hochgebirge eingestellt, bei dem sie immer wieder mit größter Flexibilität und Improvisationsgabe reagieren mussten – eine ideale Voraussetzung, um mit allerhand auftretenden Widrigkeiten, wie etwa plötzlichen Wetterumschwüngen bei den Parteitagen in Nürnberg, umzugehen. Walter Frentz passte insofern ideal in Riefenstahls Mannschaft, weil auch er als Filmamateur, der er bis dato war, an das Filmen in Extremsituationen gewöhnt war. Zum Film war er eigentlich eher per Zufall gekommen. Als sportbegeisterter Student der Elektrotechnik an der Technischen Universität in München hatte er den »Hochschulring Deutscher Kajakfahrer« gegründet und mit Kommilitonen in den Semesterferien Kajak-Fahrten in verschiedenen Teilen Deutschlands und Europas unternommen. Schnell kam er auf die Idee, diese abenteuerlichen Kajak-Urlaube auch auf Zelluloid zu bannen und lieh sich eine Handkamera aus. So entstand während eines Urlaubs in Jugoslawien der Kurzfilm »Wildwasserfahrt durch die Schwarzen Berge« – ein auch heute noch brillant und

2 Unbekannter Fotograf: Leni Riefenstahl und Walter Frentz (links) bei den Vorbereitungen zum Parteitagsfilm »Der Sieg des Glaubens« auf dem Reichsparteitagsgelände in Nürnberg, 1933

ansprechend wirkender Sportfilm, der nicht nur von Frentz' großem Talent als Kameramann zeugt, sondern zudem auch belegt, wie sehr die Filme Leni Riefenstahls immer auch von der Genialität ihrer Mitarbeiter lebten: Viele der optischen Lösungen, zu denen Frentz als Filmamateur in diesem Film gegriffen hat, finden sich fast identisch in Riefenstahls Parteitagsfilmen wieder.

Die Parteitagstrilogie 1933-1935

Die Zusammenarbeit des 26-jährigen Walter Frentz und der aufstrebenden Leni Riefenstahl begann im Sommer 1933. Sowohl Riefenstahl als auch Frentz haben nach 1945 bestätigt, dass es Albert Speer war, der Frentz 1933 an Riefenstahl empfahl.

Im Gespräch mit der Speer-Biographin Gitta Sereny erinnerte Walter Frentz sich an sein erstes Zusammentreffen mit der Regisseurin – verschob die Begegnung, die in Wirklichkeit bereits im Sommer 1933 stattgefunden hatte und eine Zusammenarbeit beim ersten Parteitagsfilm »Der Sieg des Glaubens« zum Ziel hatte, jedoch fälschlich auf das Jahr 1936: »Als Leni Riefenstahl sich auf ihren Film über die Olympischen Filme vorbereitete, fragte sie ihn [Albert Speer, J.T.], ob er einen Kameramann kenne, und er nannte mich. Sie lud mich in ihre Wohnung ein. Ich mochte sie als Schauspielerin nicht, außer in ihrem Film

»Das blaue Licht«, der mich begeistert hat; Hitler war ja auch durch den auf sie aufmerksam geworden – er war auch von ihm begeistert. Als ich sie besuchte, zeigte ich ihr zwei Filme, die ich gemacht hatte, einen über Eskimos und einen übers Kajakfahren, und sie engagierte mich sofort als Kameramann für ihren Olympia-Film. Wir stellten fest, daß wir eine ganz ähnliche Einstellung zum Filmen hatten: Ich haßte Verschwendung und sie auch. Ich drehte achthundert Meter Film und alles war brauchbar; andere drehten zweitausend und fast nichts war brauchbar.«[1]

Warum Walter Frentz hier das belegbare erste Zusammentreffen mit Riefenstahl im Sommer 1933 auf das Jahr 1936 verlegt, bleibt ungewiss, unabhängig davon aber ist Frentz' Schilderung höchst aufschlussreich. Wenn man sie auf den Sommer 1933 projiziert, in dem tatsächlich das erste Treffen mit Leni Riefenstahl stattgefunden hat, belegen die von Frentz dargestellten Umstände, dass Leni Riefenstahl in Wirklichkeit wesentlich mehr Zeit gehabt hat, sich auf die Dreharbeiten von »Der Sieg des Glaubens« vorzubereiten, als sie es in der Nachkriegszeit immer suggerierte. Im Gegensatz zu Frentz stellt Riefenstahl es in ihren Memoiren so dar, als habe sie erst wenige Tage vor Beginn des Parteitags überhaupt davon erfahren, dass Hitler sie mit dieser Filmaufgabe betraut habe und verlegte das

erste Zusammentreffen mit Frentz nach Nürnberg: »Tatsächlich gelang es ihm [Albert Speer, J.T.], sofort einen jungen Kameramann kommen zu lassen, der zwar noch nie für einen größeren Film gearbeitet hatte und auch nur eine Handkamera besaß, aber begabt sein sollte, was sich bestätigte. Er hieß Walter Frentz und wurde später einer meiner besten Kameraleute.«[2] Wenn es jedoch tatsächlich so war, wie von Walter Frentz dargestellt und er Zeit hatte, Riefenstahl in ihrer Berliner Wohnung seine Filme vorzuführen, bevor sie ihn engagierte, belegt dies, dass die Regisseurin sich schon wesentlich früher auf dieses Parteitagsfilm-Projekt eingelassen hat, als sie es später zugeben wollte. Auch Goebbels notierte bereits am 17. Mai 1933, also rund vier Monate vor dem Parteitag: »Ich mache Leni Riefenstahl den Vorschlag eines Hitlerfilms. Sie ist begeistert davon.«[3]

Die Dreharbeiten zu »Der Sieg des Glaubens« fanden im September 1933 auf dem ersten Parteitag der NSDAP nach der »Machtergreifung« statt. Da eigentlich die Film-Funktionäre der Partei damit gerechnet hatten, mit dem Film beauftragt zu werden, reagierten sie verärgert darauf, dass Hitler mit Leni Riefenstahl eine Frau und ein Nicht-Parteimitglied mit dieser Aufgabe betraute. Da Hitlers Macht im Jahr 1933 – vor der Ausschaltung der SA als wichtigem Machtfaktor und vor dem Tode Hinden-

3 Martin Munkacsi: Aufmarsch der Reichswehr vor Reichspräsident Paul von Hindenburg, veröffentlicht in einem Sonderheft der Berliner Illustrierten Zeitung, 1933

4 Martin Munkacsi: Fahnenträger der SA am »Tag von Potsdam«, 21. März 1933. Veröffentlicht in einem Sonderheft der Berliner Illustrierten Zeitung

burgs – noch nicht gefestigt war und zahlreiche innerparteiliche Spannungen herrschten, versuchte man hinter den Kulissen, Leni Riefenstahl das Leben schwer zu machen und ihre Arbeit zu behindern. Walter Frentz hat dies in der Nachkriegszeit ausdrücklich bestätigt: »Sie wurde sozusagen fast boykottiert von Seiten der Parteileute, weil die ja alle nicht da zum Zuge kamen.«[4]

Aufgrund dieser Arbeitsumstände gelingen Riefenstahls Team nur verhältnismäßig wenig wirklich überzeugende Aufnahmen. Zwar ist alles, was die fünf Kameraleute – unter der Führung des Chef-Operateurs Sepp Allgeier – in diesem Jahr filmen, qualitativ Lichtjahre von dem entfernt, was man über den Parteitag in den Wochenschauen zu sehen bekam, aber dennoch haben Riefenstahl und ihre Mitarbeiter noch nicht ihren endgültigen Stil gefunden. Mit dem Ergebnis konnte die Perfektionistin Leni Riefenstahl nicht zufrieden sein. Bis ins hohe Alter echauffierte sie sich, wenn die Sprache auf »Der Sieg des Glaubens« kam, stets sprach sie nur von »unvollkommenen Stückwerk«, von einem »bescheidenen Film«[5] – gelten ließ sie nur den scheinbar perfekten Film, den ein Jahr später entstandenen Streifen »Triumph des Willens«, der zur filmischen Visitenkarte des Dritten Reichs wurde.

Aber dennoch enthält auch schon »Der Sieg des Glaubens« einige filmisch durchaus höchst gelungene Aufnahmen, die bereits auf die späteren Filme vorausweisen: Wenn etwa die Kamera langsam die starren Menschenblöcke der aufmarschierten Parteiformationen abfährt, ganze Meere von Hakenkreuzfahnen die Leinwand ausfüllen oder die Nazigrößen in extremer Untersicht gezeigt werden. Doch solche Inszenierungen sind nicht allein die Schöpfung von Riefenstahl und ihren Kameraleuten, vielmehr griffen diese hier die bereits bestehenden Tendenzen aus dem Bereich des Foto-Journalismus der damaligen Zeit auf. Die Fotografien des ungarischen Jahrhundertfotografen Martin Munkácsi, der bis zu seinem Wechsel nach Amerika im Jahre 1934 auch in Deutschland fotografierte, nehmen schon Monate vor Riefenstahls erstem Parteitagsfilm das vorweg, was dann als typischer Stil Riefenstahls in die Filmgeschichte eingegangen ist. Im März 1933 fotografiert er – der ganz gezielt die Bewegung ins Bild gebracht und damit den modernen Bildjournalismus revolutioniert hatte – für die »Berliner Illustrierte« den Tag von Potsdam, die Fahnenträger der SA und den Aufmarsch der Wehrmacht vor Reichspräsident Hindenburg. Manche von Munkácsis Bildern wirken heute wie Film-Stills aus Riefenstahls Filmen. Sein Einfluss auf das, was heute als ureigener Riefenstahl-Stil gilt, ist unübersehbar, auf ihn wurde aber dennoch bis heute nicht aufmerksam gemacht.

Walter Frentz, der bis dahin nur mit der Handkamera gearbeitet hatte, war auch in »Der Sieg des Glaubens« vor allem für Handkamera-Aufnahmen zuständig: »Die Kollegen lachten und nahmen das gar nicht ernst.«[6] Doch die Ergebnisse, die Frentz erzielt, sind beachtlich und lassen ihn schnell zu einem der wichtigsten Riefenstahl-Mitarbeiter werden. Erstens, weil sich seine lebendigen, dynamischen Aufnahmen deutlich von den langweiligen, statischen Bilder der Wochenschauen abhoben, dann aber auch, weil es ihm mit der Flexibilität der Handkamera gelang, den Diktator nicht nur bei den offiziellen Programmpunkten abzulichten, sondern ihn immer wieder auch unbemerkt im Gespräch mit seinen Paladinen zu filmen - und daneben auch zu fotografieren. Denn schon beim ersten Parteitagsfilm legt er sich die Gewohnheit zu, neben der Film- immer auch noch eine Fotokamera mit sich zu führen, um Erlebnisse am Rande der Dreharbeiten festzuhalten – die Aufnahmen sind nicht für die Öffentlichkeit, sondern lediglich für sich selbst bestimmt. In diesem Kontext entsteht auch seine erste Fotografie Hitlers, die den Diktator auf dem Flugplatz in Nürnberg zeigt.[7] Leni Riefenstahl war so begeistert von Frentz' Handkamera-Aufnahmen, dass sie fast das gesamte Material, das er in Nürnberg aufgenommen hatte, in ihren Film einschnitt – die Aufnahmen, die einen Eindruck vom »Führer privat« vermittelten und zudem die ersten Großaufnahmen Hitlers überhaupt darstellten, lockerten das ansonsten oft starre und langweilige Parteitagsgeschehen auf. Hierbei handelt es sich durchweg um Aufnahmen, die bereits ein Jahr später, als Hitler zur unantastbaren Führer-Figur stilisiert werden soll und vor allem in distanzierender Untersicht (»Das Volk blickt zum Führer auf«) gefilmt werden wird, nicht

5 Unbekannter Fotograf: Die Jagd nach spektakulären Einstellungen: Walter Frentz bei einer Fahraufnahme für »Triumph des Willens«, Nürnberg, September 1934

6 Unbekannter Fotograf: Leni Riefenstahl und ihr Team besichtigen im Vorfeld der Dreharbeiten die Luitpoldarena auf dem Parteitagsgelände in Nürnberg, September 1934

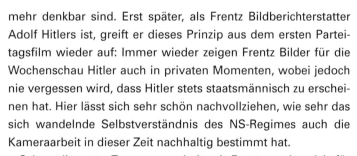

7 Und so sieht es ein Jahr später im Kino aus, Aufmarsch der SS in »Triumph des Willens«, 1935

8 Leni Riefenstahl fotografiert vom Kameraaufzug über der Rednertribüne die Luitpoldarena. Dreharbeiten zu »Triumph des Willens«, Nürnberg, September 1934

mehr denkbar sind. Erst später, als Frentz Bildberichterstatter Adolf Hitlers ist, greift er dieses Prinzip aus dem ersten Parteitagsfilm wieder auf: Immer wieder zeigen Frentz Bilder für die Wochenschau Hitler auch in privaten Momenten, wobei jedoch nie vergessen wird, dass Hitler stets staatsmännisch zu erscheinen hat. Hier lässt sich sehr schön nachvollziehen, wie sehr das sich wandelnde Selbstverständnis des NS-Regimes auch die Kameraarbeit in dieser Zeit nachhaltig bestimmt hat.

Schon die erste Zusammenarbeit mit Frentz erwies sich für Riefenstahl als Glücksgriff, Kameramann und Regisseurin harmonieren bestens miteinander, sie teilen die gleiche Auffassung von der Bildgestaltung, beiden geht es in erster Linie darum, möglichst bewegte und dynamische Aufnahmen zu erlangen und das eigentlich recht eintönige und von vielen Teilnehmern auch als langweilig empfundene Parteitagsgeschehen zudem aus möglichst ungewöhnlichen, unerwarteten Kameraperspektiven zu filmen und es durch die Art und Weise, wie sie es inszenieren, zugleich propagandistisch zu überhöhen und filmisch zu

verherrlichen. Walter Frentz erinnert sich: »Wir haben glücklicherweise ganz verwandte Auffassungen über das Bild gehabt, über die Bildgestaltung, so daß wir da keine Probleme bekamen.«[8] Ein Jahr später, bei »Triumph des Willens« kann Riefenstahls Team das, was im ersten Film bereits angelegt war, durch eine intensivere Vorbereitungszeit und ein wesentlich höheres Budget noch perfektionieren. Hatte Riefenstahl im Vorjahr noch mit fünf Kameraleuten gearbeitet, so befehligte sie nun ein Heer von 120 Mitarbeitern – jedem der sechzehn Kameraleute ist jetzt ein eigener Assistent zugeteilt, im Falle von Walter Frentz handelte es sich um Eugen Oskar Bernhard.[9] Sepp Allgeier, der im Vorjahr, hinter Hitler stehend, die berühmten Aufnahmen aus dem fahrenden Auto gedreht hatte,[10] fungierte wiederum als Chef-Operateur, Frentz ist einer seiner wichtigsten Zuarbeiter. »Damit niemand das festliche Bild stört«,[11] werden die Mitarbeiter Riefenstahls in diesem Jahr als SA-Männer eingekleidet, aber dennoch war das Riefenstahl-Team überall auf dem Parteitag präsent. Frentz etwa, der wiederum vor allem mit der Handkamera filmt, schnallt sich an eines der Autos von Hitlers Wagen-kolonne, um die Fahrt des Diktators aus einer ungewöhnlichen Perspektive zu filmen – Aufnahmen, die Riefenstahl später gerne in ihren Film einschneidet: »Die Bewegtheit der Fahrt sollte auf diese Weise unmittelbar im Film zum Ausdruck kommen,«[12] erinnert sich Walter Frentz. Neben der Arbeit als Kameramann dokumentiert er auch in diesem Jahr wieder mit der Fotokamera die Dreharbeiten. So entstehen Bilder, die zeigen, wie Leni Riefenstahl ihre berühmten Fahrstuhlaufnahmen geprobt hat: An einem der Fahnenmasten der Nürnberger Luitpoldarena hat sie einen kleinen Fahrstuhl anbringen lassen, von dem aus einer ihrer Kameramänner schon im Vorfeld auf dem leeren Parteitagsgelände die Wirkung der vertikalen Kamerafahrt ausprobiert, so dass sie beim Parteitag selbst dann reibungslos funktioniert.

drehte er etwa 1935 einen Kurzfilm über eine Fahrt der Hitlerjugend nach Albanien.[15]

Gerade die wichtigsten Mitarbeiter Riefenstahls profitierten fraglos vom beruflichen Aufstieg der »Filmemacherin des Führers«, denn im Dritten Reich bedeutete es ein Privileg, für die Regisseurin zu arbeiten, die schließlich all ihre Filme im direkten Auftrag Hitlers drehte. Riefenstahls Chefkameramann Sepp Allgeier etwa wurde 1935 von Joseph Goebbels gar zum Kultursenator erhoben, ein Rang, der ansonsten nur hochrangigen Persönlichkeiten wie Gustaf Gründgens, Emil Jannings, Werner Krauss oder Wilhelm Furtwängler zugestanden wurde. Auch Walter Frentz erntete Ruhm und Anerkennung – 1935 wurde sein Film »Hände am Werk« immerhin im Ufa-Palast am Zoo, dem wichtigsten Premieren-Theater Berlins, uraufgeführt.[16]

9 Perspektive aus dem Fahnenmast bei den »Proben« zu »Triumph des Willens«, Nürnberg, September 1934

10 Umsetzung des Motivs im fertigen Film, Filmstill aus »Triumph des Willens«, 1935

Durch Leni Riefenstahls Parteitagstrilogie sind auch ihre wichtigsten Mitarbeiter in den Mittelpunkt des öffentlichen Interesses gerückt. Walter Frentz, der 1933 noch ein absoluter Newcomer und einer der jüngsten Mitarbeiter in Riefenstahls Team war, wird ein Jahr später im Film-Kurier, dem wichtigsten Branchenblatt, bereits als »Junger Meister der Kamera« und als vielversprechendes Talent gefeiert, dessen besondere Begabung hervorgehoben wird: »Sieht man den Film ›vom Sehen‹ her, so wird man unter dem Nachwuchs der letzten Jahre diesen reifen Künstler der Kamera an die Spitze stellen.«[13] Wiederum ein Jahr später, im Herbst 1935, als Walter Frentz einer der Kameramänner ist, die für Riefenstahls Kurzfilm »Tag der Freiheit – Unsere Wehrmacht« die Vorführungen der Reichswehr auf dem Nürnberger Parteitag filmt, wird er im Film-Kurier bereits als »der bekannte Kameramann Walter Frentz«[14] vorgestellt. Durch die Zusammenarbeit mit Riefenstahl wird er auch unabhängig von den Parteitagsfilmen von der Reichspropagandaleitung der NSDAP immer wieder mit Parteiaufträgen bedacht, so

Olympia – Fest der Völker – Fest der Schönheit

Für Riefenstahl war es selbstverständlich, Walter Frentz, den sie zeitlebens als einen ihrer wichtigsten und besten Mitarbeiter bezeichnete, auch für ihr nächstes Filmprojekt zu engagieren, das sie in der zweiten Hälfte der dreißiger Jahren zur prominentesten Filmregisseurin der Welt machen sollte. Riefenstahls Verfilmung der Olympischen Sommerspiele des Jahres 1936 warf schon lange vorher ihre Schatten voraus. Schon 1935 wurde Walter Frentz zusammen mit seinem Kollegen Hans Ertl damit beauftragt, einen Olympia-Werbefilm zu drehen und auch beim Film über die Winterolympiade 1936 in Garmisch-Partenkirchen war er neben anderen Kameramännern aus Riefenstahls Team – wie etwa Sepp Allgeier und Hans Ertl – mit von der Partie.[17] Schon im Vorfeld der Sommerolympiade nahm die Berichterstattung über die bevorstehende Verfilmung ein enormes Ausmaß an, über alle Vorbereitungen wurde ausführlich berichtet und auch nicht versäumt, die einzelnen Mitarbeiter Riefenstahls zu portraitieren. Über Walter Frentz heißt es

11 Unbekannter Fotograf: Leni Riefenstahl und ihre Kameramänner Hans Ertl und Walter Frentz am Rande der Dreharbeiten zum Wehrmachts-Kurzfilm »Tag der Freiheit«, Nürnberg, September 1935

im Film-Kurier so pathetisch wie nichtssagend: »Frentz stammt aus der Heimat der echtesten Filmschöpfer, die ,zum Sehen geboren, zum Schauen bestellt', das Bild im Film schaffen, weil sie erfüllt sind von der Kraft der Erde, aus der sie stammen.«[18]

Frentz ist bei Riefenstahls Olympia-Film einer der drei Chef-Kameraleute, der Film-Kurier nennt ihn gar den »Obersten hinter der Kamera.«[19] Im 1938 publizierten Programmheft zu »Olympia« wird er allerdings neben Hans Ertl und Guzzi Lantschner als einer der drei wichtigsten Kameraleute Riefenstahls ausgewiesen.

Da der Film-Kurier während der Olympiade täglich den Drehbericht »Die Kamera kämpft mit« veröffentlichte, lässt sich sehr gut nachvollziehen, welcher Kameramann für welche Sportdisziplin zuständig war. Frentz als einer der Chef-Kameraleute durfte sich aussuchen, welche Disziplinen er gerne filmen möchte, die anderen Kameramänner bekamen ihre Aufgaben von Riefenstahl zugewiesen. Bereits weit im Vorfeld der Olympiade hatte jeder Mitarbeiter sich Gedanken zu machen, wie er die Sportart, für die er zuständig war, bei den späteren Wettkämpfen am besten ins Bild setzen kann, die Aufnahmen vorzubereiten und auch eigene Ideen zu entwickeln, wobei natürlich immer auch die verschiedensten Wetterbedingungen, die bei den Wettkämpfen herrschen konnten, mitberücksichtigt werden mussten. Leni Riefenstahl gab immer wieder auch Anregungen, wie man bestimmte Aufgaben künstlerisch lösen könnte und diskutierte dann mit ihren Kameraleuten, wie man ihre optischen Visionen filmisch umsetzen und auf die Leinwand bringen kann. Walter Frentz war maßgeblich für vier Sportdisziplinen zuständig, bei der Leichtathletik für den Stabhochsprung und den Marathonlauf und – als begeisterter Wassersportler – für die Ruderregatta und das Segeln. Beim Marathonlauf lässt sich besonders schön darstellen, wie Frentz gearbeitet hat. Ihm ging es nicht darum, den Lauf nur vom Straßenrand her zu verfolgen, wie man es schon hundertmal in Wochenschauen und Sportfilmen gesehen hatte, sondern vielmehr hatte er sich zum Ziel gesetzt, die Aufnahmen so zu gestalten, dass der Zuschauer das Gefühl hat, mitten im Geschehen zu sein, den Kraftakt des Marathonlaufs nachvollziehen kann und mit den Olympioniken mitleidet. Dafür machte Frentz bereits beim Training Aufnahmen, die man beim Wettbewerb selbst so nie hätte drehen können und mittels derer Leni Riefenstahl später den Marathonlauf am Schneidetisch hervorragend dramatisieren konnte. Walter Frentz erinnert sich: »Beim Olympia-Film haben wir Schnittaufnahmen gemacht, im Training, die dann nachher in den olympischen Lauf gekommen sind – beim Marathonlauf zum Beispiel – da habe ich also schon im Training von einem Lastwagen aus mit auf den Kopf gestellter Kamera die Beine aufgenommen vom Läufer, so daß der Kino-Zuschauer oft das Gefühl haben mußte, er selber ist mit bei der Olympiade dabei und aktiver Sportler. Und das ist nur ein Beispiel von vielen, die auf die Weise gemacht wurden, daß eben der Film nicht nur von außen die Dinge beleuchtet, sondern den Zuschauer engagiert, selbst dabei zu sein.«[20] Durch die Art und Weise, wie Frentz hier die Bewegung als genuin filmisches Gestaltungsmittel hervorhebt, ermöglicht er es dem Zuschauer, den Marathonlauf gleichsam aus der subjektiven Sicht der Läufer miterleben – eine absolute filmische Innovation, über die auch Leni Riefenstahl hoch erfreut war: »Eine andere filmische Neuheit gelang Walter Frentz. Er konstruierte einen Drahtkorb für eine Kleinkamera, hängte ihn den Marathonläufern im Training um, welche die Läufer selber auslösen konnten. So entstanden auch von dieser Disziplin ungewöhnliche Aufnahmen.«[21] Riefenstahl war so begeistert von dem Material, das Frentz ihr von dieser Disziplin lieferte, dass sie den Marathonlauf, den sie als eine der packendsten und mitreißendsten Szenen ihres Olympia-Films empfand, bewusst an das Ende des ersten Teils von »Fest der Völker« stellte.

Doch auch am zweiten Teil, dem Riefenstahl den Titel »Fest der Schönheit« gab, war Walter Frentz maßgeblich beteiligt, so filmte er etwa für den kleinen Prolog die Olympioniken im Olympischen Dorf, zeigt sie beim Training, beim Waldlauf, beim Entspannen und Saunieren.[22] Wiederum ist Leni Riefenstahl mit den Aufnahmen, die Frentz ihr bringt, höchst zufrieden: »Ein sehr sensibler, besonnener Künstler, dessen Stärke die mehr romantischen und lyrischen Bilder waren.«[23] Auch bei den

Sportwettkämpfen des zweiten Teils – in dem alle Disziplinen abgehandelt werden, die nicht der Leichtathletik zuzuschreiben sind – war Frentz wieder gefragt. So filmt er etwa die Ruderregatta in Grünau, wofür er eine Sondergenehmigung bekam, um einen mit einer Kamera bestückten Heißluftballon über dem Veranstaltungsort aufsteigen zu lassen – so konnte er zum ersten mal in der Geschichte der Sportberichterstattung den Wettkampf der Schiffe auch von oben zeigen. Doch die Parallelszene zum Marathonlauf im ersten Teil wird die von Walter Frentz gefilmte Segelregatta in Kiel – hierfür eingesetzt zu werden, war Frentz' Hauptwunsch, denn er war nicht nur ein begeisterter Kajak-Fahrer sondern auch ein leidenschaftlicher Segler.[24] Auch hier gelangen ihm unglaublich packende und spektakuläre Aufnahmen, denn natürlich beschränkte er sich nicht, wie es bis dato üblich war, damit, die Schiffe nur vom Land aus aufzunehmen, sondern hat wiederum bereits bei den Trainingsläufen in den Booten gefilmt und vermittelt dem Zuschauer durch das, was er selbst das Prinzip der Subjektivierung nennt, das Gefühl, mitten im Geschehen zu sein, quasi selbst mit in den Booten zu sitzen: »Ich habe zum Beispiel den Auftrag bekommen von der Leni, das Segeln in Kiel zu machen, da war sie gar nicht dabei. Und ich wollte auf keinen Fall, daß das Segeln nur als Zuschauen gezeigt wird, sondern daß man selbst auf dem Boot ist als Besucher des Films, und deshalb habe ich im Training vor der Olympiade, wo die Boote also schon trainiert haben, sehr viele Aufnahmen auf den Booten gemacht und Detail-Aufnahmen von Segeln und von Booten im Wettkampf, die man dann nachher eingeschnitten hat in die tatsächliche Olympiade. Und auf die Weise erlebte der Zuschauer einen solchen Sport nicht nur als Zuschauer sondern auch als Mitfahrer.«[25]

Nach dem Ende der Olympiade begab Walter Frentz sich zusammen mit Riefenstahl zur Kurischen Nehrung, wo die Aufnahmen für den Prolog des ersten Teils »Fest der Völker« gedreht wurden. Auch für diese berühmt gewordene Szene war offensichtlich ursprünglich auch Walter Frentz als einer der Kameramänner vorgesehen – er war auch schon vor der Olympiade mit Riefenstahl nach Griechenland geflogen, um das Entzünden der Olympischen Fackel zu filmen.[26]

Doch das tatsächliche Zeremoniell in Griechenland erschien Riefenstahl nicht »feierlich« genug für den Film, es war nicht das, was sie sich vorstellte. Und so hatte sie ihren Kameramann Willy Zielke damit beauftragt, die Aufnahmen für den Prolog an der Kurischen Nehrung nachzuholen, wo ein Bühnenbildner antike Säulenstümpfe errichtete. Ob Walter Frentz hier auch als Kameramann beteiligt war, ist ungewiss, interessant aber ist seine am Rande der Dreharbeiten entstandene Foto-Serie, die in eindrucksvollen Bildern dokumentiert, wie die Statue des Diskuswerfers von Myron für Riefenstahls Kameras durch den Zehnkämpfer Erwin Huber zum Leben erweckt wird.

Kriegs- und Nachkriegszeit

Auch nach Olympia blieben Leni Riefenstahl und Walter Frentz noch weiter in Kontakt – bis zu Riefenstahls Tod im Jahre 2003 verloren sie sich nie aus den Augen, auch wenn sie nie wieder zusammen arbeiten sollten. Eine letzte Zusammenarbeit war offensichtlich für das Jahr 1939 geplant, als Leni Riefenstahl sich »den Spuren des Führers folgend« dazu anschickte, den »Polen-Feldzug« zu verfilmen. Hierzu brach sie am 10. September 1939, mit einem Geheimauftrag Hitlers in der Tasche, mit einem kleinen Kamerateam auf, zu dem unter anderem ihre langjährigen Mitarbeiter Walter Traut und Sepp Allgeier gehörten.[27] Frentz war bei diesem »Filmtrupp Riefenstahl« nicht mit von der Partie, er war schon eine Woche vorher als Kameramann mit der »Führerkolonne« nach Polen aufgebrochen. Dafür, dass aber auch seine Aufnahmen für Riefenstahls geplanten, dann aber nie von ihr realisierten Kriegsfilm bestimmt waren, spricht vieles. Einerseits, dass es – nach Angaben von Frentz – Leni Riefenstahl war, die Hitlers Adjutanten Wilhelm Brückner vorgeschlagen hat, ihn als Kameramann für die »Führerkolonne« zu engagieren, andererseits, dass das von Frentz gedrehte Material später Eingang in den von Fritz Hippler zusammengestellten Kompilationsfilm »Feldzug in Polen« fand, der dann an Stelle des Riefenstahl-Films realisiert wurde. Für Frentz' weitere Karriere jedenfalls war dieses Engagement folgenreich, denn er blieb von 1939 an den ganzen Krieg über in ständiger Nähe Hitlers und gehörte als Filmberichterstatter im Führerhauptquartier neben den Sekretärinnen des Diktators und Heinrich Hoffmann, Hitlers Leibfotograf, schnell zum inneren Zirkel um Hitler. Vom »Kameramann des Führers« erfuhr Leni Riefenstahl während des Krieges telephonisch immer wieder Interna und Neuigkeiten aus dem Führerhauptquartier.[28]

Ein scheinbar letztes Zusammentreffen zwischen Frentz und Riefenstahl vor Kriegsende gab es im März 1944 in Kitzbühel, als Leni Riefenstahl heiratete – bei dieser Gelegenheit machte

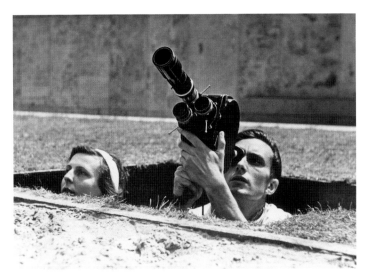

12 Unbekannter Fotograf: Leni Riefenstahl und Walter Frentz im Kameragraben, Olympia-Stadion Berlin, August 1936

Frentz einige Portraitaufnahmen von ihr, es sind einige der ganz wenigen Aufnahmen, die die Regisseurin vor 1945 in Farbe zeigen. Nachdem Walter Frentz am 24. oder 25. April 1945 vom Flughafen Berlin-Tempelhof aus mit der »Führermaschine« aus Berlin ausgeflogen worden und zu Hitlers »Alpenfestung« gebracht worden war, soll, schenkt man Riefenstahls Memoiren Glauben, sein erster Telefonanruf vom Obersalzberg Leni Riefenstahl gegolten haben.[29] Bereits in der ganz frühen Nachkriegszeit stehen Riefenstahl und ihr ehemaliger Kameramann weiter in Kontakt – als Frentz Ende 1946 aus der Gefangenschaft entlassen wird, gilt einer seiner ersten Besuche Leni Riefenstahl, die damals in Königsfeld, in der französischen Besatzungszone,

13 Die Ruderregatta in der Sicht von Walter Frentz, Filmstill aus »Olympia – Fest der Schönheit«, 1938

lebte, wo sie um die Rückgabe des von französischen Behörden beschlagnahmten Materials zu ihrem Film »Tiefland« kämpfte und auf ihre Entnazifizierungsprozesse wartete.[30]

In der Nachkriegszeit hatte sich das Verhältnis von Riefenstahl und Frentz bizarrerweise umgekehrt. Hatte Frentz einst in ihrem Windschatten Karriere gemacht und ihr viel zu verdanken, so ist die von vielen Seiten für ihre Rolle im NS-Regime angefeindete Riefenstahl nun in der deutlich schwächeren Position. Während Frentz nach 1945 beruflich schnell wieder Fuß fasst und weiterarbeiten kann, wird es für sie immer schwerer, beinahe unmöglich, noch in der Filmbranche Geld zu verdienen: »Ich trage mich ernsthaft mit dem Gedanken, völlig umzu-

satteln. Wenn Du da mal einen guten Einfall hast, so wäre ich Dir sehr dankbar.«[31] Plötzlich befindet Riefenstahl sich in der Position der Bittstellerin, beneidet Frentz darum, dass er weiter beim Film arbeiten kann: »Ich glaube, Du bist von uns allen wieder der Glücklichste geworden. Wir, Deine früheren Mitarbeiter, sind doch mehr oder weniger gehetzte Menschen.«[32] Vergeblich versucht sie sogar, ihn zur Mitarbeit an einem ihrer dann jedoch ohnehin gescheiterten Filmprojekte in Afrika zu überreden, schließt aber gleich die Befürchtung an, dass sie sich mit ihrem geringen Budget einen so guten Kameramann wie ihn wohl leider nicht leisten könne: »Es wäre zu schön, wenn wir wieder einmal zusammenarbeiten könnten.«[33] Riefenstahls Buhlen ist vergeblich, Frentz geht auf ihren Hilferuf nicht ein – er hat eine Familie zu ernähren und kann sich in dieser Zeit nicht leisten, sich durch eine Zusammenarbeit mit Riefenstahl ins berufliche Aus zu manövrieren.

Doch dass es nie wieder zu einer erneuten Zusammenarbeit zwischen Riefenstahl und Frentz kam, belastete das Verhältnis der beiden nicht, auch weiterhin standen sie in regem brieflichen und telefonischen Austausch, besuchten sich hin und wieder und feierten Mitte der sechziger Jahre sogar eine Zeit lang ihre Geburtstage zusammen am Bodensee. Sie tauschen sich in ihrem Briefwechsel über Neuentwicklungen im Bereich der Kameras und des Filmmaterials aus – immer wieder bittet die Riefenstahl Walter Frentz auch, ihr Kameras oder Optiken auszuleihen[34] –sie schreibt ihm über ihre gescheiterten Filmprojekte,[35] ihre Erlebnisse im Sudan[36] und ihre Arbeit an den Bildbänden über den Stamm der Nuba. Nur selten geht es im Briefwechsel der beiden einmal um Politik – so ist etwa das Erscheinen von Albert Speers »Erinnerungen«, das beide mit wohlwollendem Interesse verfolgen,[37] oder die Entdeckung der Goebbels-Tagebücher, vor deren möglicherweise enthüllenden Fakten gerade Leni Riefenstahl nervös ist,[38] ein Thema für Frentz und Riefenstahl. Ansonsten beschränkten sich die regelmäßig ausgetauschten Briefe auf die Beschwörung von »wunderschönen Zeiten,«[39] auf die Erinnerung an die frühere Zusammenarbeit. Immer bleibt der Ton der Briefe betont herzlich: Frentz schreibt an die »Liebe, gute, tüchtige, immer noch aktive Leni,«[40] und Leni Riefenstahl betont immer wieder ihre tiefen freundschaftlichen Gefühle für Frentz: »Danke Dir, daß Du die Leni noch nicht vergessen hast. Ich empfinde es als einen ganz großen Verlust, daß wir nicht in einer Stadt zusammenleben. Du bist einer der ganz wenigen Menschen, mit denen ich die freundschaftlich wertvollen Kontakte pflegen könnte. Wenn es doch so wie früher in Berlin sein könnte...«[41]

1 Walter Frentz, zitiert nach Gitta Sereny, Albert Speer – das Ringen mit der Wahrheit, München 1995, S. 159.

2 Leni Riefenstahl, Memoiren, München 1987, S. 206.

3 Tagebucheintrag Goebbels vom 17. 3. 1933, zitiert nach: Jürgen Trimborn, Riefenstahl. Eine deutsche Karriere, Berlin 2002, S. 177.

4 Frentz im Interview für die ZDF-Produktion »Olympia 1936 – Der schöne Schein«, Mai 1996.

5 Riefenstahl 1987 (wie Anm. 2), S. 212.

6 Frentz im Interview mit Karl Stamm, 20. Mai 1985. Filmdokumente zur Zeitgeschichte – Walter Frentz über seine Tätigkeit als Kameramann 1932-1945. Gesprächspartner: Karl Stamm.

7 Vgl. S. 18, Abb. 4.

8 Frentz 1996 (wie Anm. 4).

9 Vgl. Leni Riefenstahl, Hinter den Kulissen des Reichsparteitagsfilms, München 1935, S. 8.

10 Vgl. Film-Kurier, Ausgabe vom 28. 11. 1933.

11 Riefenstahl 1935 (wie Anm. 9), S. 18.

12 Frentz im Interview mit Karl Stamm (wie Anm. 6).

13 Film-Kurier, Ausgabe vom 19. Dezember 1934.

14 Film-Kurier, Ausgabe vom 29. Oktober 1935.

15 Fahrtenbuch Albanien (D 1936)

16 Vgl. dazu den Beitrag von Karl Stamm in diesem Band.

17 Vgl. Deutsche Filmzeitung, Ausgabe vom 16. Februar 1936.

18 Film-Kurier, Ausgabe vom 10. Juli 1936.

19 Vgl. Film-Kurier, Ausgabe vom 17. Juli 1936.

20 Frentz 1996 (wie Anm. 4).

21 Riefenstahl 1987 (wie Anm. 2), S. 268.

22 Riefenstahl 1987 (wie Anm. 2), S. 258.

23 Riefenstahl 1987 (wie Anm. 2), S. 258.

24 Vgl. Frentz im Interview mit Karl Stamm (wie Anm. 6).

25 Frentz 1996 (wie Anm. 4).

26 Vgl. Film-Kurier, Ausgabe vom 24. Juli 1936.

27 Vgl. hierzu Trimborn 2002 (wie Anm. 3), S. 289 ff.

28 Vgl. Riefenstahl 1987 (wie Anm. 2), S. 405.

29 Vgl. Riefenstahl 1987 (wie Anm. 2).

30 Vgl. Riefenstahl 1987 (wie Anm. 2), S. 454.

31 Riefenstahl an Frentz, 26. Oktober 1958. Alle im folgenden zitierten Briefe befinden sich im Nachlass Walter Frentz. Für die Möglichkeit der Einsicht in die Korrespondenz danke ich sehr herzlich Hanns-Peter Frentz.

32 Riefenstahl an Frentz, 5. Mai 1957.

33 Riefenstahl an Frentz, 5. Mai 1957.

34 Vgl. die Briefe von Riefenstahl an Frentz vom 6. September 1962 und vom 7. Oktober 1968.

35 Riefenstahl an Frentz, 13. Dezember 1961.

36 Riefenstahl an Frentz, 9. Oktober 1956.

37 Frentz an Riefenstahl, 29. August 1969 und Riefenstahl an Frentz, 12. Oktober 1969.

38 Riefenstahl an Frentz, 19. November 1973.

39 Handschriftliche Widmung Riefenstahls auf einer Fotografie von den Dreharbeiten zu »Olympia«: »Lieber Walter, das waren noch Zeiten – Wunderschön. Pöcking 2000.« Nachlass Walter Frentz.

40 Frentz an Riefenstahl, 23. November 1973.

41 Riefenstahl an Frentz, 9. September 1967.

Nürnberg, Leni Riefenstahl bei den Vorbereitungen zu »Triumph des Willens«, September 1934
Walter Frentz war nicht nur bei »Triumph des Willens«, sondern bis 1936 bei allen Riefenstahl-Filmen
einer der wichtigsten Kameramänner. Hier fotografierte er die Regisseurin auf der Ehrentribüne der
Luitpoldarena. Sie steht unter der ausgebreiteten Schwinge eines Adlers. Die beiden Adler wurden 1934
als Hoheitszeichen des nationalsozialistischen Deutschen Reichs auf den Ecktürmen links und rechts vom
Rednerpult aufgestellt. Sie hatten ihre Köpfe zur Mitte hin gewandt. Erst 1935 wurden die Gipsmodelle
durch Originale aus Bronze ersetzt.

**Nürnberg, Leni Riefenstahl und Mitarbeiter bei den Vorbereitungen zu
»Triumph des Willens«, September 1934**
Der Parteitag in Nürnberg war nicht nur eine groß angelegte Inszenierung
für die Teilnehmer vor Ort. Diese waren wiederum Teil der Inszenierung für
die Kameras. Das erkennt man beispielsweise daran, dass eine Störung der
Inszenierung vor Ort durch Kameraleute auf den Ecktürmen in Kauf genom-
men wurde, um nach dem Parteitag möglichst effektvolle Aufnahmen vom
Ereignis zu besitzen. Das Bild zeigt Riefenstahl und ihre Mitarbeiter bei der
Vorbereitung der Dreharbeiten.

Schatten der Marathonläufer (Filmstill aus »Olympia«), 1936
Die Aufnahme stammt aus dem ersten der beiden Olympia-Filme mit dem Titel »Fest der Völker«. Frentz durfte sich als einer der Chefkameramänner die Sportarten, die er filmen wollte, aussuchen. Er entschied sich unter anderem für den Marathonlauf und das Segeln. Frentz wollte den Lauf nicht nur vom Straßenrand verfolgen, wie man es schon aus Wochenschauen und Sportfilmen kannte. Deshalb filmte er beim Training von einem Lastwa-

gen mit auf den Kopf gestellter Kamera die Beine der Läufer oder hängte dem Läufer eine Kamera in einem Drahtkorb um, die dieser selbst auslösen konnte. Sein Ziel war es, die Aufnahmen so zu gestalten, dass der Zuschauer das Gefühl haben sollte, mitten im Geschehen zu sein. Leni Riefenstahl konnte so den Marathonlauf am Schneidetisch hervorragend dramatisieren. Das Beispiel zeigt den großen Anteil, den Frentz an der Gestaltung wichtiger Szenen dieser Filme hatte.

Auf dem Segelboot (Filmstill aus »Olympia«), 1936

Bei keiner anderen olympischen Disziplin konnte Frentz so stark seine eigenen Erfahrungen mit der subjektiven Kamera einbringen wie beim Segeln. Schon in seinen Kajakfilmen hatte er oft aus dem Kajak mit der Handkamera gefilmt. Das Erlebnis des Wassersports und die Dramatik des Wettkampfs werden vor allem durch die extreme Nähe der Kamera zum Wasser erfahrbar gemacht.

Hitler und die Architektur

Berlin, Adolf Hitler und Albert Speer beraten über Steinsorten, Anfang August 1940

Nach dem Sieg über Frankreich widmete sich Hitler im Sommer 1940 wieder ausgiebig der Architektur. Unverzüglich ließ er die Bautätigkeit in Berlin wieder aufnehmen. Im Hof der Neuen Reichskanzlei traf er sich mit seinem Architekten Albert Speer vor einer Auswahl von Steinsorten für einen der geplanten Berliner Großbauten.

München, Adolf Hitler vor einem Modell der Stadt Linz im Atelier von Hermann Giesler, 15. April 1943
Frentz interessierten weniger die Architekturmodelle selbst, sondern vielmehr Hitlers Reaktionen, wenn dieser sie in Augenschein nahm. Dabei beobachtete er vor allem Mimik und Hände. Eines von Hitlers Lieblingsthemen war die Proportionierung der einzelnen Bauten. Immer wieder ereiferte er sich über die seiner Ansicht nach falschen Größenverhältnisse und gab die „richtigen" Maßstäbe vor. Linz galt Hitlers besonderes Interesse. Einen Teil seiner Jugend hatte er dort verbracht. Die Stadt genoss einen Sonderstatus. Die Planungen wurden sogar während des gesamten Krieges weitergeführt. Linz wurde zu einem großen Industriestandort ausgebaut und sollte gegenüber Wien städtebaulich aufgewertet werden. Kulturbauten wie das Museum für die so genannte Führersammlung oder die Oper, aber auch seine Altersresidenz wurden zu Hitlers bevorzugten Projekten.

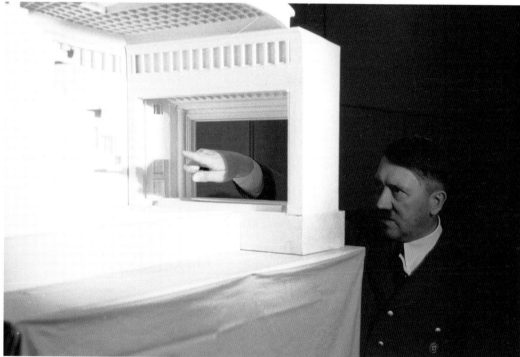

München, Adolf Hitler hinter einem Modell der Stadt Linz im Atelier Giesler, 15. April 1943 (oben)

Frentz nahm Hitler beim Besuch im Münchner Atelier in zahlreichen unterschiedlichen Posen auf. In hunderten Fotositzungen mit seinem Leibfotografen Hoffmann geschult, dürfte sich Hitler bewusst gewesen sein, dass er fotografiert wurde. Aufnahmen wie diese geben sicher sein gewünschtes Selbstbild wieder. Überlegen überschaut er als erster Architekt seines neuen Reiches das planerische Geschehen. Die Nachdenklichkeit, mit der er auf das Modell blickt, ist Teil der Pose.

Berlin, Adolf Hitler am Modell der Oper für Linz, Anfang August 1940 (unten)

Die Aufnahme ist Teil einer längeren Bildserie und vermutlich am gleichen Tag entstanden, an dem sich Hitler mit Speer im Hof der Neuen Reichskanzlei traf (S. 83). Beide inspizierten gemeinsam mit dem Architekten Paul Baumgarten d. Ä. ein Modell der Oper für Linz. Hitler umkreiste das Modell und studierte es aus allen Perspektiven. Die danebenstehenden Architekten wurden zu Zuhörern degradiert. Die eindrucksvolle Aufnahme gelang Frentz gegen Ende der Besprechung, als Hitler seine ins Licht getauchte Hand durch den Bühnenraum streckte und mit dem Finger auf ein Detail hinwies. Das Eingreifen Hitlers in architektonische Planungen, ob mit den Händen am Modell oder mit dem Bleistift in die Entwurfszeichnung, hat Frentz während des Krieges immer wieder fotografiert.

Berlin, Adolf Hitler vor Hermann Gieslers Modell der Neubebauung von Linz im Keller der Neuen Reichskanzlei, wohl 9. Februar 1945

Anfang 1945 drängte Hitler Giesler immer wieder, das Modell von Linz fertig zu stellen. Es sollte im geräumigen Keller der Reichskanzlei aufgebaut werden. Am 9. Februar konnte endlich die erste Besichtigung stattfinden. Bei diesem Anlass entstand vermutlich auch das Foto. Giesler hatte Scheinwerfer installiert, um verschiedene Tageszeiten simulieren zu können. Hitler, bereits deutlich vom körperlichen Verfall gezeichnet, setzte sich auf einen Stuhl und sah zu den geplanten Bauten am nördlichen Donau-Ufer hinüber. Dort sollten eine »Große Halle« und der »Donauturm« entstehen, wo er eine Grablege für seine Eltern schaffen wollte. Hitler suchte das Modell oft zweimal am Tag auf, um sich von der ausweglosen militärischen Situation abzulenken. Im Gegensatz zu früheren Bildern des sinnierenden Hitler am Modell fehlt den letzten Aufnahmen aufgrund der gebeugten Haltung und der greisenhaften Erscheinung Hitlers jeder heroische Zug.

Berlin, Adolf Hitler mit Hermann Giesler und Ernst Kaltenbrunner (in Zivil) vor dem Modell der Neubebauung von Linz im Keller der Neuen Reichskanzlei, wohl 9. Februar 1945
In Frentz' Film folgt dieses Bild unmittelbar auf das nebenstehende Foto von

Hitler vor dem Modell. Vermutlich nahm Hitler bereits bei seiner ersten Besichtigung den gerade anwesenden Chef des »Reichssicherheitshauptamtes«, Ernst Kaltenbrunner, mit. In den Folgewochen musste fast jeder seiner Besucher das Modell gemeinsam mit Hitler ansehen.

1 Heinrich Hoffmann: Frentz filmt bei einer Frontfahrt Hitlers, Frankreich, 30. Juni 1940
2 Unbekannter Fotograf: Frentz filmt Hitler, »17.-21. Juli 1941, Zeltstadtbesichtigung FHQ« (Eintrag von Frentz im Kontaktbogen), wohl »Wolfschanze«

KAY HOFFMANN

»Den Führer von seiner menschlichen Seite zeigen«
Die Filmaufnahmen von Walter Frentz für die Wochenschau (1939–1945)

Das Bild, das wir uns von Adolf Hitler machen, hat Walter Frentz maßgeblich geprägt. Er begleitete ihn von September 1939 bis April 1945 fast durchgängig als Kameramann und machte Aufnahmen für »Die Deutsche Wochenschau«[1] (DW). Er selbst wehrte sich nach dem Krieg gegen die Bezeichnung, der »persönliche Kameramann des Führers« gewesen zu sein und bezeichnete seine Tätigkeit als »rein militärische Pflichtaufgabe«.[2] Er war noch in Friedenszeiten freiwillig in die Luftwaffe eingetreten und hatte bereits dort als Filmberichter gearbeitet. Leni Riefenstahl hatte dem Führerhauptquartier für die Begleitung des Außenministers Joachim von Ribbentrop nach Moskau 1939 drei erfahrene Kameraleute empfohlen.[3] Darunter war Walter Frentz, der für sie bei den Parteitags- und Olympiafilmen ungewöhnliche Aufnahmen mit der Handkamera gedreht hatte. Nach eigenen Aussagen wurde er von Hitlers Chefadjutanten Wilhelm Brückner jedoch nicht wegen seiner Qualitäten als Kameramann ausgewählt, sondern allein wegen seiner Größe von 1,94 m.[4] Er wurde daraufhin ins Führerhauptquartier abkommandiert, um von nun an dort Aufnahmen für die Wochenschau zu machen. Er hatte Hitler jedoch schon bei früheren Anlässen ins rechte Licht gesetzt. Neben den Aufnahmen für die Reichsparteitagsfilme, bei denen er sich beispielsweise an die Außenseite eines Autos gurten ließ, um ungewöhnliche Einstellungen drehen zu können, begleitete er Hitler im April 1938 kurz nach dem so genannten »Anschluss« Österreichs auf einer Wahlkampfreise durch Österreich.[5] Spätestens ab Mai 1940 gehörte Frentz zu dem recht kleinen Kreis von Personen, innerhalb dessen sich Hitler während des Krieges bevorzugt aufhielt.[6] Hitler soll Frentz sehr geschätzt haben. Noch 1998 berichtete dieser nicht ohne Genugtuung: »Und so nach 14 Tagen, als ich angefangen habe damals, sagte mir eine Sekretärin von Hitler: ›Du, der Führer hat etwas Nettes über Dich gesagt. Er hat gesagt: Der Frentz, der paßt so richtig zu uns.‹ Und das war ungewöhnlich, daß er so was sagte. [...] Also, ich weiß nicht warum er das gesagt hat. Ob das wegen der Aufnahmen war oder ob er es rein menschlich gesagt hat. Das ist beides möglich. Aber er hat sich damals erfreulich positiv mir zugewandt und mich beurteilt. Und so konnten die anderen, die vielleicht nicht so für mich waren, auch nichts gegen mich machen.«[7] Ganz anders schätzte der ehemalige

Kammerdiener Hitlers, Karl-Wilhelm Krause, 1999 die Beziehung Hitlers zu Frentz ein: »Zwischen Hitler und ihm gab es überhaupt kein Verhältnis. Der hat ihm höchstens gesagt: ›Gehen Sie da weg!‹ oder so. Der durfte alles filmen. Manchmal sagte Hitler: ›Nein, heute wird nicht gefilmt!‹«[8] In jedem Fall hatte Frentz ab 1939 direkten Zugang zu Hitler und war dadurch mit dessen menschlichen Seiten vertraut. Dies erleichterte sein erklärtes Bestreben, neben den offiziellen Aufnahmen von Reden, Empfängen und Staatsgeschäften auch intimere Momente mit der Kamera einzufangen.

Erst 2005 wurden im Nachlass die Filmaufnahme-Tagesberichte und Laufzettel von Walter Frentz entdeckt, die jede seiner Aufnahmen beziehungsweise seiner Assistenten zwischen dem 10. Oktober 1940 und dem 20. April 1944 akribisch protokollieren. Darin wurde der Kameramann, der Ort der Aufnahme, das Sujet, die verwendete Kamera und das Filmmaterial, die verbrauchte Länge ebenso notiert wie das Wetter oder die Lichtverhältnisse bei der Arbeit. Das Original dieser Berichte ging an das Reichsministerium für Volksaufklärung und Propaganda, die 1. Durchschrift erhielt die Propaganda-Einheit und die 2. Durchschrift verblieb beim Kameramann selbst; bei den Laufzetteln gab es eine zusätzliche Durchschrift für das Kopierwerk.

3 Unbekannter Fotograf: 1. Spatenstich für die Reichsautobahn Salzburg-Wien, im Hintergrund Frentz mit Kamera, Walserberg, 7. April 1938

4 Heinrich Hoffmann: Adolf Hitler grüßt eine jubelnde Menge, am vorderen Zugfenster Frentz mit Kamera, April 1938

5 Unbekannter Fotograf: Adolf Hitler und Gefolge vor Warschau (in der hintersten Reihe in der Mitte Frentz mit Kamera), 22. September 1939

6 Unbekannter Fotograf: Frentz auf der »Bismarck«, Oktober 1940

Analysiert man diese Eintragungen, so wird deutlich, dass sich Frentz mit Ausnahme weniger Wochen, in denen er auf Reisen war, ständig im Führerhauptquartier aufhielt oder Adolf Hitler begleitete. Die Ereignisse, bei denen Filmaufnahmen entstanden, wiederholen sich. Häufig sind es Standardsituationen, wie der Empfang ausländischer Ministerpräsidenten, Minister oder Botschafter. Aufgenommen werden die Ankunft mit Flugzeug, Auto oder Bahn und die anschließende Begrüßung. Über den Inhalt der Gespräche erfährt man – ähnlich wie in der heutigen Fernsehberichterstattung zu Staatsbesuchen – selten etwas. Die Besuche von Verbündeten wie dem italienischen Ministerpräsidenten Benito Mussolini ragen aus den alltäglichen Besuchen heraus und werden auch in den Wochenschauen ausführlicher gewürdigt. Das Treffen mit Militärs zur Lagebesprechung ist ein immer wiederkehrendes Ereignis wie die Verleihung von Orden an verdiente Soldaten. Werden sie zu Anfang des Krieges meist namentlich mit ihrem militärischen Rang benannt, heißt es am 4. April 1944 nur noch lapidar: »2 Schwerter, 14 Eichenlauber, Verleihung d. den Führer«[9] oder am 14. April 1944: »13 Sch[w]erter

u. Eichenlaubverleihungen durch den Führer«.[10] Regelmäßig werden die Reden von Hitler zum Jahrestag der Machtübernahme am 30. Januar oder im Münchner Löwenbräukeller zum 8. November aufgenommen. Bilder von der Besichtigung neuer Waffen und militärischer Ausrüstungsgegenstände waren oft nicht für eine Veröffentlichung gedacht. Gleiches gilt für private Momente oder nicht offizielle Aufnahmen vom Obersalzberg; Aufnahmen Hitlers mit seinem Schäferhund Blondi wurden nur vereinzelt in der Wochenschau[11] gezeigt. »Darauf kam es mir an, Hitler nicht nur als Oberbefehlshaber der Wehrmacht zu zeigen, sondern auch in seinen menschlichen Reaktionen, die er in seinen Begegnungen hatte«,[12] formulierte Walter Frentz als Ziel. Diesem Ansatz waren jedoch enge Grenzen gesetzt, wie er selbst einräumt. Er beschränkte sich im Wesentlichen auf die Dokumentation der Begegnung Hitlers mit der Bevölkerung während seiner Reisen. Da Adolf Hitler sich bereits seit 1941 in der Wochenschau rar machte, blieben dies Ausnahmen.

Das von den Propaganda-Kompanien gedrehte Material wurde in der Regel mit Kurier nach Berlin geflogen, dort entwickelt

7 Unbekannter Fotograf: Adolf Hitler und Gauleiter Albert Forster im Hafen von Gdynia, rechts Frentz mit Kamera, September 1939

8 Adolf Hitler mit Julius Schaub (vorne rechts) und Nicolaus von Below (rechts), Frankreich, Juni 1940

9 Adolf Hitler mit Gerdy Troost und dem Direktor Karl Kolb im Haus der Deutschen Kunst in München, Ende Juli 1940

und durchlief eine militärische Zensur, bevor es in der Wochenschau Verwendung fand.[13] Wöchentlich wurden 20.000 bis 30.000 m (das entspricht 12 bis 18 Stunden) Material nach Berlin geliefert, von dem nur 1/30 für die Wochenschauen verwendet wurde. Dort erfolgte eine kunstvolle Montage und Synchronisation, um die meist stummen Aufnahmen mit Geräuschen, aufputschender Musik und kommandoartigen, kurzen Kommentaren zu möglichst überzeugenden Propagandamitteln zu gestalten. »Aus einer Fülle verschiedenartigster Bilder, wie sie der Zufall auf allen Kriegsschauplätzen ergab, musste das Wesentliche herausgegriffen werden, und in thematischer Abstimmung in eine sinnvolle Folge gebracht werden. Hierbei galt es, die Bilder dynamisch zu steigern, Akzente richtig zu verteilen, kurz: die wirksamste Gestaltung zu finden«,[14] wie es der Geschäftsführer der Deutschen Wochenschau, Heinrich Roellenbleg, in einem zeitgenössischen Sonderheft der Hochglanzzeitschrift der Reichsfilmkammer »Der Deutsche Film« formulierte. Ziel dieser ästhetischen Gestaltung war es, ein heroisches Wunschbild des Krieges zu zeigen, das durch Rhythmus und

Dynamik möglichst realistisch wirken sollte, jedoch die grausame Realität des Krieges bewusst ausschloss.[15] Im Gegensatz zu den 1930er Jahren, als von den vier Wochenschauen nur rund 400 Kopien für die über 5.000 Lichtspielhäuser hergestellt wurden, die bis zu 16 Wochen im Einsatz waren, wurde die Zahl der Kopien während des Krieges auf bis zu 2.400 Kopien erhöht. So konnte man das Deutsche Reich innerhalb weniger Wochen flächendeckend mit halbwegs aktuellen Informationen versorgen. Die Wochenschau erschien wegen dieser hohen Kopienzahl durchgängig in schwarz-weiß, da die Verbreitung einer farbigen Ausgabe zu kompliziert gewesen wäre. Hinzu kommen Materialschwierigkeiten während des Krieges, die eine generell farbige Wochenschau unmöglich machten.

Beim Produktionsprozess von in der Regel zwei Wochen schalteten sich Propagandaminister Goebbels und Hitler korrigierend direkt ein. Aufnahmen von Walter Frentz aus dem Führerhauptquartier benötigten acht bis zehn Tage, um in der Wochenschau veröffentlicht zu werden, bei besonderen Ereignissen oder Ansprachen Hitlers auch weniger. Es ist äußerst

10 Adolf Hitler erfährt vom Kapitulationsersuchen Frankreichs, Bruly-de-Pesche, 17. Juni 1940 (Filmstills)

unwahrscheinlich, dass Frentz seine Aufnahmen selbst geschnitten hat, auch wenn Fotos belegen, dass im Führerhauptquartier ein Schneideplatz vorhanden war, schließlich erfolgte die Entwicklung und ästhetische Gestaltung des Materials (rhythmischer Schnitt, Musik, Kommentar) in Berlin. Ein gutes Beispiel sind die Aufnahmen der Beschießung von Sewastopol mit dem riesigen Eisenbahngeschütz »Dora«. Die zum Teil farbigen Aufnahmen drehte Frentz am 12. Juni 1942; veröffentlicht wurden sie jedoch in schwarz-weiß erst in der DW 617 (28/1942), die am 1. Juli 1942 zensiert wurde. Goebbels schrieb am 30. Juni in sein Tagebuch: »Abends machen wir die neue Wochenschau fertig. Sie wird mit einer phantastischen Musik unterlegt, die ich in vielen Teilen noch ändern lasse. Die Bilder der Beschießung von Sewastopol sind grandios; sie werden sicherlich in der ganzen Weltöffentlichkeit eine große Sensation darstellen.«[16] Die »phantastische Musik« war das Finale der Prelude von Franz Liszt, die rhythmisch einzelnen Schüssen verschiedener Kanonen unterlegt wurde. Das Beispiel zeigt, dass Goebbels ebenso wie Hitler direkt an der Gestaltung der Wochenschau beteiligt war. Diese Veränderungen bezogen sich häufig auf den Kommentartext, zum Teil aber auch auf die Montage und Musikauswahl.

Ein großer Teil der Aufnahmen von Walter Frentz entstand in den Hauptquartieren selbst. Berühmt wurde die von ihm gefilmte Szene, als Hitler am 17. Juni 1940 im Hauptquartier in Bruly-de-Pesches von dem Waffenstillstandsersuchen der Franzosen erfährt, sich sichtlich freut und kräftig mit dem einen Bein aufstampft.[17] Für Frentz zeigte diese Szene einen anderen, gelösten Hitler, und genau aus diesem Grund kam sie auch beim deutschen Publikum sehr gut an. Er hatte von einem Adjutanten erfahren, dass Hitler nun diese Nachricht überbracht werden würde. Mit der Handkamera suchte er die beste Einstellung, damit Hitler mittig im Bild ist.[18] Die Sequenz in der Wochenschau dauert dann insgesamt zweieinhalb Minuten und beginnt damit, dass sich Hitler und Generäle im Führerhauptquartier über Karten beugen. Hitler geht nach draußen und die Kamera schwenkt mit. Er begrüßt Hermann Göring. Sie laufen durch ein Wäldchen, halb verdeckt von Baumstämmen und treffen auf weitere Mitarbeiter. Dann wird Hitler die Nachricht von der Kapitulation überbracht und es kommt zu der oben beschriebenen Reaktion. Am Ende ist wieder Hitler mit Göring zu sehen. »Dieser Zusammenhang ist erst am Schneidetisch hergestellt worden: Am Anfang und am Ende des Wochenschau-Beitrags trägt Hitler eine lange Uniformhose, in der Mitte jedoch eine Reithose und Stiefel«, wie Stephan Dolezel und Martin Loiperdinger in einer Analyse der Sequenz feststellten.[19] Sie gehen davon aus, dass nicht eigens für die Kamera inszenierte Auftritte Hitlers in der Wochenschau äußerst selten sind. Im Anschluss wird die Fahrt Hitlers zunächst im Auto, dann im Sonderzug zurück nach Berlin gezeigt mit jubelnden Menschenmassen, denen er Autogrammkarten gibt.

11 Unbekannter Fotograf: Frentz filmt bei der Waffenvorführung zu Hitlers Geburtstag, 20. April 1944

Die Freuden-Szene hat an Bedeutung gewonnen, da sie von der kanadischen Propaganda überarbeitet wurde und danach einen regelrechten Freudentanz Hitlers zeigt. Obwohl dieser Tanz in historischen Fernsehdokumentationen immer wieder als authentisch gezeigt wird, gab es diese Szene nie. »Sie war das Ergebnis kanadischer Trickfilmer, die die Szene unter der Regie John Griersons, des Managers der ‚Wartime Information for the Dominion of Canada' produzierten, um Hitler in aller Welt der Lächerlichkeit preisgeben zu können. Grierson hatte, wie er später in einem ‚Esquire'-Interview freimütig erzählte, einen Filmstreifen der deutschen ‚Wochenschau' zur Herstellung der Trickszene verwendet. Die Filmer hatten eine authentische deutsche Film-Szene, in der Hitler mit dem rechten Bein (mit relativ hoch angewinkeltem Knie) einen ‚heftigen' Schritt machte, mehrfach kopiert, geschnitten und so zusammengeklebt, dass Hitler – in der Trickfilmszene – letztlich ‚tatsächlich' Tanzschritte vollführte.«[20] Dies war eine beliebte Methode der Propaganda des Zweiten Weltkriegs. 1941 hatte der Brite Charles Ridley in dem Film »Germany Calling« Hitler und seine Truppen zu dem Modetanz »Lambeth Walk« für die British Movietone News tanzen lassen, später produzierte er drei Stücke für die amerikanische Wochenschau Fox Movietone, die mit diesem Stilmittel arbeiteten.[21]

Während in der Wochenschau nach der kunstvollen Montage häufig Einstellungen von wenigen Sekunden Länge dominierten, gibt es beim Material von Walter Frentz einige Beispiele mit längeren Sequenzen bis zu 30 Sekunden. Dies lässt sich zum einen darauf zurückführen, dass Frentz ein Spezialist der Handkamera war und deshalb versuchte, die Abläufe zum Beispiel bei der Begrüßung in der Reichskanzlei oder in den Führerhauptquartieren möglichst in einer Einstellung zu drehen, zum anderen waren dies immer ähnliche Abläufe, so dass er sich von der Position der Kamera darauf einstellen und günstige Standorte wählen konnte. In der Reichskanzlei galt nach seinen Angaben aus protokollarischen Gründen das Verbot, zu viele Scheinwerfer einzusetzen, und er sollte mit seinen Assistenten (Feldwebel Schwennicke, Obergefreiter Damm, Gefreiter Burde) so wenig wie möglich in Erscheinung treten. Daran wird deutlich, dass den Nationalsozialisten die Atmosphäre beim Ereignis selbst wichtiger war als dessen Darstellung in der Wochenschau. Frentz beschrieb die Drehbedingungen 1943 in einer Filmfachzeitung: »In früherer Zeit konnten daher außer

bei öffentlichen ausgeleuchteten Versammlungssälen überhaupt keine Innenaufnahmen gedreht werden. Eine Ausleuchtung beispielsweise des Arbeitszimmers der neuen Reichskanzlei oder der Marmorgalerie würde einen Apparat von Lampen erfordern, der den architektonischen Gesamteindruck und die hierbei besonders ausgewogene Beleuchtung vollkommen zerschlagen würde. [...] Die erste Abhilfe gelang durch transportable Handlampen, die von einem Mitarbeiter getragen und durch umgehängte Akkus gespeist werden. Dies konnte nur eine Zwischenlösung sein. Die Personen können damit zwar aufgehellt werden, der Raum jedoch bleibt dunkel. Es fehlt die ›Atmosphäre‹.«[22] Dieses Manko lässt sich an einigen Wochenschau-Beiträgen aufzeigen, die zum Teil so dunkel sind, dass man die Akteure nur mit Mühe erkennen kann.[23] Dies wurde in den geheimen Lageberichten des Sicherheitsdienstes der SS (SD), der 30.000 ehrenamtliche Mitarbeiter hatte, um die Stimmung im Reich zu erfassen und dabei kontinuierlich die Reaktionen des Publikums auf Wochenschauvorführungen protokollierte, sogar mehrmals kritisiert: »Allgemein wird bedauert, daß die Aufnahmen aus der Reichskanzlei immer in einem sehr dämmrigen Halbdunkel gehalten sind.«[24] Um dieses Problem zu lösen, untersuchte Frentz systematisch alle Faktoren, die zu einer Steigerung der Lichtausbeute eingesetzt werden könnten. Die französische Le Blay-Kamera schien ihm besonders geeignet, da sie eine Sektorenöffnung von 200° aufwies und leicht mit einem lichtstarken Zeiß-Objektiv (Sonnar 1:1,5 mit T-Schutz) ausgestattet werden konnte. Unter seiner Anleitung wurde eine entsprechende Beutekamera aus Frankreich von der Firma Carl Zeiß, Jena, modifiziert und ein Mattscheibensucher eingebaut, der mit dem Aufnahme-Objektiv schärfegekuppelt war. »Ferner wollte ich die Betätigungsgriffe für das Kame-

12 Fritz Schwennicke: Frentz bei Dreharbeiten, Berlin, Sportpalast, 30. Januar 1942

13 Jagdflieger Werner Mölders schildert einen Luftkampf, »Wolfschanze«, 24. Juli 1941

ralaufwerk und die Schärfe-Einstellung in zwei schräge Handgriffe legen, einmal um während der Aufnahmen die Kamera sicher zu halten und des weiteren, um dabei ohne Umgreifen mit der Schärfe mitgehen zu können.«[25] In Verbindung mit Ultrafilm und einer Sonderentwicklung errechnete er, dass damit die 8fache Lichtmenge zur Verfügung stand und man bis zu 50 Lux drehen konnte. Ein Nachteil dieser Kamera, die auch für Farbaufnahmen einer Lagebesprechung mit lediglich vier 500 W-Lampen eingesetzt wurde, war das Fassungsvermögen des Magazins von lediglich 30 m Film, was für eine Aufnahme mit rund 1 Minute Länge reichte. Eine Auswertung der Filmaufnahme-Tagesberichte ergibt, dass Frentz und sein Team am häufigsten die Arriflex-Kamera einsetzten, ungefähr halb so oft die Le Blay-Kamera – vor allem bei Innenaufnahmen – und vereinzelt eine Cinephon-Kamera. In vielen Drehsituationen wurde ein Teil mit der Arriflex gedreht, ein anderer mit der Le Blay.

Bei der Detailanalyse der Wochenschauausgaben wird deutlich, dass bei einigen Ereignissen mehrere Kamerateams drehten. Bei der Truppenparade nach dem Ende des Polenfeldzugs in Warschau am 5. Oktober 1939 in der Ufa-Tonwoche Nr. 475 (42/1939) ist ein Kamerateam auf dem Podest bei Hitler, ein weiteres dreht von einem gegenüberliegenden Dach, um den Vorbeimarsch der Truppen aus der Vogelperspektive aufzunehmen und weitere Teams marschieren mit den Truppen, sind auf der anderen Straßenseite auf einem Autodach positioniert und machen rechts und links von dem Podium Aufnahmen. Dies ermöglicht einen sehr dynamischen Schnitt mit kurzen Sequenzen. Typisch für die Kameraarbeit von Walter Frentz ist, dass er mit der Kamera Hitler umkreist und ihn aus verschiedenen Perspektiven zeigt. Wenn er eine Truppe abschreitet, sieht man ihn beispielsweise zunächst von der Seite, dann wird über seine Schulter gedreht (vgl. S. 135), schließlich sieht man ihn über die Schultern der Soldaten. Die Handkamera ist sehr dynamisch, folgt den Bewegungen und versucht, Hitler im Mittelpunkt des Bildes zu halten. Ein extremes Beispiel dafür ist die DW 555 (17/1941), die gleich zu Beginn die Feierlichkeiten zu Hitlers Geburtstag am 20. April 1941 während des Jugoslawienfeldzugs in Mönichkirchen zeigt. Es beginnt klassisch mit einer Totalen des Platzes. Adolf Hitler begrüßt im Zug verschiedene Militärs und nimmt ihre Glückwünsche entgegen. Göring begrüßt ihn vor dem Zug. Hitler spricht anschließend mit einzelnen Soldaten, wobei die Kamera ihn umkreist. Den zweimaligen Achssprung – eigentlich eine Todsünde bei Dreharbeiten – nimmt man hin zu Gunsten einer starken Nähe zu der Situation, die Hitler menschlich zeigt und mit Interesse an seinen Soldaten, denen er später noch Autogramme gibt. Dieser Strategie bleibt Frentz bis zu den letzten Aufnahmen Hitlers vom März 1945 (DW 755, 10/1945) treu, bei denen dieser Mitglieder einer HJ-Delegation auszeichnet. Wieder wird gezeigt, wie er sich der Gruppe nähert, dann von der Seite und schließlich über die Schultern eines HJ-Jungen, dem er zärtlich über die Wangen streicht. In der Wochenschau wurden im Anschluss an die

14 Frentz mit seiner umgerüsteten »Le-Blay«-Beutekamera, 1943

15 Adolf Hitler nimmt eine Parade vorbeimarschierender Truppen am Fluss San ab, Polen, September 1939

Ordensverleihung durch Hitler Aussagen der Jungen geschnitten, in denen sie die Situationen erläutern, die ihnen die Auszeichnung eingebracht haben. Da die Gesichter der Jungen in hellem Licht gedreht wurden, ist offensichtlich, dass die Aufnahmen zu einem anderen Zeitpunkt entstanden. Durch den schnellen Schnitt mit Einstellungen von wenigen Sekunden sollte jedoch der Eindruck vermittelt werden, sie hätten ihre Erlebnisse direkt Hitler erzählt.

Eine vergleichbare Methode des Herantastens und Umkreisens wählt Frentz, wenn er Aufnahmen vom Führertross beim Frontbesuch aufnimmt. In der DW 614 (25/1942; Zensur 11. Juni 1942) besucht Hitler die Ostfront. Er steigt in seinen Wagen ein, umringt von begeisterten Soldaten, gedreht zunächst als Halb-

totale, dann als Totale. Der Wagen bahnt sich eine Schneise durch die Soldaten. Dann fährt die Kamera im Auto vor dem Wagen Hitlers, lässt sich von ihm überholen und schwenkt mit. Bei der anschließenden Begrüßung durch Militärs umkreist die Kamera ihn wiederum. Hitler besteigt ein Flugzeug. Die Kamera blickt auf die Militärs in Augenhöhe, eine Einstellung aus dem Flugzeug folgt. Das nächste Bild zeigt Hitler als Silhouette im Vordergrund mit Soldaten unscharf im Hintergrund. Durch die Montage ergibt sich eine enge Verbindung zwischen Hitler und ›seinen‹ Soldaten. Dieser Blick aus dem Fenster quasi mit den Augen des »Führers« tauchte schon zu Beginn von Leni Riefenstahls »Triumph des Willens« beim Anflug auf Nürnberg auf und wurde von Frentz immer wieder verwendet, ob nun aus der

16 Adolf Hitler nimmt eine Parade vorbeimarschierender Truppen am Fluss San ab, Polen, September 1939

Eisenbahn, dem Flugzeug oder dem Auto. In ähnlicher Weise dokumentiert er Hitlers frühmorgendlichen Besuch in Paris am 23. Juni 1940 mit der Autofahrt durch die menschenleere französische Hauptstadt und dem abschließenden Blick auf den Eiffelturm – zusammen mit Albert Speer und Arno Breker. Ein Vergleich zwischen den Filmaufnahmen für die Wochenschau und den bei dem Ereignis entstandenen Fotos zeigt, dass sie sich in der Einstellung oft ähneln.

Es gab unterschiedliche Einschätzungen von Propagandaminister Joseph Goebbels und Adolf Hitler zur Funktion der Wochenschau und zur Strategie der Propaganda. Zum einen betraf dies Aufnahmen von Hitler in der Wochenschau. Die endgültige Freigabe der Wochenschau-Ausgaben nutzte dieser oft dazu, Aufnahmen von sich herauszunehmen, was Goebbels an den Rand der Verzweiflung trieb. Im Oktober 1942 schrieb er in sein Tagebuch: »Der Führer hat wiederum alle seine Person betreffende Aufnahmen herausgestrichen, was für die Wochenschau sehr schädlich ist. Aber der Führer ist, wie bekannt, in der Herausstellung seiner Person außerordentlich sparsam. Ich sitze etwas in der Klemme. Das Volk will ihn sehen; der Führer will nicht, daß er in der Wochenschau gezeigt wird. Was soll ich tun?«[26] Ein Grund für diese Kamerascheu, die so überhaupt nicht zur Strategie der Stilisierung Hitlers zur omnipräsenten Führerpersönlichkeit passt, mögen seine gesundheitlichen Schwierigkeiten gewesen sein; ab 1941 machte sich zunehmend ein Parkinson-Syndrom bemerkbar.[27] »Walter Frentz hatte als Kameramann im Führerhauptquartier für geeignete Kamerapositionen zu sorgen, die diese Symptome nicht deutlich werden ließen.«[28] Dies gelang nicht immer und selbst die Kontrolle beim Schnitt konnte nicht verhindern, dass »realistische« Bilder Hitlers in der Wochenschau gezeigt wurden. Zu Aufnahmen von Hitler bei der Heldengedenkfeier in Berlin in der Deutschen Wochenschau 655 (14/1943), die von Frentz am 21. März 1943 gedreht worden waren, wird in den SD-Berichten berichtet, das »deutsche Volk sei auf das tiefste erschüttert gewesen. […] Sein Aussehen sei so gramvoll und zersorgt gewesen, daß man sich über ihn außerordentlich viele Gedanken mache.«[29]

Einen grundlegenden Unterschied gab es auch zur Strategie der Propaganda. Goebbels wollte bereits Ende 1941 die Bevölkerung auf mögliche Rückschläge vorbereiten und vermerkte beispielsweise am 14. Mai 1942 in seinem Tagebuch: »Ich glaube, unsere Propaganda wird in den kommenden Wochen und Monaten ihre Hauptaufgabe darin sehen müssen, keine Illusionen zu verbreiten […] Je realistischer das deutsche Volk die Kriegslage betrachtet, umso eher wird es mit den noch vor uns liegenden schwierigen Problemen fertig werden.«[30] Jedoch konnte sich der Propagandaminister nach einer schlüssigen Analyse von Peter Bucher mit dieser Strategie bei Adolf Hitler nicht durchsetzen. Dieser habe in der Wochenschau ein Instrument gesehen, »das im Kriege ohne Rücksicht auf die tatsächlichen militärischen Gegebenheiten ein Bild des ungehinderten Vorwärtsdringens heldenhafter deutscher Soldaten bis zu

17 Heinrich Hoffmann: Adolf Hitler und sein Gefolge fahren durch Paris, rechts Frentz mit Kamera, 23. Juni 1940

18 Heinrich Hoffmann: Albert Speer, Adolf Hitler und Arno Breker am Eiffelturm, im Vordergrund Frentz mit Kamera, 23. Juni 1940

19 Unbekannter Fotograf: Frentz bei den Dreharbeiten zum V-Waffen-Film, Mai-Juli 1944

einem siegreichen Abschluss zu vermitteln hatte, um durch Berichte über ständige Erfolge der deutschen Wehrmacht, auch wenn sie reine Erfindung waren, Vertrauen in die politische und militärische Führung zu erringen.«[31] Diese Strategie war maßgeblich verantwortlich dafür, dass die Glaubwürdigkeit der Deutschen Wochenschau in der Bevölkerung spätestens nach Stalingrad Anfang 1943 verloren ging und die Funktion ihrer Mobilisierung einbüßte. Dies wird deutlich in den SD-Berichten bei der Beschreibung der Reaktionen der Bevölkerung auf die Wochenschauen.[32] Die Wochenschauen hatten immer weniger zu tun mit der Realität des Krieges und dem Alltag im Dritten Reich. Als Propagandamedium funktionierte die Wochenschau vor allem in den Zeiten der Siege. Danach büßte sie ihre Popularität ein und konnte nicht mehr so wirken, wie es sich Hitler von ihr versprach. Während ihre propagandistische Wirksamkeit während des Zweiten Weltkriegs also schnell abnahm, wirken diese Bilder heute umso stärker nach. Die Wochenschauen entwickelten sich neben den Filmen Leni Riefenstahls zur primären Quelle zeithistorischer Sendungen im Fernsehen. Durch den zunehmend personalisierten und emotionalisierenden Stil heutiger zeithistorischer Programme im Fernsehen haben die Bilder von Frentz noch an Bedeutung gewonnen. Sie zeigen uns einen idealisierten Hitler und diese Wunschvorstellung wird in den seltensten Fällen hinterfragt. Das Bestreben, Berichte über das Dritte Reich mit möglichst viel historischem Bildmaterial auszustatten, führt dazu, dass mangels kritischerer Quellen auf die das Regime verherrlichenden Berichte der Wochenschau zurückgegriffen wird, ohne dass über diese ursprüngliche Funktion der Aufnahmen oder gar über deren konkrete Machart reflektiert würde. Dies hat zur Folge, dass unser Bild von Hitler bis heute stark von den Aufnahmen seines persönlichen Kameramannes Walter Frentz geprägt wird.

1 Nach außen blieben die vier existierenden Wochenschauen aus urheberrechtlichen Gründen lange getrennt, doch schon ab September 1939 gab es eine einheitliche Wochenschau. Erst ab dem 20. Juni 1940 wurden sie als »Die Deutsche Wochenschau« mit einheitlicher Titelmarke veröffentlicht.

2 1992 schreibt Walter Frentz unter Bezugnahme auf die Ankündigung des Films von Jürgen Stumpfhaus (»Das Auge des Kameramannes«, vgl. Anm. 3) in der Fernsehzeitschrift »Gong« eine Postkarte an Karl Stamm: »...es gab keinen ›persönlichen Film-Kameramann‹ Hitlers. Ich war als ›Luftwaffen-Filmberichter‹ von meiner Luftwaffen-Kriegsberichter-Kompanie abkommandiert ins Führerhauptquartier, um in diesem Bereich der Wehrmacht Filmaufnahmen für die DEUTSCHE WOCHENSCHAU aufzunehmen. Eine rein militärische Pflichtaufgabe! Aber: Das ist für die Presse von heute eben nicht ›attraktiv‹ genug...!!! Für die Richtigkeit garantiert: Walter Frentz«. Postkarte im Besitz von Karl Stamm, Köln.

3 Jürgen Stumpfhaus, Das Auge des Kameramannes. Walter Frentz. Ein dokumentarischer Film, SWF Baden-Baden, 1992.

4 Filmdokumente zur Zeitgeschichte – Walter Frentz über seine Tätigkeit als Kameramann 1932-1945. Gesprächspartner: Dr. Karl Stamm, IWF Göttingen 1985.

5 Diese Dreharbeiten sind beispielsweise in Fotos von Heinrich Hoffmann dokumentiert (Bilddatenbank der Bayerischen Staatsbibliothek, Bildnummern hoff-18015 und hoff-34858).

6 Vgl. dazu den Beitrag von Klaus A. Lankheit in diesem Band.

7 Walter Frentz im Interview mit dem Historiker Markus Henneke, 13. März 1998.

8 Karl-Wilhelm Krause im Gespräch mit Markus Henneke, 6. Oktober 1999. Freundliche Auskunft von Markus Henneke.

9 Laufzettel Nr. 73696 vom 4. April 1944 in: Oblt. Frentz: Laufzettel 28.08.43 – 20.04.44 [Heft 8].

10 Laufzettel Nr. 73697 vom 14. April 1944 in: Oblt. Frentz: Laufzettel 28.08.43 – 20.04.44 [Heft 8].

11 Aufnahmen von Hitler mit seinem Schäferhund Blondi finden sich zum Beispiel in der DW 611 (22/1942).

12 Stamm 1985 (wie Anm. 4).

13 Zur Wochenschauproduktion im Detail: Hans Barkhausen, Filmpropaganda für Deutschland im Ersten und Zweiten Weltkrieg, Hildesheim 1982, S. 192-243; Ulrike Bartels, Die Wochenschau im Dritten Reich, Frankfurt 2004; Kay Hoffmann, ‚Sinfonie des Krieges‘. Die Deutsche Wochenschau im Zweiten Weltkrieg, in: Geschichte des dokumentarischen Films in Deutschland, Bd. 3 ‚Drittes Reich‘ 1933-1945, hg. von Peter Zimmermann und Kay Hoffmann, Stuttgart 2005, S. 645-689; Karl Stamm, Kleine Beiträge zur Wochenschau-Geschichte, Weimar 2005; Hasso von Wedel, Die Propagandatruppen der Deutschen Wehrmacht, Neckargemünd 1962.

14 Heinrich Roellenbleg, Von der Arbeit an der Deutschen Wochenschau, in: Der Deutsche Film, Sonderheft 1940/41.

15 Im Detail: Kay Hoffmann, »Nationalsozialistischer Realismus« und Film-Krieg, in: Mediale Mobilmachung I. Das Dritte Reich und der Film, hg. von Harro Segeberg, München 2004, S. 151-178.

16 Die Tagebücher von Joseph Goebbels. Hg. von Elke Fröhlich (Teil II, Bd. 4). München u.a. 1995, S. 649. Die im Film von Jürgen Stumpfhaus (»Das Auge des Kameramannes«, 1992) vertretene These, wonach die Besatzung des Geschützes zur Zeit der Ausstrahlung der Wochenschau »nur noch auf Zelluloid« existiert habe, erscheint zumindest zweifelhaft, da das Geschütz »Dora« während seines Einsatzes vor Sewastopol wohl niemals einem direkten Angriff der Roten Armee ausgesetzt war. Vgl. dazu Gerhard Taube, Deutsche Eisenbahn-Geschütze, Stuttgart 1990.

17 Die Deutsche Wochenschau (DW 512, 27/1940 (Zensur: 27. Juni 1940).

18 Frentz erzählte dazu im Film von Karl Stamm (wie Anm. 4): »Ich habe mich dann natürlich herangeschlichen mit der Kamera um abzuwarten, wie Hitler darauf reagiert. Das war dann in dieser ungeheuerlich gelösten Form, wie man es von ihm sonst gar nicht gewöhnt war in seinen Reden usw., wo er immer sehr offiziell auftrat, in dieser reinen Form, wo er sich plötzlich auf die Schenkel klopfte, die dann nachher einen solchen Erfolg bei den Vorführungen der Wochenschau hatte, dass ich weiß, dass in Berlin die Leute dreimal rein gegangen sind nur dieser Szene wegen, weil sie ihren Führer auf diese Weise noch nie so frei und gelöst gesehen haben.« (bei Minute 32:20f.).

19 Stephan Dolezel/Martin Loiperdinger, Adolf Hitler in Parteitagsfilm und Wochenschau, in: Führerbilder. Hitler, Mussolini, Roosevelt, Stalin in Fotografie und Film, hg. von Martin Loiperdinger, Rudolf Herz, Ulrich Pohlmann, München 1995, S. 77-100, hier S. 97.

20 Werner Maser, Fälschung, Dichtung und Wahrheit über Hitler und Stalin, München 2004, S. 203.

21 Hoffmann 2005 (wie Anm. 12), S. 668.

22 Walter Frentz, Eine Hochleistungskamera für »wenig Licht«, in: Kinotechnik, 25. Jg. 3/1943, S. 29-31, hier S. 29.

23 So zum Beispiel DW 544 (7/1941), DW 545 (8/1941), DW 559 (22/1941), DW 588 (51/1941).

24 Heinz Boberach (Hg.), Meldungen aus dem Reich. Die geheimen Lageberichte des Sicherheitsdienstes der SS 1938-1945, Herrsching 1984, S. 3106.

25 Frentz 1943 (wie Anm. 22), S. 30.

26 Zit. in: Felix Moeller, Der Filmminister. Goebbels und der Film im Dritten Reich, Berlin 1998, S. 394.

27 Für das IWF Göttingen hat Ellen Gibbels 1992 eine Video-Dokumentation (G 254) produziert zu »Hitlers Parkinson-Syndrom – Eine Analyse von Aufnahmen der Deutschen Wochenschau aus den Jahren 1940-1945«.

28 Dolezel/Loiperdinger 1995 (wie Anm. 19), S. 98.

29 Boberach 1984 (wie Anm. 24), S. 5038 f.

30 Zitiert in Peter Bucher, Goebbels und die Deutsche Wochenschau. Nationalsozialistische Filmpropaganda im Zweiten Weltkrieg 1939-1945, in: Militärgeschichtliche Mitteilungen 2 (1986), S. 53-69, S. 58 f.

31 Ebd., S. 65.

32 Boberach 1984 (wie Anm. 24), S. 4895.

Militärische Besprechungen
Waffenvorführungen

Bei Bad Münstereifel, Führerhauptquartier »Felsennest«, Ende Mai 1940
Durch ein Fenster fotografierte Frentz Hitler und seine Generäle (vorne: Alfred Jodl, hinten: Wilhelm Keitel) bei einer Lagebesprechung. Aufgrund beengter Raumverhältnisse und um den Ablauf nicht zu stören, filmte Frentz Besprechungen häufig durch Fenster oder Türen. Der Fotograf blieb hier scheinbar unbemerkt. Beim Frankreichfeldzug, der vom »Felsennest« aus dirigiert wurde, nahm Hitler erstmals massiv und direkt Einfluss auf die strategische Kriegsführung. Es etablierte sich ein fester Ablauf der Besprechungen, bei denen er sich von den Militärs die Lage vortragen ließ und daraufhin seine Entscheidungen traf. Das »Felsennest« war das erste an einem festen Standort eingerichtete Führerhauptquartier.

Rügenwalde in Pommern, Adolf Hitler, Ferdinand Porsche, Walter Buhle und Albert Speer inspizieren einen Panzer, 18. oder 19. März 1943

Im Verlauf des Krieges begleitete Frentz Hitler zunehmend zu Vorführungen neuer Waffen. Diese fanden in der Umgebung des Führerhauptquartiers »Wolfschanze« oder auf Truppenübungsplätzen statt. In Rügenwalde ließ sich Hitler ein großkalibriges Eisenbahngeschütz vorführen, das zuvor bei der Beschießung von Sewastopol eingesetzt worden war. Gemeinsam mit Rüstungsminister Speer und dem Industriellen Porsche sah er sich weitere neue Waffen an, etwa den von Porsche entwickelten Jagdpanzer »Elefant«. Aufnahmen wie diese dienten der internen Dokumentation und waren nicht für eine Veröffentlichung gedacht.

Rügenwalde in Pommern, Alfred Jodl, Ferdinand Porsche, Heinz Guderian, Adolf Hitler, Wilhelm Keitel, Karl-Otto Saur (von links nach rechts) und andere, 18. oder 19. März 1943

Hitler und Vertreter der militärischen Führung, des Rüstungsministeriums und der Industrie haben sich zu einer Besprechung auf dem Truppenübungsplatz Rügenwalde zusammengefunden. Durch die von Frentz gewählte Perspektive wird der Betrachter in das Geschehen mit einbezogen. Obwohl Hitler nicht spricht, sondern zuzuhören scheint, stellte Frentz ihn in den Mittelpunkt der Runde. Durch den leicht erhobenen Kopf und den Blick in die Ferne erscheint Hitler als überlegener Feldherr. Eine solche Inszenierung Hitlers als »Führer« findet sich in vielen Bildern von Frentz.

**Unbekannter Ort, Adolf Hitler mit Ferdinand Porsche und Mechanikern, um
1942/43**
Hitler und Porsche stellten sich, vermutlich bei einer Waffenvorführung, mit
Mechanikern zu einem Gruppenbild auf. Während des Krieges suchte Hitler
immer seltener den nahen Kontakt mit ihm unbekannten Menschen.

**»Wolfschanze«, Adolf Hitler mit Militärs bei einer Waffenvorführung,
1. Oktober 1943**

Der »Reichsminister für Bewaffnung und Munition«, Albert Speer (6. von links),
Militärs und der Leiter der »Waffenkommission« und Ingenieur bei Krupp
Professor Erich Müller (im schwarzen Mantel) haben sich um Hitler versam-
melt, um ein Geschütz zu inspizieren. Die Aufnahme von Frentz zeigt das
Ereignis nicht aus der Perspektive der Teilnehmer, sondern konzentriert sich
ganz auf die Inszenierung Hitlers als Mittelpunkt der Gruppe. Die meisten

Köpfe werden durch das auf Hitler »hinweisende« Geschützrohr verdeckt
oder sehen diesen an. Die Aufnahme gehört heute zu Frentz' bekanntesten
Bildern, da sie sich für allerlei von der konkreten Situation losgelöste Asso-
ziationen anbietet. So wurde sie in einem Pressebericht zum Attentat vom
20. Juli 1944 mit dem – leicht verfremdeten – Zitat des Grafen Stauffenberg
von 1942 versehen – »Findet sich im Hauptquartier kein Offizier, der das
Schwein erschießt?«

Wilhelm Keitel, Karl Bodenschatz, Adolf Hitler, Hermann Göring und Ferdinand Porsche bei einer Waffen-vorführung, 20. April 1944

Zu Hitlers 55. Geburtstag wurde die Vorführung neuer Jagdpanzer vom Typ »Hetzer« auf einem gesperr-ten Autobahnabschnitt in eine Art Parade verwandelt. Anders als 5 Jahre zuvor, als Hitler in Berlin mit einer fünfstündigen Militärparade gehuldigt wurde, versammelten sich an diesem grauen Tag nur noch die Spitzen des Dritten Reiches, um ihrem Führer ohne besonderen Enthusiasmus zum Geburtstag zu gra-tulieren. Der feierliche Teil war schnell beendet. Man ging wieder zum Tagesgeschäft über. Frentz' Bilder vom Tag halten einen stark gealterten Hitler fest. Trotz offensichtlicher Anzeichen des Verfalls war der Glaube an ihn jedoch auch im unmittelbaren Umfeld nie getrübt. Sein Diener Heinz Linge gestand später: »Wie krank, vergreist und verbraucht Hitler 1944 war, sah ich natürlich täglich; aber dies machte mein Vertrauen in das Genie des Führers nicht wankend.« Das Foto ist vor diesem Hintergrund nicht als »kritisch« zu verstehen. Es ist ein Zeugnis dafür, wie schwierig ab 1944 eine heroische Inszenierung Hitlers geworden war. Dieser Tatsache war sich Hitler durchaus bewusst. Er selbst verweigerte sich Frentz' Haupt-aufgabe und ließ Filmaufnahmen für die Deutsche Wochenschau nur noch selten zu.

Schloss Harnekop bei Wriezen, Adolf Hitler beim Stab des Cl. Armeekorps, 3. März 1945

In den Bildern von Hitlers letzter Fahrt zum Stab einer Division an der Oderfront zeigte Frentz ihn noch einmal als überlegenen Feldherrn inmitten seiner Generale. Der Diktator sitzt am Tisch, die hohen Offiziere, darunter Robert Ritter von Greim und Theodor Busse, scheinen ihm voller Vertrauen zu lauschen. Eine Änderung der Lage wurde durch die Besprechung nicht bewirkt. Frentz filmte für die Deutsche Wochenschau und fotografierte nebenbei. Als offizieller Fotograf war der Heinrich Hoffmann-Mitarbeiter Franz Gayk anwesend, dessen Aufnahmen am 22. März 1945 unter dem Titel »Adolf Hitler an der Front im Osten« im »Illustrierten Beobachter« veröffentlicht wurden. Der Besuch wurde in der »Deutschen Wochenschau« auf den 11. März gelegt, um Hitlers Fernbleiben bei den Feiern zum Heldengedenktag am 11. März zu begründen. Angesichts der Kriegslage hatte Hitler kein Interesse mehr an einem Auftritt.

»Berghof«
und
»Wolfschanze«

Der »Berghof« bei Berchtesgaden und die »Wolfschanze« bei Rastenburg in Ostpreußen waren während des Krieges wichtige Aufenthaltsorte Hitlers. Der »Berghof« war aus dem 1928 von Hitler gemieteten »Haus Wachenfeld« hervorgegangen. Seit 1933 wurde das umgebende Areal für Hitlers Führungsriege vereinnahmt. Ursprünglich war der »Berghof« eine Art Feriendomizil und Rückzugsort. Bereits früh pilgerten Hitlers Anhänger auf »den Berg«, der durch Bildbände und Postkarten der Firma Heinrich Hoffmann bekannt war. Während des Krieges wurde das Haus und seine Umgebung zunehmend zu einer Art Führerhauptquartier, ohne jedoch jemals offizieller Regierungssitz zu sein. Die »Wolfschanze« wurde vor Beginn des Russlandfeldzugs im Winter 1940/41 errichtet und in den folgenden Jahren immer weiter ausgebaut.

Obgleich sich Hitler seltener in den bayerischen Bergen als in der »Wolfschanze« aufhielt, hat Frentz häufiger auf dem Obersalzberg fotografiert. Bergkulisse und Atmosphäre scheinen reizvoller gewesen zu sein als ostpreußische Wälder und militärischer Alltag, der »Berghof« selbst fotogener als Holzbaracken und Bunker bei Rastenburg. An beiden Orten spürte man von den Auswirkungen des Krieges nur wenig. Es gab keine Bombenangriffe. Die Versorgung war bis zum Schluss gut.

Frentz verwies später nicht ohne Stolz darauf, zum »inneren Kreis« um Hitler gehört zu haben. Meist wurden hier jedoch nur Belanglosigkeiten ausgetauscht. Hitler dienten seine Ordonnanzen, Fahrer, Sekretärinnen und auch der Kameramann als Zuhörerschaft für endlos scheinende Monologe über Musik, Theater, Architektur oder seine Jugend, die seiner Entspannung dienten. Bei offiziellen Gesprächen, sowohl in der »Wolfschanze« als auch auf dem Berghof, war Frentz nur selten zugegen. Seine Hauptaufgabe bestand darin, Hitler für die »Deutsche Wochenschau« als »Führer« aufzunehmen. Damit verbunden war auch das Filmen von offiziellen Besuchern bei Ankunft und Abreise. Wie geübt und professionell Hitler von Frentz ins Bild gesetzt wurde, sieht man auch seinen inoffiziellen Fotos an: Hitler als Mittelpunkt und Zentrum des Geschehens. Frentz hat sich von dieser Fixierung nie gelöst. Über seine Tätigkeit in den Hauptquartieren hat sich Frentz nur selten und nie ausführlich geäußert. Die dort herrschende Atmosphäre lässt sich jedoch durch Erinnerungen anderer Zeitgenossen gut charakterisieren. Von besonderem Interesse sind Albert Speers »Erinnerungen« (1969) oder Traudl Junges Aufzeichnungen (1947, veröffentlicht 2002). Eine ergiebige Quelle sind auch die privaten Aufzeichnungen des Schriftstellers und Mitarbeiters am »Kriegstagebuch« des »Wehrmachtsführungsstabs« Felix Hartlaub, der von 1942-44 in der »Wolfschanze« arbeitete und in den letzten Kriegstagen starb. Bereits 1944 sah er Karriereerwartungen oder Entlastungsstrategien der im Bereich »Wolfschanze« arbeitenden Menschen für die Zeit nach dem Krieg voraus: »Wenn es gut geht, wird sich von hier zweifellos etwas Vorteilhaftes arrangieren lassen [...]. Warum soll man sich bei der Bewerbung nicht auf die Vertrauensstellung berufen, die man hier jahrelang bekleidet hat [...]. Wenn es schief geht: ›Ja um Himmels Willen, wir waren ja nur kleine ausführende Organe [...] Ich sah von Anfang an haargenau, wie die Sache enden würde, aber was konnte ich schon sagen [...]. Hitler habe ich übrigens in den ganzen Jahren nur ein-, zweimal gesehen. Sie können sich den Zusammenhang gar nicht indirekt genug vorstellen, das ging um ein paar Dutzend Ecken herum, mein Gott, das war ein riesiges System von sich überlagernden Dienstbereichen, Kommandostäben, Sperrkreisen, wenn man da jeden einzelnen haftbar machen wollte ... Zum eigentlichen Hauptquartier habe ich ja streng genommen nie gehört.‹«

Berghof, Adolf Hitler an der Garage, Juni 1941
Die Aufnahme entstand wenige Tage vor dem Überfall auf die Sowjetunion.

1 Berghof, Winterspaziergang, Eva Braun mit Freundinnen, 3. April 1944

Die Bilderserie entstand vermutlich am späten Nachmittag des 3. April 1944. Der »Reichsführer-SS« Heinrich Himmler traf um 14 Uhr, aus seinem eigenen Standort »Bergwald« bei Berchtesgaden kommend, auf dem »Berghof« ein. In seinem Tageskalender heißt es für 15 Uhr »Essen b. Führer«, für 16.30 Uhr »Spaziergang«. Frentz' Bilder zeigen kein historisch bedeutsames Ereignis, sondern allein einen Winterspaziergang zweier Männer mit Spazierstöcken bei Sonnenschein. Das Gefolge läuft respektvoll hinterher, Eva Braun und Freundinnen nicht weniger respektvoll voraus. Wie sich Speer erinnerte, ließ der schmale Weg nur für zwei Personen nebeneinander Platz, weshalb ihn diese Spaziergänge immer an eine Prozession

2 Berghof, Winterspaziergang, Adolf Hitler und Heinrich Himmler und Gefolge, 3. April 1944

erinnert hätten: »Zum Ärger Bormanns ging Hitler jeden Tag nur diesen einen immer gleichen Weg von einer halben Stunde und verschmähte es, die kilometerlangen, asphaltierten Waldwege zu benutzen.« Über die Gesprächsthemen dieses Nachmittags sagt Himmlers Kalender nichts aus, es gibt auch keine anderen Quellen, die darüber Aufschluss geben. Ende März und Anfang April 1944 war die kurz zuvor erfolgte Besetzung Ungarns ein zentrales politisches Thema auf dem Obersalzberg. Himmler hatte im Zuge dessen am 19. März seinen Untergebenen Adolf Eichmann nach Budapest geschickt. Dort organisierte er als letzten Akt des Holocaust die Vernichtung der ungarischen Juden.

3 Berghof, Winterspaziergang, Adolf Hitler, Heinrich Himmler und Gefolge, 3. April 1944

4 Berghof, Winterspaziergang, Adolf Hitler und Heinrich Himmler am Mooslahnerkopf vor dem Teehaus,
3. April 1944

Berghof, Adolf Hitler und Joseph Goebbels, wohl 24. Juni 1943

Diaaufnahmen hat Frentz nicht datiert. Da Goebbels Hitler während des Krieges nur selten auf dem Berghof besuchte, lässt sich anhand seines Tagebuchs der Termin mit großer Wahrscheinlichkeit bestimmen. Der Minister für Volksaufklärung und Propaganda begleitete Hitler an diesem Nachmittag bei dessen üblichem Spaziergang zum Teehaus, vor dem das Bild entstand. Frentz' Momentaufnahme zeigt deutlich ihr Verhältnis. Goebbels war, so Ian Kershaw, »jener unter Hitlers Jüngern, der am stärksten zur Bewunderung

bereit war.« Am folgenden Tag diktierte Goebbels in sein für eine Veröffentlichung vorgesehenes Tagebuch: »Niemand wird mit ihm [Hitler] eine längere Unterredung haben können, ohne gestärkt und wie neu aufgeladen von ihm wegzugehen.« Noch am selben Tag soll es zu einem Eklat zwischen Hitler und der Frau des Wiener Gauleiters Henriette von Schirach gekommen sein, die ihn nach dem Schicksal der deportierten niederländischen Juden gefragt haben soll.

Berghof, Adolf Hitler beim Spaziergang mit Walther Hewel, Frühjahr 1943
Ein gewöhnlicher Winterspaziergang wird von Frentz durch den spektakulären landschaftlichen Hintergrund zum Ereignis erhöht. Im Hintergrund ist
der Berghof zu sehen. Durch den gewählten Bildausschnitt wird der Eindruck erzeugt, Hitler und Hewel seien allein in der Natur unterwegs. Die

Leibwache lief stets in einem gewissen Abstand hinter Hitler und dessen
Begleitern. Hewel war Chef des persönlichen Stabes von Außenminister
Joachim von Ribbentrop und dessen Verbindungsmann bei Hitler. Wie
Frentz gehörte er zum inneren Kreis Hitlers. Häufig besprach Hitler mit
Hewel politische Fragen und weihte ihn in seine Planungen ein.

Scharitzkehlalm mit Göll-Massiv, Julius Schaub und Martin Bormann, Sommer 1943
Wie in einer Urlaubsidylle sitzen Hitlers Sekretär Martin Bormann und Hitlers Adjutant Julius Schaub vor
einer Almhütte und genießen das schöne Wetter und die Aussicht. Die realitätsferne Atmosphäre auf dem
Berghof, weitab vom Kriegsgeschehen, ist in der Memoirenliteratur des Dritten Reiches häufig beschrieben worden.

Berghof, Terrasse und Bergpanorama, wohl 1943

Ein großer Teil der Fotos von Frentz, die am Berghof entstanden, zeigen die Terrasse. Sie war der beliebteste Ort. Für Frentz war sie besonders interessant. Hier konnte er Machthaber, Mitarbeiter oder Familienangehörige in zwangloser Atmosphäre ablichten. Hitlers jüngste Sekretärin Traudl Junge (3. v. l.) nannte sie »das Schönste am ganzen Berghof [...]. Ein großes quadratisches Plateau aus Solnhofer Platten mit einer Steinbrüstung. Wenn sich die Nebelschwaden hoben, sah man in der Ferne die Burg von Salzburg auf ihrem sanften Hügel von der Sonne beschienen, und auf der anderen Seite lag Berchtesgaden in der Tiefe, eingekesselt von den Gipfeln des Watzmann,

des Hohen Göll und dem Steinernen Meer. Und direkt gegenüber ragte der Untersberg empor.«

Auf der Terrasse sind zu sehen: Hintere Gruppe von links nach rechts: Heinz Lorenz (Stellvertreter von Reichspressechef Otto Dietrich), Wehrmachtsadjutant Rudolf Schmundt, persönlicher Adjutant Albert Bormann, SS-Adjutant Fritz Darges. Mittlere Gruppe: Marineadjutant Karl-Jesko von Puttkamer, Sekretärin Johanna Wolf, Sekretärin Traudl Junge, unbekannt, Gerda Bormann (?), unbekannt. Vorne rechts: Reichsleiter Martin Bormann, Eva Braun, unbekannt, Sekretärin Christa Schröder (?).

Berghof, Heinrich Himmler, Walther Hewel und Martin Bormann und auf der Terrasse, Frühjahr 1943
Während Bormann und Hewel sich stets in Hitlers unmittelbarem Umfeld aufhielten, war Himmler häufiger Gast in den Führerhauptquartieren oder auf dem Berghof. Frentz hatte Himmler bereits 1941 auf einer Reise nach Minsk begleitet, bei der er ihn in betont staatsmännischen Posen abgelichtet hatte. Auf der Terrasse fotografierte er den Massenmörder als legeren, freundlich wirkenden Zigarrenraucher.

Berghof, Ernst Heinkel und Claude Dornier, 23. Mai oder 27. Juni 1943

Die Flugzeugbauer und »Wehrwirtschaftsführer« Ernst Heinkel und Claude Dornier gehörten zu den wirtschaftlichen Profiteuren des Krieges. Ihre Flugzeugwerke wurden von der Luftwaffe mit Aufträgen eingedeckt und der Staat stellte ihnen Zwangsarbeiter in fast unbegrenzter Zahl zur Verfügung. So »mietete« Heinkel von August 1942 bis April 1945 von der SS etwa 7.000 Häftlinge des KZ Sachsenhausen. Pro Häftling und Tag musste er sechs Reichsmark für Fachkräfte und vier für Hilfskräfte an die SS bezahlen. In Dorniers Zeppelin-Werken in Friedrichshafen arbeiteten ebenfalls KZ-Häftlinge. Dort wurden u. a. Bauteile der V2 gefertigt, die dann im »Mittelwerk« bei Nordhausen zusammengesetzt wurden. Die Zwangsarbeiter sind Heinkel in seiner Autobiographie »Stürmisches Leben« (1952) keine Zeile wert. Dagegen berichtet er von seinem Besuch auf dem Berghof, den er auf den 23. Mai datiert: »Als ich [...] eintraf, fand ich außer mir die damals bekanntesten sechs deut-

schen Flugzeugkonstrukteure [Claude] Dornier, [Willy] Messerschmitt, [Kurt] Tank, [Walter] Blume (von Arado), [Heinrich] Hertel (der von mir zu Junkers hinübergewechselt war) und Dr. [Richard] Vogt (von Blohm & Voß) vor. Ich wunderte mich darüber, daß niemand aus der Luftwaffenführung vertreten war, weder Göring, noch [Erhard] Milch [»Generalluftzeugmeister«, Leiter der deutschen Luftrüstung], nicht einmal Hitlers Luftwaffenadjutant [Nicolaus von Below]. Wir wurden einzeln zu Hitler gebeten. Ich [...] trat als erster in das Zimmer Hitlers ein. Hitler war ruhig und sehr ernst. Er machte noch einen durchaus gesunden Eindruck.« Hitler befragte die Flugzeugexperten nach ihrer Einschätzung der Rüstungslage. Laut Heinkel verlangte er nach Erklärungen für die »furchtbaren Enttäuschungen«, die die Luftwaffe ihm in den zurückliegenden zwei Jahren bereitet hatte. Im »Filmaufnahme-Tagesbericht« von Frentz wird der Besuch auf den 27. Juni 1943 datiert.

Berghof, Wilhelm Keitel, Benito Mussolini und Adolf Hitler auf der Treppe, 30. April 1942

Zu den Standardsituationen für den Wochenschaukameramann Frentz gehörten die An- und Abreise von Staatsgästen. So wurde die Treppe des Berghofs häufiger Arbeitsort für ihn. Das Foto – links ein italienischer Wochenschaukameramann – machte Frentz neben den Filmaufnahmen. Hitler empfing Mussolini am 29./30. April in Schloss Kleßheim bei Salzburg. Er wollte den Verbündeten für den weiteren Verlauf des Russlandfeldzugs opti-

mistisch stimmen. Der ebenfalls anwesende italienische Außenminister Galeazzo Ciano schilderte in seinem Tagebuch den zweiten Tag des Besuchs: »Nach dem Essen, als wirklich schon alles gesagt worden war, was gesagt werden konnte, hat Hitler ununterbrochen eine Stunde und 40 Minuten gesprochen [...]! Mussolini blickte mechanisch auf seine Armbanduhr, ich hing meinen Gedanken nach. [...] Die armen Deutschen, sie mussten das jeden Tag über sich ergehen lassen, und es gab sicher kein Wort, keine Geste und keine Pause, die sie nicht auswendig wussten.«

Berghof, Besuch des norwegischen Schriftstellers Knut Hamsun, 26. Juni 1943

Der 83-jährige Literaturnobelpreisträger von 1920 wurde von Reichspressechef Otto Dietrich (2. von links), dem Dolmetscher Egil Holmboe (2. von rechts) und dem Ministerreferent im Ministerium für Volksaufklärung und Propaganda, Ernst Zürchner (rechts) begleitet. Das Foto von Frentz ist das einzige, das von dem Besuch existiert. Das Treffen mit Hitler hatte Goebbels arrangiert. Hamsun hatte den Propagandaminister im Mai in Berlin besucht und ihm als Zeichen der Verehrung seine Nobelpreismedaille und -urkunde geschenkt. Goebbels diktierte am 20. Mai 1943 in sein Tagebuch: »Er ist von Jugend auf der schärfste Feind der Engländer, für die er nur Verachtung hegt. [...] Möge das Schicksal dem großen Dichter wenigstens vergönnen, daß er noch den Tag unseres Sieges erlebt!« Hamsuns Zusammentreffen mit Hitler verlief weniger harmonisch, obwohl er diesen hoch schätzte. Am Tag danach heißt es bei Goebbels: »Leider ist der Besuch Hamsuns beim Führer etwas verunglückt. Hamsun ist offenbar vor dem Besuch von norwegischen Journalisten aufgehetzt worden und hat an den Führer eine Reihe von taktlosen Fragen gestellt: ob [Norwegen] ein Protektorat werde, über die Politik [Josef] Terbovens [deutscher »Reichskommissar für das besetzte Norwegen«] und ähnliches. Dem Führer hat das gar nicht gefallen, und deshalb ist die Unterhaltung, wenigstens von seiten des Führers aus, ziemlich frostig verlaufen. [...] Beim Führer wird es in Zukunft etwas schwieriger sein, Lyriker und Epiker, wie er sagt, zum Besuch anzumelden. Aber außer Hamsun gibt es ja wohl auch kaum einen weit und breit, bei dem es sich lohnte.« Aufgrund des missglückten Verlaufs wurde der Besuch in der Presse verschwiegen. Hamsuns Begeisterung für den Nationalsozialismus war jedoch durch die atmosphärischen Störungen nicht gemindert worden. Noch am 7. Mai 1945 erschien in der norwegischen »Aftenposten« sein wohlwollender Nachruf auf Hitler.

Berghof, Auszeichnung von Offizieren, 4. April 1944

Die Aufnahme entstand einen Tag nach der Bildserie von Hitlers und Himmlers Winterspaziergang (S. 110). 13 Offiziere, zumeist Angehörige der Luftwaffe, haben in der »Großen Halle« vor Hitler Aufstellung genommen. In lässiger Haltung richtet er noch einige Worte an sie. Die auszuzeichnenden Soldaten wurden für den Anlass von der Front geholt, wo sie mit einer aussichtslosen militärischen Situation konfrontiert waren. Der Offizier Walter Krupinski (ganz rechts) erinnerte sich später, dass er das Gefühl gehabt habe, einem Verrückten gegenüber zu stehen. Frentz stand hinter dem gro

ßen Schreibtisch, während alle Blicke auf Hitler gerichtet waren. Es gehörte zu den Aufgaben des Kameramanns im Führerhauptquartier, Ordensverleihungen für die Deutsche Wochenschau zu dokumentieren, da Hitler hohe militärische Aufzeichnungen oft persönlich übergab. Damit die Zahl solcher Termine nicht ausuferte, wurden oft mehrere Soldaten gleichzeitig empfangen. Anfangs führte Frentz jeden Ordensträger in den »Laufzetteln«, mit denen er seine Filmtätigkeit dokumentierte, namentlich auf. 1944 war der Vorgang zur Routine geworden. Für den 4. April vermerkte er lapidar: »2 Schwerter, 14 Eichenlauber, Verleihung d. den Führer«.

Berghof, Große Halle, Panoramafenster, um 1943

Die »Große Halle« des Berghofs war der repräsentative Empfangsraum des Hauses, zugleich aber auch Ort für die abendlichen Zusammenkünfte im kleinen, »inneren« Kreis, gleichsam ein stark vergrößertes Wohnzimmer. Blickfang war das acht Meter breite Panoramafenster mit Blick auf den Untersberg, Berchtesgaden und Salzburg. Vor diesem Hintergrund empfing Hitler häufig seine Staatsgäste. Speer berichtete in seinen »Erinnerungen«, was geschah, wenn das Fenster gelegentlich heruntergefahren wurde: »Un-

terhalb dieses Fensters hatte Hitlers Eingebung die Garage für seinen Wagen placiert; bei ungünstigem Wind drang intensiver Benzingeruch in die Halle.« Durch Bildbände und Postkarten der Firma Heinrich Hoffmann war das Fenster im ganzen Reich bekannt, wie übrigens viele andere Räume des Berghofs auch. Möglicherweise trug die massenhafte bildliche Verbreitung des Fensters dazu bei, dass überdimensionierte Wohnzimmerfenster ein Standard der deutschen Nachkriegsarchitektur wurden.

Berghof, Große Halle, Abendgesellschaft (links auf dem mittleren Sofa Eva Braun und Adolf Hitler, an der hinteren Wand sitzend rechts Hitlers Marineadjutant Karl-Jesko von Puttkamer), April/Mai 1944

Die rustikal-monumentalen Möbel der »Großen Halle« repräsentierten Hitlers persönlichen Geschmack. An den Wänden hingen keine Gemälde aus den alljährlichen »Großen Deutschen Kunstausstellungen« sondern Alte Meister. Die Teerunden und Abendgesellschaften, die hier stattfanden, werden in der Memoirenliteratur ehemaliger Teilnehmer meist als langweilig beschrieben. Während des Krieges sollen Mitarbeiter sogar ohne Hitlers Wissen dazu verpflichtet worden sein, ihm abends Gesellschaft zu leisten. Maria von Below, Frau des direkten Vorgesetzten von Frentz Nicolaus von Below, berichtete jedoch später der Speer-Biographin Gitta Sereny: »Als alles zu

Ende war, wetteiferten die Leute darin, das Leben auf dem Berghof als entsetzlich langweilig zu schildern, mit einem Hitler, der endlose Nichtigkeiten von sich gab. Auch Speer machte sich dieses Vergehens schuldig [...]. Da waren wir einmal bei den Speers zu Gast, bevor seine Memoiren erschienen, und ich weiß noch, wie ich, nachdem er mir das Manuskript zum Lesen gegeben hatte, zu ihm sagte: ›Also schauen Sie, das Kapitel über den Berghof stimmt doch wirklich nicht. Wir haben diese Zeit alle erlebt, und Hitlers Wissen über Geschichte und Kunst war doch wirklich phänomenal. Natürlich wurden die Wiederholungen langweilig, aber gerade jene ersten Jahre – wie konnten Sie vergessen, wie aufregend das für uns alle war? Und wie oft wir dort glücklich waren?‹«

Berghof, Adolf Hitler mit Eva Braun und Kind, wohl 1. Mai 1942

1942 bat Eva Braun Frentz darum, Fotos von ihr und Hitler sowie einer Tochter ihrer Schulfreundin Herta Schneider aufzunehmen. Laut Frentz war Hitler in die Inszenierung einer »intakten Familie« für die Kamera nicht eingeweiht. 1944 machte Frentz noch einmal eine ähnliche Bildfolge. Eva Braun selbst fotografierte und filmte Hitler oft mit Kindern. Die Bilder der Scheinfamilie sammelte sie in einem eigenen Fotoalbum.

»Wolfschanze«, Lagebaracke, 1941-1944
Das Führerhauptquartier »Wolfschanze« bei Rastenburg in Ostpreußen war während der Vorbereitungen für den Angriff auf die Sowjetunion im Winter 1940/41 angelegt worden. Man hatte die Anlage inmitten von Seen, Sumpfgebieten und Mischwald mit betont einfachen Holzbaracken errichtet. Hitler rechnete damit, das Quartier nach spätestens vier Monaten wieder verlassen zu können. Die Bauten sollten aus der Luft nicht auffallen. Bis zum November 1944 lebten in den drei »Sperrkreisen« etwa 2.100 Offiziere, Wachsoldaten und zivile Mitarbeiter.

»Wolfschanze«, Adolf Hitler mit Blondi, Winter 1942/43

Frentz bevorzugte es, bei Sonnenschein zu fotografieren. Weder den Berghof noch die »Wolfschanze« nahm er bei Regen auf. Bei Sonne ergab sich jedoch im ostpreußischen »Mischmaschwald« (Felix Hartlaub) das Problem, dass die Schatten der Bäume gelungene Personenaufnahmen im Freien stark erschwerten. Eine Aufwertung der Personen oder eine idyllische Inszenierung durch eine eindrucksvolle landschaftliche Kulisse wie auf dem Berghof war hier nicht möglich. Neben der Dokumentation offizieller Besuche konzentrierte sich Frentz infolgedessen auf Innenraumaufnahmen und begleitete Hitler mit der Kamera bei einer beliebten Freizeitbeschäftigung, den Spaziergängen mit Blondi, bei denen dem Schäferhund allerlei Kunststücke beigebracht wurden. Links von Hitler steht sein Adjutant Julius Schaub, rechts Hans Pfeiffer, Albert Bormann und ein Hundeführer.

»Wolfschanze«, Wehrmachtsangehörige beim Erstellen einer Karte für die Lagebesprechung, wohl Ende 1941
In der »Wolfschanze« dokumentierte Frentz auch Tätigkeiten von Mitarbeitern des Führerhauptquartiers. Die Aufnahmen wirken oft gestellt. Sie zeigen Sekretärinnen, Schreibkräfte, Nachrichtenoffiziere, Ordonnanzen oder Kartenzeichner – hier bei der Vorbereitung einer Karte der Ostfront. Aufnahmen dieser Art wurden während des Krieges nicht veröffentlicht. Man könnte vermuten, dass Frentz auf eine Verwertung seiner Innenansichten aus der Machtzentrale des Dritten Reiches nach dem »Endsieg« spekulierte.

»Wolfschanze«, Offiziere am Leuchttisch, um 1942
Das Bild zeigt einen Kartenzeichner und einen Heeresoffizier beim Durchpausen einer Karte am Leuchttisch. Das Farbbild erinnert an das Umschlagmotiv des bekanntesten Farbbildbandes der Zeit, »Meine Erfahrungen ... farbig« von Paul Wolff. Auch dort erhellt ein Leuchttisch zwei über ihn gebeugte Gesichter.

»Wolfschanze«, Weihnachtsfeier, Dezember 1943

Zu Weihnachten bekamen die Mitarbeiter im Führerhauptquartier so genannte »Führerpakete«, die Verheirateten und vormalige Frontkämpfer zusätzlich Gänse. Zu den Geschenken gehörte auch französischer Cognac. An der Weihnachtsfeier nahmen Martin Bormann, »Reichsleiter«, »Sekretär des Führers« und »Leiter der Parteikanzlei« (rechts, 4. von vorne) und SS-Brigadeführer Hermann Fegelein (gleiche Reihe, vorne) teil. Fegelein ist verantwortlich für die Ermordung tausender Juden im Rahmen der »Partisanen«-Bekämpfung in den Pripjetsümpfen 1941. Vor allem wegen seines exzessiven Alkoholkonsums wurde er von Hitler wenig geschätzt. 1944 heiratete er Eva Brauns jüngere Schwester Margarete.

»Wolfschanze«, Hannes Balser, Ende Dezember 1943 (oben)

Hannes Balser war junger Offizier im Hauptquartier und mit Frentz befreundet. Frentz verfügte im Hauptquartier über eine größere Sammlung von Schallplatten, darunter auch viele Jazzplatten. Mitunter gab er organisierte Schallplattenabende. Große Wandkarten waren in fast allen Wohnbaracken zu finden.

»Wolfschanze«, junge Offiziere, Anfang August 1944 (unten)

Mit der »Wolfschanze« werden vorwiegend Hitlers Lagebesprechungen, seine Spaziergänge mit Blondi zwischen den Bunkern oder das Attentat vom 20. Juli 1944 verbunden. Das Leben in der Männerwelt der »Wolfschanze« bedeutete für die Beschäftigten jedoch vor allem immer gleiche Tagesabläufe und viel Langeweile. Die Aufnahme, wenige Tage nach dem Attentat in einer der Wohnbaracken entstanden, zeigt junge Offiziere am Abend. Der Mann mit Gitarre ist Hannes Balser. Nichts weist auf die militärische Umgebung hin.

1 Hitler im Flugzeug, wohl 11./12. September 1939

KLAUS A. LANKHEIT

» ... immer dieselben Gesichter, dieselben Gespräche.« Hitler und sein Umkreis in den Fotografien von Walter Frentz

Fotografien als historische Quellen

Fotografien bilden Realität ab. Sie sind aber immer nur Ausschnitte des Ganzen, sowohl räumlich wie zeitlich. Bereits eine zeitgenössische Beobachtung zeigt die einfachen Mechanismen, wie Fotografie Realität beeinflussen kann: »Am lächerlichsten finde ich die Blase, wenn der Chef [Adolf Hitler] mit einigen Herren zusammensteht. Greift in diesem Moment der Fotograf zu seiner Leica, dann strömen sie blitzschnell alle zum Chef, wie die Motten zum Licht, nur, damit sie ja auch auf's Bild kommen.«[1]

Die Geschichtswissenschaft hat Fotografien lange lediglich als schmückendes Beiwerk genutzt.[2] Als Analyse ihrer Wirkungsmacht in der nationalsozialistischen Propaganda weckten sie Mitte der 1990er Jahre zunächst durch die Ausstellung »Hoffmann & Hitler« von Rudolf Herz das Interesse der Forschung. Der Missbrauch dieser Kunstform im Nationalsozialismus zeigte bereits dort einige Probleme ihrer Nutzung als historische Quelle auf.[3] Die öffentliche Präsentation einer solch großen Anzahl von Hitler-Fotografien war keineswegs unumstritten.[4]

Die so genannte »Erste Wehrmachtsausstellung« nutzte seit 1995 Bildmaterial vor allem, um bei den Besuchern über die sachliche Information hinaus eine emotionale Wirkung hervorzurufen. Die Verstrickung der Wehrmacht in die Verbrechen des Regimes war Fachhistorikern und Interessierten zwar längst bekannt, aber in der Öffentlichkeit, namentlich in der Publizistik, bis dahin auf wenig Interesse gestoßen. Die Präsentation der Bilder polarisierte nun die öffentliche Meinung. Die Auseinandersetzung war zunächst von gesellschaftlichen und politischen Interessen überlagert, so dass erst 1999 eine ernsthafte Debatte um die Fotografie als historische Quelle in Gang kam. Als sich von den Ausstellungsmachern inszenierte Bildserien und inhaltliche Fehlinterpretationen nicht mehr bestreiten ließen, wurde die Ausstellung überarbeitet.[5]

Mittlerweile sind Methoden zur Quellenkritik bei Fotografien entwickelt worden. Grundlegend ist eine Klärung von Entstehung und Überlieferung.[6] Bei den Aufnahmen von Walter Frentz fällt dies ausgesprochen leicht: Der Urheber ist bekannt, die Originalnegative liegen in der Regel vor, deren Authentizität ist durch die Kontaktbögen belegt. Die Ortsbestimmung, die

Datierung und die Identifizierung der Abgebildeten ist dort häufig vermerkt oder lässt sich aus den vorhergehenden oder folgenden Aufnahmen rekonstruieren.

Da die Bewertung von Bildern äußerst komplex sein kann, ist die Diskussion darüber noch nicht abgeschlossen.[7] Wenn verschiedene Schrift- und Bildquellen aufeinander zu beziehen sind, kann die Kenntnis über historische Vorgänge verbessert werden. Entscheidungsfindung und Abläufe im Führerhauptquartier sind gut erforscht, auch viele Gespräche überliefert. Gesichter und Gespräche aber gehören für das menschliche Erleben zusammen.

Die Fotografien von Walter Frentz aus den Führerhauptquartieren

Wenige Stunden nachdem der von ihm befohlene Krieg begonnen hatte, trat Hitler vor den Reichstag und verkündete, nunmehr »der erste Soldat des Deutschen Reiches« zu sein.[8] Von da an war, wo immer sich Hitler längere Zeit aufhielt, das »Führerhauptquartier«.[9] Walter Frentz war als Kameramann der Wochenschau von Anfang an dabei und fotografierte nebenbei, wie die meisten Kameramänner.[10] Auch seine Bilder enthielten vielfach die propagandistischen Stereotypen wie: Hitler im Zentrum, in Untersicht oder mit visionärem Blick in die Ferne. Da die Bilder nicht zur Veröffentlichung bestimmt waren, zeigen sie das »Führerhauptquartier«, Hitler und die ihn meistens umgebenden Personen auch aus anderer als der vorgegebenen Sicht. So schuf Frentz für die Zeit des Zweiten Weltkrieges eine Art Bildchronik zur unmittelbaren Umgebung der zentralen Figur des Nationalsozialismus.[11] Er hielt Eindrücke von den Frontfahrten und –flügen, von Besuchen in- und ausländischer Würdenträger sowie von Waffenvorführungen fest. Doch das waren, je länger sich der Krieg hinzog, die immer selteneren Höhepunkte in den eingefahrenen Abläufen.

Die Qualität seiner Fotografien sprach schon damals für sich. Der Chef der Parteikanzlei Martin Bormann übernahm offenbar die Unkosten für diese Nebentätigkeit. Die Finanzierung des Hauptquartiers war improvisiert, die Parteikasse schoss die Mittel vor, die dann die Staatskasse erstattete. Im März 1944 erschien als Punkt sechs der Abrechnung ein einziges Mal der »Fotodienst Obltn. Frentz« mit 5.272,41 Reichsmark.[12] Frentz hielt aber auch die Menschen im Bild fest, die sich ständig in Hitlers unmittelbarer Umgebung aufhielten. Aufnahmen von Hitler und seinem Umkreis sollen im folgenden besondere Aufmerksamkeit finden. Daneben geht es um den besonderen Charakter, den Frentz ihnen durch seine Art und Weise zu fotografieren verliehen hat.

Militärische Führung und Hauptquartier im Kriegsverlauf

Entsprechend des Kriegsverlaufes wechselte das Führerhauptquartier mehrmals seinen Standort. Die jeweiligen Einrichtungen wurden immer mehr Hitlers sich wandelndem Führungsstil und seinem zunehmenden Sicherheitsbedürfnis angepasst.[13] In der ersten Septemberhälfte 1939 war das Hauptquartier ein

kommando. Hitler degradierte diese traditionsreiche Institution jedoch sehr bald vom zentralen Steuerungsorgan der deutschen Landstreitkräfte zur ausführenden Behörde. Seit Anfang 1938 hatte er darauf hingearbeitet, die militärische Führungsstruktur des Deutschen Reiches ganz auf sich auszurichten. Als »Führer und Reichskanzler« sowie als »Oberster Befehlshaber der Wehrmacht« vereinigte er in seiner Person die politische und militärische Befehlsgewalt.[18] Die Vorteile einer zentralen, alles überblickenden Führung schienen offensichtlich, doch versäumte es Hitler, sie zu nutzen und eine militärisch-politische Gesamtstrategie festzulegen. Er entschied intuitiv und spontan aus dem Augenblick heraus. Diskussion über oder Kritik an seinen Entscheidungen verärgerten ihn. Selbst die sich entwickelnde Doppelspitze aus dem Chef des Oberkommandos der Wehrmacht

2 Hermann Hoeffke: Adolf Hitler besucht das Hauptquartier der Heeresgruppe Süd in Poltawa, 1. Juni 1942 (rechts von Hitler: Hans von Salmuth, Wilhelm Keitel, Friedrich Paulus, Alexander Löhr)

3 Adolf Hitler besucht das Hauptquartier der Heeresgruppe Süd in Poltawa, 1. Juni 1942 (von links: Adolf Heusinger, Friedrich Paulus, Georg von Sodenstern, Hitler)

Eisenbahnzug mit dem Decknamen »Amerika«. Der Zug war in dieser Zeit meistens unterwegs.[14] Hitler beschränkte seine militärische Tätigkeit zunächst auf zahlreiche Frontfahrten und -flüge. Auf politischem Gebiet bemühte er sich, die Westmächte mit diplomatischen Mitteln von einem militärischen Eingreifen abzuhalten.[15] Der Zug mit seinen engen räumlichen Verhältnissen und eingeschränkten nachrichtentechnischen Einrichtungen reichte für die Anforderungen im weiteren Kriegsverlauf aber nicht aus.

Zum Beginn des Westfeldzuges, am 10. Mai 1940, bezog Hitler ein festes Quartier, genannt »Felsennest«, bei Bad Münstereifel.[16] Die Pläne für den »Blitzkrieg« gegen Polen waren noch allein vom Generalstab des Heeres entwickelt worden, der die Aufgabe hatte, bereits in Friedenszeiten Feldzugspläne für möglichst viele Szenarien zu entwickeln und vorzubereiten. Fachleute sollten die Situation des Gegners, die eigenen Fähigkeiten und die daraus resultierenden Möglichkeiten und Risiken realistisch einschätzen.[17] Die Entscheidung über Krieg und Frieden sollte der politischen Führung überlassen bleiben, die Durchführung des Krieges dagegen dem militärischen Ober-

Wilhelm Keitel und dem Chef des Wehrmachtführungsstabes Alfred Jodl hatte zwar unmittelbaren Zugang zu Hitler, doch auch von ihnen ließ er sich in erster Linie informieren und nicht beraten. Immer stärker mischte er sich in die Planungen ein und nahm direkten Einfluss auf einzelne Operationen.[19]

Als der Sieg im Westen greifbar schien, wurde im belgischen Brûly de Pesche am 6. Juni 1940 die Anlage »Wolfsschlucht« eingerichtet, damit Hitler dem Geschehen näher sein konnte. Nach der Kapitulation Frankreichs hielt er sich einige Zeit im Führerhauptquartier »Tannenberg« auf dem Kniebis im Schwarzwald auf. Im April 1941 gab es während des Krieges gegen Jugoslawien ein Zwischenspiel, wieder im Eisenbahnzug, der den Namen »Frühlingssturm« trug und bei Mönichkirchen südlich Wiener Neustadt seinen Standort hatte. Mit Beginn des Überfalls auf die Sowjetunion bezog Hitler die »Wolfschanze« nahe Rastenburg in Ostpreußen, wo er sich insgesamt am häufigsten und längsten aufhielt.[20] Wie allen deutschen Hauptquartieren im Zweiten Weltkrieg haftete auch der »Wolfschanze« etwas improvisiertes an, denn der Russlandfeldzug sollte nach Hitlers eigener Einschätzung höchstens vier

Monate dauern.[21] Die Kette der schnellen Erfolge setzte sich aber nicht mehr fort. Damit die Anlage ihre Aufgaben weiterhin erfüllen konnte, wurden laufend Um- und Zusatzbauten notwendig. Auch Hitlers Sicherheitsbedürfnis stieg ständig. Zuletzt war der Mantel von Hitlers persönlichem Bunker so stark, dass er allen damals bekannten Bomben widerstehen konnte.[22] Mit kurzen Unterbrechungen hielt sich Hitler mehrere Wochen im Sommer 1942 und Anfang 1943 im Hauptquartier »Wehrwolf« bei Winniza in der Ukraine auf.[23]

Immer wieder verbrachte Hitler auch einige Tage im Berghof auf dem Obersalzberg bei Berchtesgaden. Schon vor dem Krieg war der Obersalzberg der Ort, an dem politisches Geschehen sowie privates und gesellschaftliches Leben der führenden Nationalsozialisten ineinanderflossen. Fern der Front scheint

schickliche Weise benennen konnte. Bezüglich des Urhebers dieser Aufnahme hat sie sich offensichtlich getäuscht, denn es dürfte sich um Aufnahmen von Walter Frentz von Mitte September 1939 handeln (Abb. 1). »Reichsbildberichterstatter« Heinrich Hoffmann, der auch häufig im Hauptquartier zu Besuch war, dominierte die fotografische Darstellung Hitlers für die Öffentlichkeit.[28] Seit den zwanziger Jahren hatte dieser in enger Absprache mit Hitler dessen Bild zum Markenzeichen ausgebaut. Bereits vor der Machtergreifung waren die Bildtypen weitgehend festgelegt. Im öffentlichen Raum gab es die Varianten Hitler als entrückter Staatsmann oder volkstümlich, ein beabsichtigter Gegensatz, der respektheischend und integrierend zugleich wirken sollte.[29] Dabei stand er im Mittelpunkt oder im Schnittpunkt auf ihn zulaufender Bildachsen. Es gelang

4 Erich Kempka und Adolf Hitler auf der Fahrt von Berchtesgaden nach München, Juli 1940

5 Adolf Hitler bei der Siegesparade in Warschau, 5. Oktober 1939

dieses Leben fast wie in Friedenszeiten weitergeführt worden zu sein.[24]

Ende November 1944 leitete Hitler von dem bereits 1940 als Hauptquartier ausgebauten Schloss Ziegenberg bei Bad Nauheim aus, Deckname »Adlerhorst«, die Ardennenoffensive, die letzte große Kraftanstrengung, um das Kriegsglück noch zu wenden.[25] Letztes »Führerhauptquartier« war ab Mitte Januar 1945 die Reichskanzlei und später deren Bunker, der den Anforderungen an eine solche Einrichtung kaum entsprach.[26]

Gesicht und Gestalt Hitlers im Wandel

Im Alltag des Führerhauptquartiers zeigt Frentz Hitler aus ungewohnten Perspektiven, was auch zeitgenössische Beobachter feststellten. Seine Sekretärin schrieb im Rückblick: »Schön fand ich Hitlers Hände, sowohl in Bewegung wie in Ruhelage. [...] Einem Fotografen von Heinrich Hoffmann, vielleicht war es Hoffmann auch selbst, gelang während eines Fluges einmal eine sehr schöne Aufnahme, wie Hitlers Hände an seiner Sitzlehne Halt suchen.«[27] Damals waren die Hände einer der wenigen körperlichen Vorzüge eines Mannes, die eine Frau auf

dabei Hoffmann meistens, andere Menschen gleich groß oder kleiner erscheinen zu lassen. Im Studioporträt vor meistens dunklem Hintergrund vermitteln die Bilder den Eindruck des ruhigen aber entschlossenen Mannes. Hervorzuheben ist der durchdringende Blick, mit dem Hitler den Betrachter auf vielen Porträtfotografien fixiert.[30]

Dieses Handwerk beherrschte Walter Frentz auch, sein besonderes Gespür für den Moment weist ihn jedoch als Künstler auf dem Gebiet der Fotografie aus. Die Anwesenheit zweier Fotografen am selben Ort ermöglicht den direkten Vergleich und zeigt diesen Qualitätssprung deutlich. Am 1. Juni 1942 besuchte Hitler den Oberbefehlshaber der Heeresgruppe Süd, Generalfeldmarschall Fedor von Bock, in seinem Hauptquartier in Poltawa zur Vorbereitung der Sommeroffensive.[31] Das Geschehen, die abzubildende Realität bot alle Möglichkeiten. Der Propagandakompanie-Fotograf Hermann Hoeffke wählte einen Moment der Lagebesprechung, als sie in einzelne Gesprächskreise aufgelöst war, an deren einem Hitler gleichberechtigt teilnimmt (Abb. 2). Er ist eine Person unter vielen. Ganz anders nutzte Frentz die Gelegenheit: Hitler dominiert unzweifelhaft die Situation, er ist der unangefochtene Feldherr und Führer, die hochdekorierten Generale stehen scheu am Rande (Abb. 3). Mit seinen Bildkompositionen steht Frentz in der Tradition der deutschen Historienmalerei und des monarchischen Ereignisbildes des 19. Jahrhunderts. Während Adolph von Menzel, Carl Theodor von Piloty oder Anton von Werner den darzustellenden Moment wählen konnten, schuf der Fotograf erst die Bedeutung des von ihm festgehaltenen Augenblicks.[32] Durch seine Art zu fotografieren gab Frentz dem Moment eine historische Größe, die sich leicht mit einem Ereignis, hier konkret der Einleitung der zunächst erfolgreichen Offensive, hätte verbinden lassen. Frentz fotografierte nicht für die Öffentlichkeit, für eine Mythisierung Hitlers nach einem erfolgreichen Krieg hätte er jedoch eine Vielzahl ähnlich prägnanter Aufnahmen bereitstellen können, die das Potential zu Ikonen hatten, die sich im allgemeinen Bewusstsein mit dem jeweiligen Ereignis unlösbar verschmolzen hätten. Schon Ende des 19. Jahrhunderts hatte in der zeitgeschichtlichen Historienmalerei nicht die fotorealistische Rekonstruktion, sondern die künstlerische Inszenierung den größeren Erfolg beim Publikum.[33]

Frentz experimentierte aber auch mit ungewöhnlichen Sichtweisen. Aus der Filmtechnik übernahm er die Aufnahme über die Schulter einer vor ihm stehenden Person. In der Bildserie einer Autobahnfahrt, auf der er in Fahrtrichtung zwischen den Köpfen Hitlers und seines Fahrers hindurch fotografierte, ist der Bezug zum bewegten Medium noch eindeutiger (Abb. 4). Die Ergebnisse konnten aber auch unkalkulierbar sein.

Häufig wurde Hitlers Fähigkeit bewundert, stundenlang den »deutschen Gruß« auszuführen. Er selbst gab an, den Arm zwar täglich mit dem Expander zu trainieren, obwohl er sonst Sport ablehnte, eine solche Leistung sei aber nur mit einem starken Willen zu erbringen. Auch bemühe er sich, jedem einzelnen der Vorbeimarschierenden direkt in die Augen zu sehen. Vielfach erzielte er damit auch die beabsichtigte Wirkung, für einen Moment eine persönliche Beziehung vorzuspiegeln.[34] Hoffmann vermied in seinen Bildern eine volle Rückenansicht Hitlers aus der Nähe. Frentz dagegen nahm direkt über die Schulter Hitlers die Richtung des durchdringenden Blickes auf (Abb. 5). Seine Bilder heben so das Gefolgschaftsverhältnis auf eine Ebene der Gegenseitigkeit. Vermutlich war dies ein unbeabsichtigtes Ergebnis dieser Technik.

Im Juli 1940 war Hitler auf dem Gipfelpunkt seiner Popularität. In nur wenigen Wochen hatte er die demütigende Niederlage des Ersten Weltkrieges ausgelöscht.[35] Er genoss den Tri-

6 Adolf Hitler mit »Arbeitsmaiden« im Führerhauptquartier »Tannenberg« auf dem Kniebis im Schwarzwald, Ende Juni 1940

umph und war überzeugt, dass der Sieg nur auf seiner Person gründete. Strahlend besuchte er die Gegenden, in denen er im Ersten Weltkrieg gekämpft hatte. Gelöst, geradezu euphorisch wirkt er in »Tannenberg« inmitten derjenigen, die für das reibungslose Funktionieren seines Hauptquartiers sorgten (Abb. 6). Die Bilder zeigen allerdings nicht, dass Hitler hier dem Chefadjutanten der Wehrmacht, Rudolf Schmundt, seine Absicht mitgeteilt haben soll, die Sowjetunion anzugreifen.[36] Über vier Jahre später hielt Walter Frentz beim Empfang des kroatischen Staatschefs, Ante Pavelič, am 8. September 1944 einen Hitler im Bild fest, bei dem die militärischen Niederlagen ihre Spuren hinterlassen haben (Abb. 7). Ein halbes Jahr später wird der völlige Realitätsverlust deutlich: In der Reichskanzlei hängt Hitler vor dem Modell mit den Planungen für seine Heimatstadt Linz seinen großen, nicht mehr zu verwirklichenden Visionen nach (Abb. S. 86, 87). Hitlers zunehmender Realitätsverlust und seine Fehlentscheidungen verminderten seine Macht über die Deutschen bis zum Ende nicht. Der von der nationalsozialistischen Propaganda aufgebaute »Führer«-Mythos und die Wirklichkeit klafften immer weiter auseinander, der Kriegsverlauf setzte einen langsamen Erosionsprozess in Gang.[37] Mit der totalen Niederlage hatte er sich aufgezehrt.

Das Wissen um den Verlauf der Ereignisse kann die Interpretation von Hitlers Gesichtsausdruck und Haltung jedoch stark einengen. Lässt sich Hitlers nachdenklicher Gesichtsausdruck während eines Fluges (Abb. S. 143) oder die gebeugte Haltung beim Besuch von Pavelič nicht auch heroisierend deuten? Der große Staatsmann, in einem Moment der Abgeschiedenheit, sich als einziger der ernsten Lage bewusst, voll Sorgen um Deutschlands Schicksal, oder gebeugt von der Last der Verantwortung aber dennoch seine Pflicht erfüllend? So ist es nicht endgültig zu bestimmen, ob der Blick von Walter Frentz im Laufe des Krieges immer schonungsloser wird; bei der Kontrolle seiner Fotografien kann ihm kaum entgangen sein, wie deutlich er Hitlers zunehmenden körperlichen Verfall abbildete.

Die Menschen um Hitler

Die personelle Zusammensetzung des Führerhauptquartiers änderte sich während der gesamten Kriegsdauer wenig und entsprach etwa dem dienstlichen Personenkreis, den Hitler schon aus Friedenszeiten gewohnt war.[38] In den Kreisen des Militärs wurde dies übelgenommen.[39] Hitler zog es vor, bekannte Gesichter um sich haben.[40] Zu Veränderungen kam es in erster Linie, wenn einzelne in Ungnade fielen. Die meisten dieser Menschen sorgten in der einen oder anderen Weise für Hitlers Bequemlichkeit. Ein Kreis von etwa 40 Personen durfte sich ohne besondere Genehmigung in seiner Nähe aufhalten, darunter Walter Frentz.[41]

Recht spät, im Juli 1942, legte Bormann in Form einer Klarstellung fest, dass nur die engere Umgebung Hitlers das eigentliche Führerhauptquartier bilde. Selbst der Wehrmachtführungsstab war nicht eindeutig angeschlossen, das Oberkommando des Heeres, die Feldkommandostelle des Reichsführers-SS und die Vertretungen von Ministerien oder anderer staatlicher Stellen zählten nicht dazu.[42] Zu dieser engeren Umgebung gehörten der Chefadjutant Schmundt und die Adjutanten der Wehrmachtteile, Gerhard Engel für das Heer, Nicolaus von Below für die Luftwaffe und Karl-Jesko von Puttkamer für die Marine. Institutionell kaum zu durchschauen war das System der Vertreter der Partei und der Adjutanten verschiedener Parteiorganisationen, wie dem Leiter der Parteikanzlei Martin Bormann, dem Chef der Privatkanzlei des Führers, Albert Bormann, den beiden persönlichen Adjutanten Wilhelm Brückner und Julius Schaub sowie dem SS-Adjutanten Fritz Darges. Außerdem standen Hitler als Diener, die zugleich Leibwachen waren, der Chef des Persönlichen Dienstes des Führers, Heinz Linge und als zweite Ordonnanz im persönlichen Dienst Hans Junge, die dem SS-Begleitkommando angehörten, zur Verfügung.[43] Fahrer Erich Kempka und Pilot Hans Baur waren auch altgediente Begleiter. Reichspressechef Otto Dietrich, sein Vertreter Heinz Lorenz und Botschafter Walter Hewel waren auch ständig im Führerhauptquartier.

Für Hitlers Gesundheit waren als Begleitarzt Dr. Karl Brandt und dessen Stellvertreter Dr. Hans-Karl von Hasselbach zustän-

7 Adolf Hitler und der kroatische »Poglavnik« (Führer) Ante Pavelič (links) in der »Wolfschanze«, im Hintergrund Karl Dönitz, 18. September 1944

dig. Brandt organisierte im Auftrag Hitlers den Mord an Behinderten und war für die Koordinierung der Menschenversuche in den Konzentrationslagern zuständig. Der eigentliche Leibarzt war Dr. Theo Morell, der trotz seiner bei den anderen Ärzten umstrittenen Methoden Hitlers Vertrauen bis zum Schluss genoss. Viele dieser Menschen bildete Walter Frentz immer wieder ab.

Eine besondere Stellung nahmen Hitlers Sekretärinnen Johanna Wolf, Christa Schröder, Gerda Daranowski (seit 1943: Gerda Christian) und später auch Traudl Humps (seit 1943: Traudl Junge) ein, von denen immer zwei im Dienst waren (Abb. 9). Karl Brandt schätzte Christa Schröder als »sehr intelligent« und »ausgesprochen kritisch« ein. Sie vertrat gegenüber Hitler stets ihre Meinung und musste sich deshalb auch zeitweise von Hitler fernhalten. Gerda Daranowski, »beruflich sehr tüchtig«, scheint sich bei ihrem Chef mehr eingeschmeichelt und ihren weiblichen Charme zur Geltung gebracht zu haben.[44]

Am Obersalzberg schlossen sich dann auch Eva Braun, deren Existenz eines der bestgehütetsten Geheimnisse des Dritten Reiches war, und deren Clique an. Dass Walter Frentz Eva Braun fotografieren durfte, zeigt das große Vertrauen, das ihm entgegengebracht wurde. Gerade in der einmaligen Lage des Obersalzbergs zeigt Frentz, dass er mit seinem modernen Medium auch in der Tradition der Landschaftsmalerei der deutschen Romantik steht. Blicke über das Tal verklären den Berghof zur Idylle. Die erhabene, übermächtige Natur gibt dem der Natur entfremdeten Menschen im Vordergrund einen tragisch-romantischen Zug.[45] Die Statisten, mit denen sich Hitler umgab, werden zu Statisten in den Bildkompositionen.

Abläufe

Wenn auch Jodls Einschätzung vor dem Internationalen Militärgerichtshof in Nürnberg, »das Führerhauptquartier war eine Mischung zwischen einem Kloster und einem Konzentrationslager« mangelnde Kenntnisse über die tatsächlichen Zustände in den Konzentrationslagern bezeugt, so muss diese Aussage als Hinweis auf die Stimmung dort zu verstehen sein.[46] Auch Christa Schröder schrieb in einem Brief vom »Eingesperrtsein«.[47] Die Bilder von Walter Frentz scheinen eher Joseph Goebbels zu bestätigen: »Das Hauptquartier macht eher den Eindruck einer Sommerfrische als der Zentrale der deutschen Kriegführung« (Abb. 10).[48]

Das tägliche Leben orientierte sich an der Tageseinteilung Hitlers, der von vielen Mitgliedern seines Umkreis als belastend empfunden wurde: »Einen natürlichen Rhythmus gibt es einfach nicht mehr und ich glaube, dass der doch sehr wichtig ist für das Leben.«[49] Gegen Mittag ließ sich Hitler über die militärische Lage informieren. Der Wehrmachtführungsstab stellte dazu alle wichtigen Informationen zusammen, aus denen Jodl das auswählte, was er Hitler vorzutragen gedachte.[50] Beim anschließenden Mittagessen, das im größeren Kreis der Angehörigen des Führerhauptquartiers mit anwesenden Gästen eingenommen wurde, dominierte Hitler das Gespräch. Es war üblich, auch Offiziere des Wehrmachtführungsstabes einzuladen. Zunächst war dies ein beliebter Dienst, der aber zunehmend seinen Reiz verlor; später mussten die Offiziere dazu abkommandiert werden.[51]

Gegen Mitternacht fand nochmals eine Lagebesprechung statt, nach der Hitler eine ausgewählte kleine Gruppe von etwa sechs bis acht Personen zum Tee bat. Diese Runde diente Hitlers Entspannung. Hier konnte er vor Publikum ungehemmt seine Gedanken entwickeln. Seine Themen waren nicht sehr abwechslungsreich und befassten sich mit den Grundsätzen seiner Weltanschauung, Themen aus seiner Vergangenheit, Jugend, Erstem Weltkrieg und »Kampfzeit« sowie in ferner Zukunft zu verwirklichenden Plänen. Zu aktuellen Fragen der Kriegführung äußerte er sich nicht. Hitler erwartete Aufmerksamkeit und Anteilnahme, eine Diskussion war nicht gewünscht. Das Ausblenden gegenwärtiger Probleme diente sowohl seiner Beruhigung als auch der seiner Umgebung.[52] Hitlers Diener lud die Teilnehmer täglich ein. Großen Wert legte Hitler auf die Anwesenheit seiner Diätköchin Constanze Manzi-

8 Hermann Göring, Wilhelm Keitel und Karl Dönitz bei der Waffenvorführung zu Hitlers 55. Geburtstag, 20. April 1944

9 Hitlers Sekretärinnen Gerda Daranowski und Christa Schröder, Weimar, Juli 1940

10 Hitlers Sekretärin Johanna Wolf und sein SS-Begleitarzt Karl Brandt im Führerhauptquartier »Werwolf« bei Winniza (Ukraine), August 1942

arli und der zwei Sekretärinnen, die jeweils im Dienst waren. Christa Schröder sah »stundenlang Gesellschaft leisten« als Teil ihrer beruflichen Aufgaben.[53] Nicht nur gesundheitlich stellten diese nächtlichen Treffen eine Belastung dar: »immer dieselben Gesichter, dieselben Gespräche« klagt sie in einem Brief.[54] Ein Jahr später zeigt diese Eintönigkeit offenbar bei der ganzen Umgebung Hitlers Wirkung: »Nur fehlt mir jemand, der meinen geistigen Leerlauf stoppt u[nd] mich geistig anregen könnte. Leider Gottes sind hier so viele von Gemütsödigkeit befallen, so dass von hier aus keine Hilfe zu erwarten ist.«[55]

Martin Bormann, dessen Adjutant Heinrich Heim, Botschafter Walther Hewel und die genannten weiblichen Mitarbeiter waren ständige Gäste. Dazu kamen der jeweils diensttuende Arzt, der diensttuende zivile Adjutant und der diensttuende Wehrmachtsadjutant, sowie besondere Gäste wie Heinrich Hoffmann oder Goebbels, wenn sie sich gerade im Hauptquartier aufhielten.[56] Auch Walter Frentz nahm an diesen Runden teil, wenn sich auch nicht feststellen lässt, wie regelmäßig dies der Fall war.[57] Auf Anregung von Martin Bormann hielt Heim Hitlers Ausführungen in Gedächtnisprotokollen fest, die Bormann kontrollierte und durch die wir eine Vorstellung vom Inhalt dieser Gespräche haben. Hitler wusste wohl nichts von den Aufzeichnungen.[58] Im Laufe der Zeit verschob sich der Beginn der Teestunden auf zwei Uhr morgens und diese endeten entsprechend später in den frühen Morgenstunden.[59] »Trotzdem dass der Chef immer sehr müde ist, findet er doch nicht ins Bett.«[60] Nach einer Auseinandersetzung mit Jodl im September 1942 fiel das gemeinsame Mittagessen und die gesellige Runde nach Mitternacht weg.[61] Hitler zog sich immer mehr auch von den Menschen in seiner Umgebung zurück. Ausgedehnte Spaziergänge, zu denen Morell riet, fanden nicht statt. Hitler beschäftigte sich bei seinen kleinen Runden um sein Quartier in erster Linie mit seiner Hündin Blondi.[62] Walter Frentz fotografierte Blondi häufig, ob mit oder ohne Hitler. Dass er auch fotografieren durfte, wenn Hitler sich um den Hund kümmerte, spricht für eine besondere Vertrauensstellung, denn die Wachen waren strengstens angewiesen, in dieser Zeit nichts zu tun, was den Hund von Hitler ablenken konnte.[63] Die unauffällige und unaufdringliche Art, seine Arbeit zu tun, gleichsam nicht als Person in Erscheinung zu treten, ermöglichte ihm erst diese Nähe.

Mythos Führerhauptquartier

Als Kameramann hat Walter Frentz die Bildsprache seiner Zeit stark beeinflusst, auch seine Fotografien haben ein sehr hohes Niveau. Ihre ästhetische Qualität ist dabei für den Historiker auch ein Problem.[64] Die Fotografie steht als Kunstwerk für sich allein, doch als historische Quelle muss sie in den Überlieferungszusammenhang gestellt werden. Auch heute können die visuellen Inszenierungen des Nationalsozialismus noch faszinieren. Gerade die Aufnahmen von Walter Frentz zeigen durch ihre spezielle Komposition eben nicht nur Adolf Hitler sondern »den Führer«. Die unkommentierte Präsentation der Bilder aus dem Führerhauptquartier kann Sehnsüchte nach einer vermeintlich heroischen Zeit mit einfachen Zielen und einfachen Lösungen bedienen, was mit der Loslösung der Person Hitlers von den von ihm initiierten Verbrechen einhergehen muss. Die »Fotografien [werden] zu Surrogaten historischer Erkenntnis« gemacht.[65] Dass der von ihm gewollte und herbeigeführte Krieg millionenfaches Leid, Tod und Zerstörung auslöste, bleibt dabei ausgeblendet. Die Bilder aus dem Führerhauptquartier zeigen nur eine Realität des Krieges. Sie sind natürlich nicht repräsentativ. Ob Frentz aber hätte widerstehen können, sie nach einem siegreichen Krieg auf diese Weise einzusetzen? Fest steht, dass Walter Frentz von Anfang an, wann immer sich ihm die Möglichkeit bot, auch andere Aspekte der Kriegswirklichkeit fotografierte. Zerschossene oder zerbombte Gebäude, zuerst bei den Kriegsgegnern, zuletzt im eigenen Land, zerstörtes Kriegsmaterial, Flüchtlinge, Kriegsgefangene und auch die Arbeitssklaven im »Mittelwerk«.

1 Christa Schröder, Sekretärin der »Persönlichen Adjutantur des Führers« am 28. Juli 1941, aus dem Führerhauptquartier »Wolfschanze« an ihre Freundin Johanna N., Archiv des Instituts für Zeitgeschichte (IfZ-Archiv) ED 524. Die Briefe von Christa Schröder, auszugsweise und leicht überarbeitet auch veröffentlicht (Christa Schröder, Er war mein Chef. Aus dem Nachlaß der Sekretärin von Adolf Hitler, hg. von Anton Joachimsthaler, München/Wien 1988), stellen eine authentische zeitgenössische Quelle über die Verhältnisse im Führerhauptquartier dar.

2 Michael Sauer, Fotografie als historische Quelle, in: Geschichte in Wissenschaft und Unterricht 53 (2002), S. 570-593.

3 Rudolf Herz, Hoffmann & Hitler. Fotografie als Medium des Führer-Mythos, München 1994.

4 Vgl. z.B. Severin Weiland, Foto-Ausstellung über Hitler abgesagt, in: Tageszeitung vom 30. März 1994 und Jörg Lau, Pro: Die Bilder Hitlers müssen gezeigt werden. Der Ekel und sein Wahrheitsgehalt, in: Tageszeitung vom 31. März 1994.

5 Christian Tagsold, Fotografie als Quelle der Erinnerung. Zur Rolle von Bildern der NS-Zeit im Historischen Diskurs, in: nurinst 2 (2004), S. 71-81.

6 Sauer 2002 (wie Anm. 2), S. 578.

7 Martina Heßler, Bilder zwischen Kunst und Wissenschaft. Neue Herausforderungen für die Forschung, in: Geschichte und Gesellschaft 31 (2005), S. 266-292.

8 Max Domarus, Hitler. Reden und Proklamationen 1932-1945. Kommentiert von einem deutschen Zeitgenossen, Bd. 2, Untergang (1939-1945), Neustadt a. d. Aisch 1963, S. 1316.

9 Der Begriff »Führerhauptquartier« wurde seit 1938 verwendet, wenn Hitler seinen Befehlszug benutzte. Vgl. Franz W. Seidler/Dieter Zeigert, Die Führerhauptquartiere. Anlagen und Planungen im Zweiten Weltkrieg, München 2000, S. 27. Als Abkürzungen waren FHQ und FHQu im Gebrauch.

10 Zu den offiziellen Aufgaben Frentz´ im FHQu vgl. den Beitrag von Kay Hoffmann in diesem Band.

11 Zur Bedeutung Hitlers im nationalsozialistischen Staat vgl. z. B. Joachim C. Fest, Hitler. Eine Biographie, Frankfurt a. M./Berlin/Wien 1973, S. 22-25; Marlies Steinert, Hitler, München 1994, S. 332-334; Ian Kershaw, Hitler. 1936-1945, Stuttgart 2000, S. 1081.

12 Akten der Partei-Kanzlei der NSDAP. Rekonstruktion eines verlorengegangenen Bestandes, bearb. von Helmut Heiber, München/Wien 1983, Dok. 101 08136-39. Es ist zu vermuten, dass damit die Farbporträts abgerechnet wurden, von denen Frentz großformatige Abzüge für Hitler hergestellt haben soll.

13 Von den insgesamt sechzehn als Hauptquartiere ausgebauten Anlagen nutzte Hitler tatsächlich nur neun, einige davon nur für wenige Tage. Seidler/Zeigert 2000 (wie Anm. 9), S. 11.

14 Peter Hoffmann, Die Sicherheit des Diktators. Hitlers Leibwachen, Schutzmaßnahmen, Residenzen, Hauptquartiere, München/Zürich 1975, S. 205.

15 Geoffrey P. Megargee, Inside Hitler's High Command, Lawrence (Kansas) 2000, S. 72-73.

16 Seidler/Zeigert 2000 (wie Anm. 9), S. 163-169.

17 Megargee 2000 (wie Anm. 15), S. 2-4.

18 Christian Hartmann, Halder. Generalstabschef Hitlers 1938-1942, Paderborn/München/Wien/Zürich 1991, S. 79, 84.

19 Megargee 2000 (wie Anm. 15), S. 80-84.

20 Seidler/Zeigert 2000 (wie Anm. 9), S. 205-206.

21 Steinert 1994 (wie Anm. 11), S. 474.

22 Seidler/Zeigert 2000 (wie Anm. 9), S. 196-198.

23 Seidler/Zeigert 2000 (wie Anm. 9), S. 229.

24 Klaus A. Lankheit, Der Obersalzberg, in: Die tödliche Utopie, hg. von Horst Möller, Volker Dahm und Hartmut Mehringer unter Mitarbeit von Albert A. Feiber, München 2001, S. 41.

25 Seidler/Zeigert 2000 (wie Anm. 9), S. 155-159.

26 Seidler/Zeigert 2000 (wie Anm. 9), S. 320.

27 Schröder 1985 (wie Anm. 1), S. 72.

28 Herz 1994 (wie Anm. 3), S. 11-13.

29 Eike Hennig, Hitler-Porträts abseits des Regierungsalltags. Einer von uns und für uns?, in: Martin Loiperdinger/Rudolf Herz/Ulrich Pohlmann (Hg.), Führerbilder. Hitler, Mussolini, Roosevelt, Stalin in Fotografie und Film, München/Zürich 1995, S. 27-64, S. 32-36.

30 Herz 1994 (wie Anm. 3), S. 118.

31 Harald Sandner, Wo war Hitler? Die vollständige Chronologie der Aufenthaltsorte und Reisen Adolf Hitlers vom 1.1.1933 bis zum 30.4.1945, IfZ-Archiv, Ha 01.84, Bd. 4, S. 347.

32 Detlef Hoffmann, Bedeutungsvolle Momente. Bemerkungen zur deutschen Geschichtsmalerei im 19. Jahrhundert, in: Bilder der Macht – Macht der Bilder: Zeitgeschichte in Darstellungen des 19. Jahrhunderts, hg. von Stefan Germer und Michael F. Zimmermann, München 1997, S. 324-351, S. 349.

33 Rainer Schoch, Das Herrscherbild in der Malerei des 19. Jahrhunderts, München 1975, S. 175.

34 Schröder 1985 (wie Anm. 1), S. 73.

35 Ian Kershaw, Der Hitler-Mythos. Volksmeinung und Propaganda im Dritten Reich, Stuttgart 1980, S. 136-137.

36 Aussage Nicolaus von Below vom 13. Mai 1971, Archiv des Instituts für Zeitgeschichte (IfZ-Archiv) ZS 7.

37 Kershaw 1980 (wie Anm. 35), S. 153-157.

38 Steinert 1994 (wie Anm. 11), S. 409.

39 Aus militärischer Sicht: Walter Warlimont, Im Hauptquartier der deutschen Wehrmacht 1939 bis 1945. Grundlagen – Formen – Gestalten, Augsburg 1990, Bd. 1, S. 104; aus Sicht der zivilen Mitarbeiter: Schröder 1985 (wie Anm. 1), S. 121-122.

40 Adolf Hitler, Monologe im Führerhauptquartier 1941-1944. Die Aufzeichnungen Heinrich Heims hg. von Werner Jochmann, Bindlach 1988, S. 12.

41 Hoffmann 1975 (wie Anm. 14), S. 226.

42 Seidler/Zeigert (wie Anm. 9), S. 27-28.

43 Hoffmann 1975 (wie Anm. 14), S. 71.

44 Albert Speer, »Alles, was ich weiß«. Aus unbekannten Geheimdienstprotokollen vom Sommer 1945, Mit einem Bericht »Frauen um Hitler« von Karl Brandt, hg. von Ulrich Schlie, München 1999, S. 232.

45 Vgl. Hans von Trotha, Verschiedene Empfindungen vor verschiedenen Landschaften, in: Caspar David Friedrich, Die Erfindung der Romantik, hg. von Hubertus Gaßner, München 2006, S. 48-57, S. 49, 57.

46 Aussage Alfred Jodl am 3. Juni 1946. Der Prozeß gegen die Hauptkriegsverbrecher vor dem Internationalen Militärgerichtshof. Nürnberg, 14. November 1945 – 1. Oktober 1946, Nürnberg 1948, Bd. 15, S. 325.

47 Schröder am 30. August 1941, aus dem FHQu »Wolfschanze« an Johanna N., IfZ-Archiv ED 524.

48 Eintrag vom 9. Juli 1941, Die Tagebücher von Joseph Goebbels. Im Auftrag des Instituts für Zeitgeschichte und mit Unterstützung des Staatlichen Archivdienstes Rußlands hg. von Elke Fröhlich, Teil II, Diktate 1941-1945, Band 1, Juli-September 1941, S. 30.

49 Schröder am 15. Januar 1942, FHQu »Wolfschanze« an Johanna N., IfZ-Archiv ED 524.

50 Megargee 2000 (wie Anm. 15), S. 80.

51 Warlimont 1990 (wie Anm. 39), Bd. 1, S. 104.

52 Hitler 1988 (wie Anm. 40), S. 12-14.

53 Schröder am 13. Juli 1941, FHQu »Wolfschanze« an Johanna N., IfZ-Archiv, ED 524.

54 Schröder am 20. August 1941, FHQu »Wolfschanze« an Johanna N., IfZ-Archiv ED 524.

55 Schröder am 14. August 1942, FHQu »Wehrwolf« an Johanna N., IfZ-Archiv ED 524.

56 Aussage von Heinrich Heim vom 14. November 1952, IfZ-Archiv ZS 243/I.

57 Heinz Linge, »Record of Hitler's Daily Activities 11 August 1943 – 30 December 1943«, transcribed by Gerhard L. Weinberg 1952, IfZ-Archiv F 19/4.

58 Hitler 1988 (wie Anm. 40), S. 10-16.

59 Albert Speer, Erinnerungen, Berlin 1971 [9. Auflage], S. 309.

60 Schröder am 27. Februar 1942, FHQu »Wolfschanze« an Johanna N., IfZ-Archiv ED 524.

61 Hoffmann 1975 (wie Anm. 14), S. 222. Jodl bestätigte nach einem Frontbesuch die pessimistische Lageeinschätzung der Befehlshaber vor Ort. Bei einem heftigen Wortwechsel, soll Jodl geäußert haben, »er sei sich als Überbringer von unmöglichen Befehlen zu schade«. Nicolaus von Below, Als Hitlers Adjutant 1937-45, Mainz 1980, S. 315. Vgl. Hartmann 1991 (wie Anm. 18), S. 330-334.

62 Speer 1971 (wie Anm. 59), S. 313-314.

63 Hoffmann 1975 (wie Anm. 14), S. 223-224.

64 Am Beispiel der Bilder »Aufbahrung der Märzgefallenen« (»progressiv«) und »Die Krönung Wilhelms I.« (»reaktionär«) von Adolph von Menzel lässt sich zeigen, wie wenig hilfreich eine rein politische Beurteilung von Kunstwerken ist. Helmut Börsch-Supan, Menzel und das zeitgenössische Ereignisbild, in: Bilder der Macht 1997 (wie Anm. 32), S. 499-511, S. 506, 508.

65 Herz 1994 (wie Anm. 3), S. 13.

Porträts

Porträts

Berghof, Hitler, Anfang April 1944

Das Bild gehört heute zu den bekanntesten und am häufigsten veröffentlichten Fotos von Frentz aus dem Dritten Reich. Meist ohne Nennung des Fotografen wird es seit den frühen 1980er Jahren für zahllose Buch- und Zeitschriftentitel verwendet. Kein anderes Foto hat den Umstand, dass im Dritten Reich in Farbe fotografiert wurde, stärker verbreitet. Aber nicht nur die Farbigkeit, auch die Art der Darstellung selbst ließen das Bild zu einer der weitverbreitetsten Porträts Hitlers werden. Viele glaubten und glauben, in dem Bild einen »anderen Hitler« erkennen zu können: Die schlichte Kleidung, die verkrampfte rechte Hand, der »melancholische« Ausdruck wurden meist als authentisch und ohne Pose empfunden.

Hitler im Flugzeug, 1942/43

Die Aufnahme ist ein Diapositiv und nicht datiert. Da Frentz Hitler auf vielen Flugreisen begleitete, lässt sich der Anlass nicht rekonstruieren. Damit bleibt unklar, ob das Bild in der Phase der Kriegserfolge oder angesichts der Niederlage entstand. Der Grund für Hitlers »melancholischen« Ausdruck lässt sich nicht feststellen. Das Bild zeigt in erster Linie, wie nah Frentz Hitler als Fotograf kommen konnte, und wie unauffällig er sein Handwerk zu verrichten verstand.

Berghof, Traudl Junge auf der Terrasse, 1943
Traudl Junge war vom Dezember 1942 bis zu Hitlers Selbstmord im April 1945 eine seiner vier Sekretärinnen. 1947/48 verfasste sie Erinnerungen unter dem Titel »Meine Zeit bei Adolf Hitler«, die erst 2002 veröffentlicht wurden. Bekannt wurde sie durch den Dokumentarfilm »Im toten Winkel. Hitlers Sekretärin« (Regie: André Heller, Othmar Schmiderer, Österreich 2002) sowie den Spielfilm »Der Untergang« (Regie: Oliver Hirschbiegel, D 2004). In ihren Erinnerungen beschrieb sie den Berghof ausführlich, obwohl sie insgesamt nur kurze Zeit dort verbracht und sich viel länger in der »Wolfschanze« aufgehalten hatte: »Wir wurden behandelt wie Gäste, waren aber nicht freiwillig hier, sondern blieben Angestellte. [...] Nur diejenigen, die festgelegte Dienstzeiten hatten und nicht untrennbar mit dem Tagesablauf des Führers verbunden waren, genossen die Berghofzeit aus vollen Zügen. Die anderen aber wurden eingespannt in Hitlers unregelmäßigen, anstrengenden und doch sehr eintönigen Tagesplan.«

Berghof, Eva Braun, um 1943

Hitler lernte Eva Braun 1929 als Angestellte im Münchner Atelier seines Leibfotografen Heinrich Hoffmann kennen. Ihr Verhältnis wurde vor der Öffentlichkeit bis 1945 sorgfältig verborgen. Dennoch existieren zahlreiche Fotos, die sie mit Hitler auf dem Berghof zeigen. Sowohl Hoffmann und sein Angestellter Hugo Jäger als auch Walter Frentz haben sie dort aufgenommen. Da auch Eva Braun selbst leidenschaftlich filmte und fotografierte, verstand sie sich mit Frentz sehr gut. Wie Frentz war auch sie bestrebt, Hitler in privaten Momenten festzuhalten. Laut Traudl Junge war sie die einzige Person, der Hitler das Fotografieren nie untersagte.

Kitzbühel (?), Leni Riefenstahl, 1944
Das Porträt entstand vermutlich während Riefenstahls Eheschließung mit dem Major der Gebirgsjäger
Peter Jacob im März 1944. Frentz gehörte bei der Feier in Kitzbühel zu den Gästen. Obwohl seine Arbeits-
beziehung mit Riefenstahl 1936 nach »Olympia« geendet hatte, pflegten sie ihr Leben lang einen engeren
Kontakt. Sie betrieben einen intensiven Briefwechsel und besuchten sich bis in die 1990er Jahre. In der
Bewertung ihrer Arbeit im Dritten Reich als künstlerisch und vor allem unpolitisch waren sie sich einig.

Wien, Ernst Heinkel und Frau mit den Söhnen Ernst (rechts) und Karl Ernst August,
Oktober/November 1943

Das Familienporträt entstand im Garten des Flugzeugingenieurs und Rüstungsindustriellen Ernst Heinkel in Wien-Hietzing. Wie aus den Kontaktbögen hervorgeht, suchte Frentz die Heinkels von Triest kommend auf, anschließend begab er sich wieder nach Italien. Außer dem Porträt machte er einige touristische Fotos von Wien. Es nicht anzunehmen, dass er den großen Umweg machte, um den Industriellen im Kreis der Familie zu fotografieren und die Stadt zu besichtigen. Denkbar ist, dass das Treffen der Vorbereitung eines Films über Heinkelsche Rüstungsprojekte diente. In den Jahren 1943 und 1944 arbeitete Frentz an mehreren internen Filmen über verschiedene Rüstungsprojekte. Heinkel hatte mehrere Flugzeugwerke mit Tausenden von Zwangsarbeitern in der »Ostmark« übernommen, nachdem seine Industriestandorte in Norddeutschland immer stärker durch alliierte Bomberflotten bedroht waren.

147

Belgien/Nordfrankreich, Heinrich Hoffmann, Anfang Juni 1940
Hoffmann war seit Anfang der 1920er Jahre Hitlers Fotograf. Er prägte das Bild des »Führers« in der Öffentlichkeit, denn fast alle im Dritten Reich veröffentlichten Aufnahmen Hitlers stammten von ihm. Er vermarktete seine Aufnahmen intensiv und hatte mehrere Angestellte, darunter Hugo Jäger oder Franz Gayk, der während des Krieges als ständiger Fotograf im Führerhauptquartier beschäftigt war. Im Gegensatz zu Frentz fotografierten Hoffmann und seine Mitarbeiter bis 1945 hauptsächlich schwarzweiß. Frentz scheint zu dem wesentlich älteren Hoffmann kein besonderes Verhältnis gehabt zu haben und bezeichnete ihn – wohl nicht ohne Neid auf dessen singuläre Stellung – als »Kapitalmonopolisten«. Hoffmann gehörte wie auch Frentz, Speer und Giesler zu Hitlers Entourage auf einer Fahrt durch Belgien und Nordfrankreich. Vermutlich nahm Frentz ihn auf, als er sich seinem wichtigsten Motiv, Hitler, widmete.

Belgien, Albert Speer, Anfang Juni 1940

Auf dem selben Film wie das Hoffmannporträt findet sich auch dieses Bild von Speer. Speer, zu jenem Zeitpunkt nur Hitlers Architekt und ohne militärische Funktion, trägt eine SS-Mütze. Das Bild scheint ihm gefallen zu haben, denn er bestellte einen Abzug im Format 9 x 12 bei Frentz. Durch Speers Empfehlung war Frentz 1933 Kameramann von Leni Riefenstahl geworden.

Nachdem Speer 1942 Rüstungsminister geworden war, begleitete ihn Frentz mehrfach auf Dienstreisen. 1944 beauftragte ihn Speer, einen Film über die V-Waffen zu drehen. Trotz der langjährigen Beziehung scheinen sie jedoch nicht befreundet gewesen zu sein. In Briefen aus der Nachkriegszeit siezten sie sich und Frentz sprach Speer mit »verehrter Reichsminister« an.

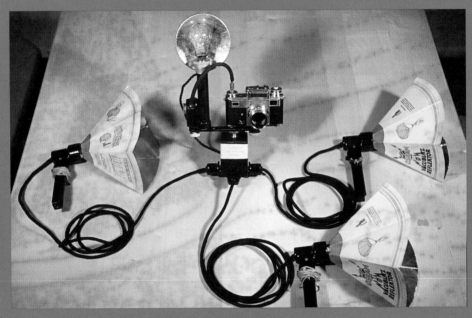

Frentz' Kameraausrüstung in der »Wolfschanze«

Das Fotostudio
im Führerhauptquartier 1942–1945

Fritz Todt, Reichsminister
für Bewaffnung und
Munition, Ende Januar 1942

Am 8. Februar 1942 stürzt das Flugzeug von Fritz Todt, Reichsminister für Bewaffnung und Munition, auf dem Flugplatz der Wolfschanze ab. Todt kommt ums Leben. Wenige Tage zuvor hat Walter Frentz farbige Porträtaufnahmen von ihm gemacht. Er zeigt die Fotos Hitler und dieser beauftragt ihn, von nun alle Größen des nationalsozialistischen Staates in Farbe zu fotografieren. Es ist der erste offizielle Foto-Auftrag für den Kameramann, aber nicht seine erste Porträtserie, denn bereits im Sommer 1941 hat er in Weißrussland etwa 70 Kriegsgefangene porträtiert. Für den neuen Auftrag richtet sich Frentz ein Fotostudio in der Wolfschanze ein. Bis 1945 entstehen über 3.000 offizielle Farbporträts vor dem Vorhang des Studios. Generäle, nationalsozialistische Politiker, verbündete Staatschefs, Adjutanten, aber auch Sekretärinnen oder der Koch der Wolfschanze. Ein Kuriosum ist das 1944 entstandene Porträt von Hitlers Schäferhündin Blondi. Die größte Gruppe stellen soeben mit dem »Ritterkreuz« ausgezeichnete Soldaten. Wenn Frentz auf Reisen ist, macht sein Assistent Fritz Schwennicke die Aufnahmen. Manche der formal immer gleichen, an Passbilder oder Autogrammkarten erinnernden Fotos entstehen auch außerhalb der Wolfschanze, auf dem Obersalzberg oder bei den Porträtierten zuhause. Hitler erhält von den wichtigsten Bildnissen einen großformatigen Abzug. Diese lässt Frentz von dem darauf spezialisierten Fotografen Hermann Harz nach dem Duxochrom-Verfahren anfertigen. Die Entlohnung für Frentz kommt von Reichsleiter Martin Bormann.

Im Oktober 1942 werden einige der Aufnahmen bei einer Ausstellung unter dem Titel »Lebensnahe Zeitporträts« in Dresden gezeigt. 1943 folgt eine Ausstellung in der Berliner Kunsthalle - »Männer unserer Zeit«. Frentz selbst rühmt im Katalog den propagandistischen Nutzen der Farbporträts, indem er sie als »Mittler zwischen Führerschaft und Gefolgschaft« bezeichnet. Der breiten Masse sollen die Größen des Dritten Reiches

möglichst unmittelbar aber dennoch heldenhaft gegenübertreten. Die Kamera sieht Frentz in diesem Sinne als »Auge des Volkes«. Weiterhin beschreibt er, wie die Aufnahmen entstehen: »Zeit für die Aufnahme verlangen, bedeutet Gefahr, eine Absage zu erhalten, das Maximum sind meistens drei Minuten. Bei ganz Eiligen rollt dann folgendes Wortspiel ab: ›Los, los, los - also höchstens drei Minuten‹ – der Verschluß knipst zum ersten. - ›Sind Sie fertig?‹ ›Nein, Herr General, es war erst eine halbe Minute, ich mache im Allgemeinen vier bis sechs Aufnahmen.‹ ›Kommt gar nicht in Frage, mein Lieber, also los, noch eine‹ - der Verschluß knipst zum zweiten –. So, jetzt habe ich genug. Heil Hitler!‹ Und schon ist der Heros vor der Tür!«

Nicht nur nach dem Unfall von Fritz Todt erfüllen die Porträts eine Memorialfunktion. Nachdem beispielsweise der gerade einmal 20 Jahre alte Flieger Hans Strelow im März 1942 innerhalb einer Woche »Ritterkreuz« und »Eichenlaub« empfangen hat, lichtet Frentz ihn ab. Goebbels empfängt ihn im April und schreibt anschließend in sein Tagebuch: »Ich werde ... dafür sorgen, dass er auf dem einmal beschrittenen Wege eines wirklichen Volksheldentums auch charakterlich weiter fortschreitet.« Zwei Monate später ist Strelow tot - Selbstmord, nachdem er hinter den russischen Linien abgestürzt ist.

Frentz ist nicht der einzige Fotograf, der die Ritterkreuzträger porträtiert. Auch von den Mitarbeitern von Hitlers Fotografen Heinrich Hoffmann und in den Ateliers der Berufsfotografin Tita Binz werden die Ordensträger fotografiert. Im Gegensatz zu den Frentzschen Bildern werden diese Aufnahmen auch vervielfältigt und verkauft. Die meist jungen Ritterkreuzträger werden angehimmelt wie Stars, Autogrammkarten sind begehrte Sammelobjekte.

Erst nach dem Krieg beginnt auch Walter Frentz, mit den Aufnahmen Handel zu treiben. Zu den Kunden gehören die Porträtierten und deren Angehörige, Historiker und schließlich auch rechte Verlage. Großer Beliebtheit erfreuen sich die Aufnahmen bis heute auf rechten und rechtsextremen Internetseiten. Stets wird betont, mit Hilfe der Porträts werde lediglich »neutral« und »unpolitisch« das »ehrende Angedenken« von »Kriegshelden« bewahrt. Dass jedes einzelne Foto Teil einer von Hitler in Auftrag gegebenen Heldengalerie ist, wird meist verschwiegen.

1   2   3   4

5   6   7   8

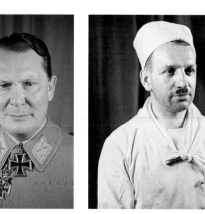

9   10   11   12

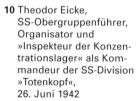

13   14   15   16

1 Heinrich Boigk,
Feldwebel,
18. Januar 1944

2 Zar Boris III.
von Bulgarien,
wohl 24. März 1942

3 Martin Bormann,
Reichsleiter und
»Sekretär des Führers«

4 Dr. Karl Brandt,
SS-Obersturmbannfüh-
rer, Begleitarzt Hitlers,
Organisator der
»Euthanasie«

5 Wilhelm Canaris,
Chef des militärischen
Geheimdiensts
(»Abwehr«)

6 Gerda Christian,
Sekretärin Hitlers

7 Léon Degrelle,
SS-Sturmbannführer,
Führer der
SS-Freiwilligenbrigade
»Wallonien«, 1944

8 Josef Dietrich,
SS-Obergruppenführer,
Kommandeur der
»Leibstandarte-SS
Adolf Hitler«,
1942 oder Anfang 1943

9 Karl Dönitz,
Großadmiral,
Oberbefehlshaber der
Kriegsmarine, Ende
1944 / Anfang 1945

10 Theodor Eicke,
SS-Obergruppenführer,
Organisator und
»Inspekteur der Konzen-
trationslager« als Kom-
mandeur der SS-Division
»Totenkopf«,
26. Juni 1942

11 Hermann Giesler,
Architekt

12 Joseph Goebbels,
Reichsminister für
Volksaufklärung und
Propaganda

13 Hermann Göring,
»Reichsmarschall«,
Oberbefehlshaber der
Luftwaffe

14 Otto Günther (»Krümel«),
Koch in den Führer-
hauptquartieren
»Wolfschanze« und
»Werwolf«

15 Franz Halder,
Generaloberst,
Generalstabschef des
Heeres, wohl 1942

16 Heinrich Himmler,
»Reichsführer-SS«

17 Ernst Kaltenbrunner,
SS-Obergruppenführer,
Chef des »Reichssicher-
heitshauptamtes«,
Dezember 1943

18 Wilhelm Keitel,
Generalfeldmarschall,
Chef des Oberkomman-
dos der Wehrmacht

19 Bernd Klug,
Korvettenkapitän,
Januar 1944

20 Walter Krupinski,
Oberleutnant der
Luftwaffe

21 Alfried Krupp von
Bohlen und Halbach,
Rüstungsindustrieller,
Mitglied von NSDAP
und SS

22 August von Mackensen,
Generalfeldmarschall
des 1. Weltkriegs

23 Hiroshi Oshima,
japanischer Botschafter

24 Joachim Peiper,
SS-Sturmbannführer,
27. Januar 1944

25 Ferdinand Porsche,
Hauptgeschäftsführer
des Volkswagenwerks,
Vorsitzender der
»Panzerkommission«,
Oberführer der SS,
Mitglied der NSDAP

26 Erwin Rommel,
Generalfeldmarschall,
wohl Februar 1942

27 Alfred Rosenberg,
Reichsminister für die
besetzten Ostgebiete

28 Schenk, Verwalter
des Berghofs,
Ende Februar 1944

29 Otto Skorzeny,
SS-Hauptsturmführer,
1943 oder 1944

30 Albert Speer,
Reichsminister für
Bewaffnung und
Munition

31 Johannes Steinhoff,
Oberst der Luftwaffe,
29. August 1944

32 Hans Strelow,
Leutnant der Luftwaffe,
Ende März 1942

17

18

19

20

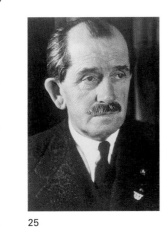

21

22

23

24

25

26

27

28

29

30

31

32

1 Terrasse des Berghofs, um 1943

CLAUDIA GOCHMANN

»Künftig knipst du bunt!«
Walter Frentz und die Farbfotografie
in Deutschland vor 1945

Im Oktober 1939 machte Walter Frentz bei einem Moskau-Aufenthalt seine ersten Farbfotos (Abb. S. 166).[1] Zu diesem Zeitpunkt war der moderne Farbfilm erst wenige Jahre auf dem Markt. 1935 hatte der amerikanische Konzern Kodak die erfolgreiche Entwicklung seines Dreischichtenfilms »Kodachrome« verkündet, 1936 war das deutsche Unternehmen Agfa mit dem Konkurrenzprodukt »Agfacolor« gefolgt. Beiden Firmen war es fast hundert Jahre nach der Erfindung der Fotografie endlich gelungen, unabhängig voneinander ein ähnliches Verfahren zu erarbeiten, mit dessen Hilfe auf der Basis der drei Grundfarben ein relativ naturgetreues sowie dauerhaftes fotografisches Bild hergestellt werden konnte. Bis dahin waren Versuche in dieser Richtung immer wieder fehlgeschlagen, obwohl schon seit der Mitte des 19. Jahrhunderts nach einem Weg gesucht wurde, durch Fotografie die Welt nicht nur in »überraschend genauer« Zeichnung abzubilden[2], sondern sie konsequenterweise auch in Farbe zu zeigen.[3] Doch so sehr man sich schon in der Frühzeit der Fotografie ihren physikalischen Gesetzen der Farbfotografie näherte, umso hartnäckiger entzogen sich die chemischen Probleme einer Lösung. Die Farben waren nicht lange haltbar, die Bilder zudem häufig farbstichig und in der Produktion arbeits- und kostenintensiv.[4] Als eine frühe Lösung des Problems bot sich das Einfärben oder Nachkolorieren von schwarzweißen Aufnahmen an, das sich zumeist auf die Hautfarben und die Kleidung konzentrierte. Verständlicherweise war man mit dieser Lösung nicht zufrieden und suchte weiter nach einem Weg, die noch offenen physikalischen und vor allem chemischen Probleme zu lösen. Dabei ging es den Pionieren der Farbfotografie bis weit in die 30er Jahre des 20. Jahrhunderts eher darum, die Farben überhaupt im Bild wiedergeben zu können als mit Farbe im Bild gestalterisch zu arbeiten.[5]

Der Grundstein für die Forschungen zum Mehr- oder Dreischichtenverfahren, das 1935/36 zum Durchbruch der Farbfotografie führte, wurde 1911/12 durch den Berliner Fotochemiker Rudolf Fischer gelegt.[6] Während sich Kodak mit Hilfe der beiden Berufsmusiker und Hobbywissenschaftler Leopold Mannes und Leo Godowsky in den USA das Patent sichern konnte, war es in Deutschland die IG Farbenindustrie, die aufgrund des Drucks aus den USA 1934 der Fotoabteilung von Agfa - die der IG Farbenindustrie angeschlossen war - den Auftrag gab, die bisherigen Farbverfahren zu verbessern.[7] Angestachelt durch das amerikanische Konkurrenzprodukt, dessen Fortschritte in den letzten Jahren beobachtet worden waren, konnte schon zwei Jahre später unter Dr. Wilhelm Schneider der Dreischichtenfilm »Agfacolor Neu«[8] vorgestellt werden, dessen übereinandergelegte Filmschichten für die Farben Rot, Grün und Blau empfindlich gemacht wurden.[9] Die Neuerung bestand nun darin, dass der damals von Fischer entdeckte, so genannte Farbkuppler bereits in der Filmemulsion beigefügt wurde im Unterschied zum Farbfilm von Kodachrome, bei dem die Kuppler die Farbschichten erst später im Entwicklerbad herauskehren ließen. Dadurch hatte Agfacolor gegenüber seinem Konkurrenten den entscheidenden Vorteil, grundsätzlich einfacher in der Verarbeitung und zudem sowohl für die Herstellung von Dia- und Negativfilmen als auch für die Filmproduktion anwendbar zu sein.[10] Der Vorteil des amerikanischen Verfahrens mit dem Farbkuppler im Entwicklerbad lag hingegen darin, dass sich keine Farbstoffwölkchen um die Silberkörner bilden konnten, so dass es ein feineres Korn gab und die Bilder dadurch eine größere Schärfe und eine höhere Detailauflösung aufwiesen.[11]

Neben seinen ersten Farbfotos von den Sehenswürdigkeiten Moskaus nahm Walter Frentz im Herbst 1939 sämtliche Motive auch in Schwarzweiß auf. Daher kann sicherlich vermutet werden, dass er dem für ihn neuen Medium noch nicht vollständig vertraute. Bis Mitte 1940 fotografierte er wieder ausschließlich in Schwarzweiß, dann mehr und mehr in Farbe, aber erst drei Jahre später war er von dem neuen Medium so überzeugt, dass er – von wenigen Ausnahmen abgesehen – nur noch in Farbe fotografierte. Die Motive seiner Farbfotografie der Jahre 1939-45 lassen sich in mehrere Gruppen unterteilen: Die wohl größte Gruppe bilden etwa 3.000 Porträts von hohen Politikern, Militärs, mit Orden ausgezeichneten Soldaten, Industriellen und verbündeten Staatsmännern, die er auf Wunsch Hitlers seit Anfang 1942 anfertigte.[12] Die zweite Gruppe sind Bilder von Hitler und dessen Umfeld im Kontext der Hauptquartiere. Ein auffallend großer Teil von diesen entstand vor der pittoresken Alpenkulisse des Berghofes, ein sehr viel kleinerer Teil in der weniger fotogenen Umgebung der Wolfschanze. Die dritte, ebenfalls große Gruppe wird von handwerklich professionellen, formal meist konventionellen Landschaftsbilder und Stadtansichten gebildet. Diese machte Frentz auf seinen zumeist halb dienstlichen, halb privaten Reisen. Die vierte Gruppe schließlich sind Farbaufnahmen, die im Zusammenhang mit offiziellen Filmaufträgen entstanden. Diese zeigen vor allem Rüstungsprojekte, von deren Erprobung bis zur Massenproduktion durch Zwangsarbeiter.[13]

Der Reiz der Farbfotografie bestand für ihn vermutlich – im Gegensatz zur abstrakten Schwarzweißfotografie - in ihrem größeren Naturalismus, womit Frentz in den Anfängen der modernen Farbfotografie nicht allein stand. Allgemein wurde das Farbfoto zu einer »Quasiwirklichkeit« hochstilisiert, in der sich die Erinnerung mit der Erscheinung mischte – oder anders ausgedrückt: »Farbe täuscht Wirklichkeit wirklicher vor als schwarzweiß.«[14]

Gleichzeitig konnte man mit der Farbfotografie eine positiv-manipulierte Erinnerungskultur heraufbeschwören, die nach gewonnenem Krieg von einer farbenfrohen Vergangenheit erzählt hätte.

Nicht nur Frentz sah die neuen naturalistischen Möglichkeiten als Hauptvorteil der Farbfotografie. Dies zeigen bereits die Reaktionen aus den ersten Jahren nach der Einführung des »Agfacolor«-Films. Als im Oktober 1936 die ersten Aufnahmen öffentlich vorgestellt wurden – zu denen auch Bilder von den Olympischen Spielen gehörten, die sich im Sommer als ideales Testfeld angeboten hatten – überschlugen sich die begeisterten Stimmen in der Presse. Über Farbfotos von den olympischen Schwimmwettbewerben schrieb eine Zeitung: » ... selbst die braungebrannten Menschen waren von den frisch angekommenen genau zu unterscheiden.«[15] Ein anderes Blatt ging in seiner Begeisterung so weit, dass es seine Leser aufforderte: »Künftig knipst du bunt!«[16] Und tatsächlich betätigten sich zunächst hauptsächlich Amateure und Knipser als Farbfotografen. Unter professionellen Fotografen spielte das neue Medium kaum eine Rolle, vor allem weil es in Deutschland fast keine Möglichkeiten gab, Farbfotografien zu veröffentlichen.

Von Beginn an wurde das Medium der Bevölkerung auch als nationale Errungenschaft präsentiert, so etwa wenn die Kölnische Volkszeitung das neue Verfahren einen »Triumph der deutschen Chemie« nannte.[17] Die farbige Bildproduktion sollte Teil einer gleichgeschalteten Erinnerungskultur sein, an der möglichst viele »Volksgenossen« mit fröhlich bunten Fotografien aus dem eigenen Leben teilnehmen sollten.[18] So bald wie möglich sollte man auf Farbe umschwenken und soviel wie möglich fotografieren, weswegen der Agfa-Rollfilm für die Kleinbildkameras subventioniert wurde und mit 3,80 RM dann auch deutlich billiger war als das Produkt von Kodak (6,50 RM).[19] Der angestrebte Boom blieb dennoch zunächst aus und die Fotoamateure akzeptierten die Farbfotografie nur langsam, obwohl der Markt mit sehr kostengünstigen Ratgebern zur Handhabung der neuen Farbfotografie regelrecht überschwemmt wurde.[20]

All diesen Publikationen war gemeinsam, dass sie sich an Amateure und Knipser richteten und diesen die Scheu vor der Farbe nehmen und gleichzeitig ihren noch ungeschulten Blick lenken wollten. Stets wurde betont, dass Farbigkeit nicht mit Buntheit zu verwechseln sei und das oberste Ziel eine übergeordnete harmonische Komposition bleibe.[21] Der Faktor Farbe trat gleichsam zu den anderen Bedingungen, die an das »schöne Bild« gestellt wurden, hinzu. Die besondere Schwierigkeit beim Faktor Farbe wurde darin gesehen, dass die Fotografie eine Momentaufnahme sei, bei der sekundenschnell ein Augenblick festgehalten wird, ohne dass der Hobbyfotograf das Bild gestalten könne wie etwa der Maler.[22] Daher müsse er neu lernen zu sehen, um sich der Farbfotografie zu nähern und ihre Eigentümlichkeit zu verstehen. Die Menschen mussten sich erst daran gewöhnen, dass in einer Farbfotografie eine sommerliche Linde nicht immer grün erschien, sondern je nach Tageszeit auch rötlich, bläulich oder goldgelb.[23] Farbige Fotos wirkten damals sehr stark durch ihre Buntheit auf den Betrachter, erst an zweiter Stelle standen die Inhalte.[24] Über ein Verständnis gegenüber dem neuen Medium hinaus sollte mit den Ratgebern auch eine Bildästhetik gleichgeschaltet werden, die die erwartete massenhafte Herstellung von farbigen Amateurfotografien bewusst steuern und regeln sollte.[25] Die Farbe war für das Volk gedacht, im Bereich der Kunstfotografie und offiziellen Dokumentationsfotografie blieb man beim Schwarzweiß. So sind auch die Ratgeber-Tipps zu verstehen, die die Vorzüge der Farbfotografie wegen der neu gewonnenen »Heiterkeit« anpriesen und dazu rieten, etwas Frohes, Schönes und Mitreißendes darzustellen.[26]

Dass es Walter Frentz bei seinen Farbbildern nicht um die Einhaltung dieser für den Amateur bestimmten Einheitsästhetik ging, ist nachzuvollziehen. Seit 1938/39 als offizieller Filmberichter der Wochenschau tätig und seit 1940 Kameramann im Führerhauptquartier, diente ihm der Fotoapparat zunächst einmal als Instrument zur Überprüfung und Dokumentation seiner offiziellen Filmtätigkeit, aber auch dazu, verschiedene offizielle und private Ereignisse im Umfeld Hitlers im Bild festzuhalten und für eben diesen Kreis von Menschen zu dokumentieren.[27] Dennoch hielt er sich als Fotograf weitgehend an die Konventionen des »schönen Bildes«, wie es von den Ratgebern postuliert wurde. Da er kein Reportagefotograf und somit keinem kommerziellen Verwertungsdruck ausgesetzt war, konnte er es sich leisten, betont unspektakuläre oder beiläufige Ereignisse oder Orte im Lebensumfeld seines »Führers« festzuhalten. Ein gutes Beispiel dafür sind etwa seine zahlreichen Aufnahmen der menschenleeren Terrasse des Berghofs – am Morgen und am Abend, im Winter wie im Sommer (Abb. 1). Häufig nahm er die umgebende Landschaft mit hinzu, die in seinen Personenaufnahmen eine auffallend große Rolle spielt. Oft nahm er einen möglichst weiten Winkel ein und entfernte sich bewusst vom »Hauptgeschehen«. Die dadurch gewonnene Distanz ermöglichte ihm Einstellungen, die er vermutlich von der

2 Eva Braun, Terrasse des Berghofs, um 1943

3 Hugo Jäger: Margarete (»Gretl«) Braun, München, um 1939

Arbeit mit der Filmkamera kannte und die einer Totalen gleichen, mit der man eine große Bandbreite an Informationen einfangen kann.

Ein weiteres Motiv für Frentz' Hinwendung zur Farbfotografie könnte die Tatsache gewesen sein, dass mit der Farbe mehr Informationen gesammelt werden konnten und die Bilder weniger abstrakt erschienen als bei der Schwarzweißfotografie. Farbige Fotografien sind direkter und eindringlicher und stehen dem damaligen Anspruch an die Fotografie, »Realität« zu dokumentieren - und nicht eine eigene Bildrealität zu schaffen -, näher. Dies dürfte auch den unmittelbaren Rezipienten seiner Fotos, also Hitler und seinem persönlichen Umfeld, gefallen haben. In diesem Kreis wurde die Fotografie nicht als ein in irgendeiner Form gestalterisches Medium betrachtet, sondern ihr kam die Aufgabe zu, bestimmte Menschen und Ereignisse wiedererkennbar im Bild festzuhalten. Durch die Sujets geraten Frentz' Bilder dann doch in einen gewissen Gegensatz zu der in den Ratgebern postulierten Farbfotografie. Dort wurde oft dar-

auf hingewiesen, dass bei Farbbildern fast zwangsläufig der Inhalt zugunsten der bunten Farbenwirkung zurücktrete. Die Bilder von Frentz betonen demgegenüber stark inhaltliche Gesichtspunkte und machen erst danach einer möglichen Farbenwirkung Platz.

Trotzdem wird es Frentz jederzeit bewusst gewesen sein, dass er mit Farben arbeitete. Auf einem Porträtschnappschuss von 1943 dreht sich Eva Braun gutgelaunt und selbstsicher zu Frentz (Abb. 2). Hitlers in der Öffentlichkeit geheimgehaltene Lebensgefährtin scheint bestens mit dem Kameramann vertraut gewesen zu sein. Den Oberkörper nach links gewendet, sind ihre Arme vom Körper weggestreckt und legen sich symmetrisch zur einen Seite auf ihr Knie, zur anderen auf die Stuhllehne. Zu dieser harmonischen Komposition kommt hinzu, dass der Fotograf auch auf die Farbenwirkung professionell geachtet hat. Die grüne Bluse, deren unterer Teil um ihre Taille gewickelt wurde, bildet ein klar definiertes Farbzentrum, das mit seinem warmen Grün zum eher warmen Blau der Stühle

4 Unbekannter Fotograf: PK-Fotograf Benno Wundshammer mit einer Ausgabe der Propagandazeitschrift »Signal« auf einem Feldflugplatz in Nordafrika, Anfang 1943

5 Arthur Grimm: Deutsche Soldaten markieren mit einer Hakenkreuzfahne die eigene Stellung, Soldatskaja (Kaukasus), Herbst 1942

und des Himmels passt. Es gibt keine knalligen Farben, keine angestrebten Kontraste, keinen Irritationsmoment. Im Grün der Bluse – Grün als Mischfarbe von Blau und Gelb - ist das Blau der Umgebung enthalten und das Blond der Haare sowie die Cremefarbe der Haut. Bei diesem Schnappschuss wird deutlich, dass Frentz nicht nur zeitlich im richtigen Moment, sondern auch im richtigen Farb-Moment auf den Auslöser gedrückt hat. Im übertragenen Sinne war dies genau das, was die Ratgeber mit ihren eindringlichen Verweisen auf eine Harmonie der Farben bewirken wollten.[28]

Seit 1941 führte Frentz meist eine Kamera mit farbigem Diafilm mit sich. 1943 wechselte er fast vollständig zum Farbfilm und benutzte nun meist zwei Kameras gleichzeitig. In eine von ihnen hatte er einen Diafilm eingelegt, die andere war mit einem Negativfilm ausgestattet.[29] Dies könnte durch unterschiedliche Verwertungsabsichten motiviert gewesen sein: Die Farbdias führte er vermutlich Mitarbeitern im Führerhauptquartier oder auch Hitler selbst bei Vorträgen vor. Einige Papierabzüge vom Negativfilm hingegen verkaufte er, allerdings an den gleichen Kreis von Personen. Die Möglichkeit, farbige Papierabzüge im Dreischichtenverfahren herzustellen, war 1943 noch ganz neu: Zwar hatte sich Agfa bereits seit 1936 bemüht, neben dem Diapositivfilm Agfacolor auch einen Farbfilm im Positiv-Negativ-Verfahren zu entwickeln, doch hatten diese Forschungen erst 1942 Erfolg.[30] Aufgrund der Materialknappheit wurden diese Farbfilme jedoch nicht gleich auf den Markt gebracht,

sondern zunächst den PK-Berichterstattern zur Verfügung gestellt, so dass es sicherlich nur Frentz' Position innerhalb des engeren Umkreises um Hitler zu verdanken war, dass er stets mit dem Filmmaterial versorgt war.

Walter Frentz war nicht der einzige Fotograf, der im Umfeld Hitlers in Farbe fotografierte. Hitlers Leibfotograf Heinrich Hoffmann fotografierte zwar selbst nur in schwarzweiß, aber sein Mitarbeiter Hugo Jäger begann schon etwa 1937 damit, in Farbe zu fotografieren. Als professioneller Bildberichterstatter war er in erster Linie für offizielle Parteiveranstaltungen der NSDAP zuständig, hatte aber in den Jahren 1938 bis 1940 auch Zugang zum engeren Umfeld Hitlers.[31] Viel stärker als Frentz arbeitete er bewusst mit der Farbe als eigenständigem Gestaltungsmittel. Als er beispielsweise 1939 Eva Brauns jüngere Schwester Margarete (»Gretl«) Braun im Studio fotografierte (Abb. 3), galt sein Interesse offensichtlich einem in allen Farben des Regenbogens schillernden Rüschenpuff, der in einer schwarzweißen Aufnahme kaum eine Wirkung entfaltet hätte. Der auffordernde Gesichtsausdruck und die entblößten Schultern geben der Darstellung etwas Frivoles, der Vorhang und die sorgsam ondulierten Haare etwas Künstliches. Während in der Aufnahme von Frentz die Farbe den Eindruck von Unmittelbarkeit und Natürlichkeit verstärkt, hat sie bei Jäger eine fast gegenteilige Wirkung.

Jäger ist mit diesen Farbexperimenten eine Ausnahme unter den deutschen Farbfotografen der Zeit. Offizielle PK-Fotografen

6 Johannes Hähle: Opfer des deutschen Massakers in Kiew, 1. Oktober 1941

7 Hugo Jäger: Verwundeter deutscher Soldat, Russland, etwa 1941

wie Arthur Grimm, Hanns Hubmann oder Benno Wundshammer, die ihre Bilder unter anderem in der während des Krieges
weit verbreiteten Illustrierten »Signal« veröffentlichten (Abb.
4), lieferten auch mit ihren Farbaufnahmen schnell verständli-
che Inhalte im Dienste der Propaganda – stolze, überlegene
Soldaten (Abb. 5), modernste Waffentechnik, Politiker und
Militärs in unerschütterlicher Siegerpose.[32] Die Zeitschrift
»Signal« war eigens zur Verbreitung dieser Vorstellungswelt
geschaffen worden: Von April 1940 bis März 1945 kam die aufwendig hergestellte und stets mit einigen Farbseiten versehe-
ne Illustrierte alle zwei Wochen heraus und wurde in über 20
Sprachen übersetzt. Ihre Auflage betrug ungefähr 2,5 Millionen Exemplare.[33] Die Farbe diente hier nicht dem Experiment,
sondern allein der Unterstützung eines emotional steuerbaren
Bildinhalts. Zudem präsentierte sich der PK-Apparat mit der
Farbfotografie gleichzeitig als modern und volksnah. Die Ver-
kopplung von Farbfotografie und Propagandamagazin trug
sicherlich dazu bei, dass sich die Bildkonsumenten an das
neue Medium gewöhnten. Auch Frentz veröffentlichte 1944
zwei Fotografien in dem Magazin, womit er zeigte, dass er die
dort gewünschte Bildsprache zwar beherrschte – für sich persönlich aber meist nicht wählte, wenn er im Umkreis Hitlers
fotografierte.

Beim Betrachten der Farbfotos von Walter Frentz könnte der
Eindruck entstehen, das Medium sei im Dritten Reich ausschließlich genutzt worden, um handwerklich perfekte, schöne

Bilder zu machen, die die Verbrechen des Regimes ausblenden
oder auch die Realität des Krieges kaum einmal aufscheinen
lassen.

Tatsächlich haben jedoch PK-Fotografen durchaus die deutschen Verbrechen oder auch die eigenen Opfer in Farbe festgehalten. Allerdings wurden solche Bilder während des Krieges
grundsätzlich nicht veröffentlicht. Der PK-Fotograf Johannes
Hähle fotografierte am 1. Oktober 1941 die Hinterlassenschaf-
ten von Opfern der deutschen Judenmassaker in Babij Jar bei
Kiew[34] und noch am Straßenrand liegende Tote (Abb. 6), die
vermutlich bereits beim Marsch zum Ort des Massakers von
den Deutschen erschossen worden waren.

Auch Hugo Jäger, der nach seiner Verbannung aus dem
engeren Zirkel um Hitler seit 1940 ebenfalls als PK-Fotograf
arbeitete, fotografierte in einer drastischen Kriegsaufnahme
einen deutschen Soldaten, dem soeben der Arm abgeschossen
wurde (Abb. 7).

Der Appell, in Farbe zu fotografieren, ging auch an die Soldaten der deutschen Wehrmacht, wie ein Aufruf in der Zeitschrift
»Agfa Photoblätter« von 1941 zeigt: Da das Farbenbild »immer
so frisch, so fröhlich und echt wirkt«, was dem Weltbild des
Soldaten entspräche, sei ihm das Farbenfoto »stets ein wertvol-
les Dokument von unbezweifelbarer Echtheit.«[35] Damit waren
weder Fotos von sterbenden Kameraden noch von langen Mär-
schen im russischen Winter gemeint, sondern eine Art Ruhe-
pause, in der man den Alltag wegblenden soll, um zur Illusion

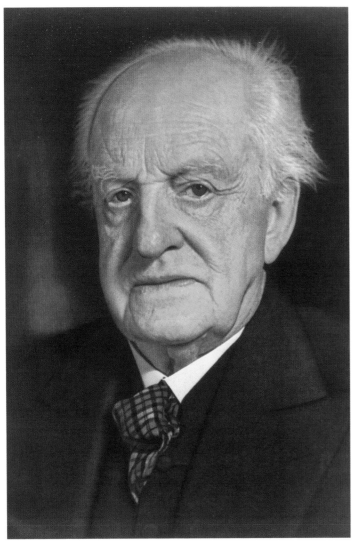

8 Erich Retzlaff: Gerhart Hauptmann, um 1943

9 Fritz Todt, Reichsminister für Bewaffnung und Munition, Ende Januar 1942

einer »schönen, heilen« Welt beizutragen: »Herausgerissen aus beruflicher Arbeit, den Bindungen und alltäglichen Sorgen des zivilen Daseins, betrachtet auch der Soldat Umgebung und Ereignisse mit klarem, einfachem Sinn.«[36]

Eine bis heute wenig beachtete Publikationsmöglichkeit für Farbfotografie waren so genannte »Farbenbücher«, also Bildbände, die in Deutschland bis 1944 erschienen und »in der Entwicklungsgeschichte des modernen Farbbildbands eine wichtige Etappe«[37] darstellen. Ein Pionier des Farbbildbands war der Frankfurter Dr. Paul Wolff. Er spielte auch in der Ratgeberliteratur und – über seinen Mitarbeiter Alfred Tritschler – in Propagandamedien wie »Signal« eine große Rolle. Schon 1936 publizierte er den Band »Was ich bei den Olympischen Spielen 1936 sah«, 1940 folgten farbige Industriefotografien unter dem Titel »Im Kraftfeld von Rüsselsheim«, in einer Auflage von 50.000 Exemplaren.[38] Ein weiterer fleißiger Farbenbuch-Hersteller war Kurt Peter Karfeld, der Titel wie »Die deutsche Donau« (1939), »Unsere Hunde« (1939), »Die Alpen in Farbe« (1940), »Italien und Südafrika« (1942) oder »Versunkene Kulturen, lebendige

Völker: Inka, Maya und Azteken« (1943) publizierte.[39] Auch der völkisch ausgerichtete Erich Retzlaff hatte mit Farbbildbänden wie »Niederdeutschland« (1940) und »Länder und Völker an der Donau« (1944) Erfolg. Mit dem großformatigen Farbporträtband »Das Gesicht des Geistes« veröffentlichte er noch 1944 eine den Frentzschen Staatsporträts formal vergleichbare Bildnisserie, nur dass hier nicht die Oberen des Dritten Reiches, sondern Geistesgrößen in monumental vergrößerten Porträts gefeiert wurden (Abb. 8).[40]

Schon an den Titeln der genannten Publikationen wird deutlich, dass die volksnahen Themen aus dem Amateurbereich geeignet waren, vom Kriegsgeschehen abzulenken. Zudem wurde mit nationalen Themen an den Patriotismus der Leser appelliert.

In den USA, wo Kodachrome marktbeherrschend war, sah die Lage ganz anders aus. Trotz des Kriegseintritts im Jahr 1941 breitete sich hier eine farbpublizistische Tätigkeit aus, deren Vorsprung in Deutschland und ganz Europa erst in den späten 50er Jahren wieder aufgeholt werden konnte.[41]

10 Porträtserie mit drei Offizieren, 1944 (Kontaktstreifen vom Farbfilm)

Für Walter Frentz stellte sich in den 40er Jahren wahrscheinlich nie die Frage, ob es einen Markt für seine Farbfotografien
gab oder ob das Publikum das neue Medium akzeptierte. Sein
Publikum war ihm zumeist persönlich bekannt und die Entscheidung, in Farbe zu fotografieren, kam vermutlich aus eigenem Antrieb bzw. wurde von seinem Auftraggeber – also Hitler
– gefördert und nicht unterbunden. Für die ehrwürdigen, stärker stilisierten Schwarzweiß-Aufnahmen gab es zudem Hitlers
offiziellen Leibfotografen Heinrich Hoffmann und dessen Angestellte.[42] Daher liegt es nahe, dass Frentz die Farbe als willkom-
menes Mittel erschien, um sich von dem gesamten Apparat um
Hoffmann zu unterscheiden. Die entscheidende Anstoß in dieser Richtung könnte Anfang 1942 erfolgt sein, als Hitler ihn
beauftragte, die Größen des Dritten Reichs – Politiker, hohe Militärs, Staatsgäste, Industrielle und v.a. Soldaten nach Ordensverleihungen – im Bild festzuhalten. Der Anlass für diesen Auftrag war der Unfalltod von Rüstungsminister Fritz Todt, den
Frentz kurz zuvor porträtiert hatte (Abb. 9). Es ist nicht bekannt,
ob Hitler speziell von der Farbigkeit des Todt-Porträts begeistert

war und deshalb eine farbige Serie wünschte. In jedem Fall ent-
standen bis 1945 ungefähr 3.000 Farbporträts, die auch nach
Kriegsende im Besitz von Walter Frentz blieben. Sie sind meist
Brustbilder, die im Studio oder vor einer Leinwand aufgenommen sind. Nur wenige der Porträtierten lächeln freundlich in die
Kamera, die meisten zeigen sich in ihrer gesamten militärischen
Pracht und versuchen, Ernst und Würde auszustrahlen. Für
Frentz war diese Porträtserie sicherlich der wichtigste fotografische Auftrag in seiner Karriere unter Hitler. Zwar kam er auch
als offizieller Kameramann nah an alle wichtigen Menschen in
den Hauptquartieren und an Besucher heran, doch bedeutete
die Serie die Möglichkeit, sich über das Einzelporträt auch als
Fotograf in das Bildgedächtnis dieser Ära einzuschreiben.

Die Farbe unterstützt diese emotionale Wirkung der Porträts.
Sie rücken so von der distanzierten Stilisierung und Erhöhung
einer Schwarzweiß-Fotografie ab und lassen die jeweiligen Porträtierten »menschlicher« erscheinen. Damit wurde aber auch
ein weiterer Vorteil erzielt: Mit der Farbe konnte ein direkter
Kontakt zum Volk aufgebaut werden, das sich nun in den Ge-

sichtern der Dargestellten buchstäblich wiederspiegeln konnte. Frentz selbst bezeichnete im Band zur Dresdner Tagung »Film und Farbe« von 1942, bei der einige der Porträts als Duxochromien öffentlich gezeigt worden waren, seine Kamera als »Auge des Volkes«.[43] Dieser Effekt der Farbe kam der Propaganda sehr gelegen, sollte er doch zeigen, dass die Führungselite Menschen aus Fleisch und Blut waren. Für den heutigen Betrachter tritt in vielen dieser Farbporträts dagegen das »Allzumenschliche« in den Vordergrund. Während Schwarzweißfotografien Distanz erzeugen, wird es durch Farbbilder erschwert, die NS-Zeit und ihre Protagonisten als etwas Fernliegendes und Einmaliges zu betrachten.

Walter Frentz ist, was die Farbfotografie betrifft, zur »richtigen« Zeit am «richtigen» Ort gewesen. In seiner Funktion als offizieller Bildberichterstatter immer ausgestattet mit dem neuesten Filmmaterial, kam er sehr viel näher an das Geschehen in den Hauptquartieren heran. Der Grund dafür scheint sein eher unauffälliges Wesen – trotz einer Körpergröße von fast zwei Metern – und seine, wohl auch für Hitler, vertrauenswürdige Art gewesen zu sein. Das Besondere aber an dieser Position war die fotografische Freiheit, die er mit präziser Unauffälligkeit genoss und die sein Selbstverständnis als Bilderproduzent des »Dritten Reiches« reflektiert. Indirekt hat er mit seinen Farbfotos trotzdem dazu beigetragen, dass sich die Führungselite eine positive Erinnerungskultur schaffen konnte – auch wenn dies nur innerhalb des eigenen Umfelds geschehen konnte, waren die Farbbilder von Frentz zumeist nur für dieses ausgewählte Publikum bestimmt. Was mit diesen Aufnahmen geschehen wäre, wenn Deutschland den Krieg gewonnen hätte, darüber lässt sich nur spekulieren.

1 Dies waren nicht die ersten Farbfotos der Stadt. Bereits um 1890 entstanden so genannte Fotochromien von Moskau.

2 Henry Fox Talbot, Der Stift der Natur (1844), in: Wolfgang Kemp, Theorie der Fotografie 1839-1912, Teil 1, München 1999, S. 60-63.

3 Aus einem Brief von Nicéphore Niépce an seinen Bruder Claude 1827 über seine Bemühungen hinsichtlich einer möglichen Farbaufzeichnung: »... aber ich muss noch einen Weg finden, um die Farbe zu fixieren.«, in: Beaumont Newhall, Geschichte der Fotografie, München 1989, S. 277.

4 Farbe im Photo. Die Geschichte der Farbphotographie von 1861 bis 1981, Ausst.-Kat. Josef-Haubrich-Kunsthalle, Köln 1981, S. 71 ff.

5 Gabriel Bauret, Color Photography, Paris 2001, o.p.

6 Farbe im Photo (wie Anm. 4), S. 133.

7 Das Berliner Agfa-Unternehmen hatte das Forschungsinstitut für Farbfotografie 1932 nach Wolfen ausgelagert; Gert Koshofer, Die Filmfabrik Wolfen und ihre Farbfilme, in: Die Filmfabrik Wolfen. Aus der Geschichte, Heft 4, Wolfen 1999.

8 Die Bezeichnung »Agfacolor Neu« sollte anfangs zur Unterscheidung von »Agfacolor« (1935) angewendet werden, der noch im alten Rasterverfahren angefertigt wurde; für eine Übersicht der Forschungen bis 1936 vgl. 50 Jahre Moderne Farbfotografie 1936-1986, Köln 1986, S. 8-25; und Farbe im Photo (wie Anm. 4), S. 133.

9 Hans Windisch, Die neue Foto-Schule, Seebruck am Chiemsee 1949, S. 209-211.

10 Während sich die Kodachrome-Erfinder Leopold Mannes und Leo Godowsky mit ihren Versuchen hauptsächlich um einen Farbfilm für die Fotografie bemühten, hatte Agfa immer auch die erfolgreiche Verwendung für Filmaufnahmen vor Augen. Ab Sommer 1939 konnte den deutschen Filmstudios – allen voran die UFA – Agfacolor Filme im Negativ-Positiv-Verfahren zur Verfügung gestellt werden. Am 31. Oktober 1941 wurde der erste abendfüllende Farbspielfilm »Frauen sind doch bessere Diplomaten« uraufgeführt. Etwa ein Jahr später wurde auf der Tagung »Film und Farbe« in Dresden der erste Negativfilm für Papierbilder vorgestellt. Gert Koshofer: Agfacolor, in: Farbfotografie 1986 (wie Anm. 8), S. 15.

11 Horst W. Staubach, Kodachrome, in: Farbfotografie 1986 (wie Anm. 8), S. 17.

12 Der plötzliche Tod des Rüstungsministers Fritz Todt 1942, den Frentz etwa eine Woche zuvor porträtiert hatte, soll Hitler dazu gebracht haben, Frentz zu beauftragen, die Größen des Dritten Reichs im Bild festzuhalten. Vgl. dazu S. 151.

13 Vgl. dazu den Beitrag von Bernd Boll in diesem Band.

14 Walter Boje (Hg.), Magie der Farben, Düsseldorf/Wien 1961, S. 12.

15 Farbfotografie 1986 (wie Anm. 8), S. 12.

16 Farbfotografie 1986 (wie Anm. 8), S. 12.

17 Farbfotografie 1986 (wie Anm. 8), S. 12.

18 Rolf Sachsse, Die Erziehung zum Wegsehen. Die Fotografie im NS-Staat, Köln 2003, S. 16 f.

19 Ebd., S. 150.

20 Hans Windisch, Schule der Farbenfotografie, Harzburg 1939 [5 Auflagen bis 1952]; Dr. Walter Kross, Wie macht man Farbphotos auf Agfacolor? Berlin 1940; Dr. Friedrich Bohne, Bessere Farbenfotos, Halle 1942; Dr. Paul Wolff, Meine Erfahrungen ... farbig, Frankfurt/Main 1942 [2. Aufl. ebd. 1948]. Zu Wolff: Sylvia Böhmer (Hg.), Paul Wolff. Fotografien der 20er und 30er Jahre (Ausst.-Kat. Suermondt-Ludwig-Museum Aachen), Aachen 2003; Dr. Otto Croy, Das farbige Porträt, Harzburg 1943; siehe auch: Eduard von Pagenhardt: Agfacolor, das farbige Lichtbild, München 1938; Prof. Dr. Erich Stenger: 100 Jahre Photographie und die Agfa, Berlin 1939. Auffällig sind die vielen, in den Büchern stets angegebenen Doktortitel, typisches Zeichen einer Ratgeberliteratur, bei der der Experte zum Laien spricht.

21 Croy 1943 (wie Anm. 20), S. 54.

22 Ebd., S. 17.

23 Ebd.

24 Ebd., S. 32.

25 Sachsse 2003 (wie Anm. 18), S. 151.

26 Windisch 1939 (wie Anm. 30), S. 34.

27 Im Nachlass von Walter Frentz haben sich zahlreiche Bestelllisten erhalten, aus denen hervorgeht, dass vorwiegend Personen aus seinem persönlichen Arbeitsumfeld Abzüge seiner Fotos anforderten.

28 Verweis auf die Ratgeber-Fußnote: Dr. Otto Croy: Das farbige Porträt, Harzburg 1943, S. 54.

29 Auskunft Hanns-Peter Frentz, 6. April 2006.

30 Schon 1939 konnte das Agfacolor Negativ-Positiv-Verfahren als erstes seiner Art vorgestellt werden, doch zunächst nur für Kinofilme. Im Oktober 1942 wurde dann der erste Agfacolor-Farbnegativfilm für Amateure vorgestellt. Im Januar desselben Jahres hatte bereits Kodachrome diesbezügliche Ergebnisse veröffentlicht; vgl. Gert Koshofer, Chronologie, S. 357, in: 50 Jahre Moderne Farbfotografie (wie Anm. 8).

31 Über die Person Jägers ist bislang wenig bekannt. 1966 erwarb der amerikanische Bildredakteur John G. Morris große Teile des Nachlasses für Time Life Books, weitere Bilder befinden sich im Deutschen Historischen Museum, Berlin.

32 Arthur Grimm (geb. 1909) war unter anderem Standfotograf bei Leni Riefenstahls Olympia-Film. Nach dem Krieg arbeitete er als Filmfotograf bei Spielfilmen und beim Fernsehen. Hanns Hubmann (1910-1996) konnte sich in der Nachkriegszeit als erfolgreicher Bildreporter einen Namen machen. Benno Wundshammer (1913-1987) wurde Chefredakteur des Prominenten-Heftes »Revue«, für das er auch Modeaufnahmen machte.

33 Ulrich Pohlmann: Der farbige Krieg, in: Fotogeschichte 98 (2005), S. 19.

34 Der in 29 Aufnahmen erhaltene Agfacolorfilm des 1944 verstorbenen Hähle befindet sich heute im Archiv des Hamburger Instituts für Sozialforschung. Die Bilder wurden im Rahmen der Ausstellung »Verbrechen der Wehrmacht« erstmals öffentlich gezeigt. Präsentation der Bilder im Internet unter www.deathcamps.org/occupation/byalbum/list00.html

35 Dr. Walter Kross: Erst recht für den Soldaten – Farbenfotografie, in: Fotoblätter 6 (1941), S. 108, hier zit. nach Sachsse 2003 (wie Anm. 18), S. 330.

36 Ebd.

37 Pohlmann 2005 (wie Anm. 33), S. 17.

38 Vergl. Dr. Paul Wolff: Was ich bei den Olympischen Spielen 1936 sah, Berlin 1936; Heinrich Hauser: Im Kraftfeld von Rüsselsheim. Mit 80 Farbphotos von Paul Wolff, München 1940.

39 Kurt Peter Karfeld (Fotos) und Max Geisenheyner (Text): Zu den Palmen Libyens, München 1938; Kurt Peter Karfeld: Die deutsche Donau, Leipzig 1939; ders.: Unsere Hunde, München 1939; ders.: Die Alpen in Farbe, München 1940; ders.: Italien und Südafrika, München 1942; ders.: Versunkene Kulturen, lebendige Völker: Inka, Maya und Azteken, Berlin 1943.

40 Erich Retzlaff (Fotos) und Wilhelm Peßler (Text): Niederdeutschland. Landschaft und Volkstum, München 1940, Erich Retzlaff: Länder und Völker an der Donau, Wien 1944; ders.: Das Gesicht des Geistes, Berlin 1944. Den Grundgedanken des letzteren Bandes griff Retzlaff unter leicht verändertem Titel und mit schwarzweißen Abbildungen sowie stark verändertem Personal 1952 wieder auf: Erich Retzlaff, Das geistige Gesicht Deutschlands. Stuttgart 1952.

41 Walter Boje, Farbe – eine neue Dimension, S. 569, in: Peter Pollack (Hg.), Die Welt der Photographie, Düsseldorf/Wien 1962. Massenmedien wie die Magazine »Life«, »Vogue« oder »Harper's Bazaar« arbeiteten schon früh mit dem Farbbild, obwohl es im Druck um ein Vielfaches teurer war. Doch Hand in Hand mit der Werbeindustrie, die ebenfalls schnell auf die Farbe umschwenkte, konnten sie sich die teuren Farbdrucke leisten. Bereits 1937 erschien die erste farbige Modestrecke der Fotografin Louise Dahl-Wolfe für Harper's Bazaar, 1940 folgten ihr Horst P. Horst und Irving Penn für das Konkurrenzmagazin Vogue. 1937 war auch das Jahr, in dem die erste Farbreportage gezeigt wurde: der Brand des Luftschiffs »Hindenburg« in Lakehurst/New Jersey, erschienen im Sunday Mirror. Die Fotografen der FSA (Farm Security Administration) – mit ihren berühmten Vertretern Walker Evans, Dorothea Lange, Margarete Bourke-White und Jack Delano – begannen ebenfalls bereits um 1939, in Farbe zu dokumentieren.

42 Allerdings fotografierte auch der bereits erwähnte Hoffmann-Angestellte Hugo Jäger in Farbe, doch war er seit 1940 im Führerhauptquartier nicht mehr zugelassen, so dass er keine Konkurrenz für die Frentzsche Farbbildproduktion darstellte.

43 Walter Frentz, Lebensnahe Zeitporträts, in: Film und Farbe. Vorträge gehalten auf der gemeinsamen Jahrestagung »Film und Farbe«. Zusammengestellt von Joachim Grassmann und Walter Rahts (Schriftenreihe der Reichsfilmkammer, Bd. 9), S. 92.

Reisen 1939–1945 (Teil 1)

Nur wenige Deutsche dürften von 1939 bis 1945 so viel gereist sein wie Walter Frentz. Während der größte Teil seiner Generation – nicht nur in Deutschland – Soldat war, war Frentz als »Kameramann des Führers« im Deutschen Reich und im gesamten deutsch besetzten oder verbündeten Europa unterwegs: Belgien, Dänemark, Finnland, Frankreich, Italien, Jugoslawien, Kanalinseln, Lettland, Niederlande, Polen, Tschechoslowakei, Ukraine, Weißrussland. Auf all diesen Reisen verband er die offizielle Aufgabe mit privatem Interesse. Die Aufträge waren stets filmischer Natur. Er drehte beispielsweise 1942 für die Deutsche Wochenschau die Beschießung von Sewastopol auf der Krim oder 1943 die Baufortschritte am »Atlantikwall«. Die fotografischen Aufnahmen hingegen entstanden eher inoffiziell. Die wiederkehrenden Motive sind Landschaften, Baudenkmäler und Einheimische. Viele dieser Reisebilder wurden als Dias aufgenommen, weshalb man vermuten kann, dass Frentz sie im Führerhauptquartier vorgeführt hat. Mit Diavorträgen hatte er bereits Anfang der 1930er Jahre für den Kajaksport Werbung gemacht. Nur wenige Aufnahmen befriedigen das Interesse an systematischer Information. Der weitaus größere Teil zeigt den zerstreuten Blick des Touristen. Auch wenn Frentz Ereignisse wie ein Schützentreffen in Anwesenheit des Gauleiters fotografiert, ist der Stimmungsgehalt der Aufnahmen groß, der unmittelbare Informationswert dagegen gering. Falls seine Reisebilder im »Sperrkreis« gezeigt wurden, dürften sie primär der Unterhaltung und Ablenkung gedient haben. Es ist anzunehmen, dass die Wolfschanze ein außerordentlich reizarmer Ort gewesen sein muss. Fotos von bunt gekleideten Krim-Bäuerinnen, Fahrradfahrern in Dänemark oder Fischerbooten in pittoresken französischen Häfen wurden sicherlich gerne gesehen.

Wenn Frentz 1944 ganz offensichtlich dienstlich entsandt wurde, um Befestigungsanlagen in Norditalien zu fotografieren, zeigt er sie ästhetisch im Gegenlicht. Einen praktischen Nutzen – etwa in strategischem Sinn – haben solche Aufnahmen nicht. Selbst bei einer Fahrt im Gefolge Heinrich Himmlers nach Minsk im August 1941, die der Organisation des Holocaust diente, machte Frentz Bilder von fast ostentativer motivischer Unschuld – Bauernkinder, Museumsgebäude, Besuch einer ehemaligen Kolchose. Auch in den Reisebildern scheint sein Einverständnis mit dem nationalsozialistischen Weltbild hier und da auf, vor allem aber strebte er auch hier nach dem klassisch »guten Bild«.

Einige der während des Krieges gemachten Farbdias europäischer Sehenswürdigkeiten verwendete er nach dem Krieg für öffentliche Diavorträge.

Krim, Auto auf Uferstraße, April oder Juni 1942
Die Krim, an deren Schwarzmeerküste das Foto entstand, bereiste Frentz 1942 zweimal: zunächst Mitte April und dann noch einmal im Juni. Der Anlass für die erste Reise ist ungeklärt, beim zweiten Mal filmte er für die »Deutsche Wochenschau« die Beschießung von Sewastopol durch ein großkalibriges Eisenbahngeschütz. Der Wagen wurde Frentz vermutlich vor Ort zur Verfügung gestellt.

Moskau, Roter Platz, Oktober 1939
Bei seinem Aufenthalt in Moskau fotografierte Frentz erstmals in Farbe. Der Dia-Farbfilm war in Deutschland seit etwa drei Jahren auf dem Markt. Frentz' Farbbilder zeigen klassische Sehenswürdigkeiten der Stadt wie das Bolschoi-Theater, Bauten des Kremls oder den Roten Platz. Über den dienstlichen Hintergrund des Aufenthaltes ist nichts bekannt.

Le Mont-Saint-Michel, Blick von der Kirche auf den Ort, Mitte Mai 1943
Frentz besuchte Mont-Saint-Michel während der Arbeit an einer Geheimdokumentation über den »Atlantikwall«. Bereits für seinen Film »Artisten der Arbeit« (D 1937) hatte er Pfeiler halbfertiger Autobahnbrücken oder den Turm des Kölner Doms bestiegen. Auch am Ende des Krieges fotografierte er Städte wie Ulm oder Freiburg gern von Kirchtürmen aus der Vogelperspektive.

Kiew, zerstörte Uspenski-Kathedrale des Höhlen-Klosters, wohl 1942
1942 und 1943 hielt sich Frentz mehrfach in Kiew auf, das deutsche Truppen Ende September 1941 besetzt
hatten. Bei einem dieser Besuche besichtigte er das Höhlen-Kloster, eine der bedeutendsten Sehenswürdigkeiten der Stadt. Die zum Kloster gehörige, kunstgeschichtlich bedeutende Uspenski-Kathedrale war
am 3. November 1941, über einen Monat nach Einnahme der Stadt, gesprengt worden. Bis heute ist nicht
geklärt, ob die Deutschen oder die sowjetische Untergrundbewegung für die Zerstörung verantwortlich
waren. Beide Seiten verwerteten das Ereignis propagandistisch. Frentz machte mehrere Farbdias des zerstörten Kirchenbaus, die er möglicherweise im Führerhauptquartier vorführte. Die Kirche wurde in den
1990er Jahren rekonstruiert.

Kiew, zerstörte Uspenski-Kathedrale des Höhlen-Klosters, wohl 1942

Aus der zerstörten Kirche hielt Frentz durch einen Bogen einen pittoresken Ausblick auf den Fluss Dnjepr fest. Zerstörte Baudenkmäler fotografierte Frentz häufig, zunächst in den besetzten Gebieten, seit 1943 auch in Deutschland. Nach 1945 etablierten sich Aufnahmen dieser Art – in der Regel in schwarzweiß – zu einem eigenständigen Genre, der so genannten »Trümmerfotografie«. Zerstörte Kirchen gehörten zu ihren wichtigsten Motiven. Häufig stellten die Fotografen mehr oder weniger intakte religiöse Bildwerke in einem ansonsten verwüsteten Bau dar.

Weißrussland, Wachleute der Wehrmacht und SS-Angehörige in einem Kriegsgefangenenlager, 11.-16. Juli 1941
Kurz nach Beginn des Russlandfeldzugs reiste Walter Frentz nach Weißrussland und besuchte dort eines der großen Kriegsgefangenenlager.

Die zweite Person von links ist der Lagerkommandant, der der Wehrmacht angehörte. Rechts ein Wachmann der Wehrmacht mit einem Knüppel, den er vermutlich zur Züchtigung der Gefangenen verwendete.

Weißrussland, Karl Brandt untersucht im Kriegsgefangenenlager das Gebiss eines Gefangenen, 11.-16. Juli 1941

Frentz begleitete auf der Reise Karl Brandt, den SS-Begleitarzt Hitlers. Bei Kriegsbeginn 1939 hatte Brandt von Hitler persönlich den Auftrag erhalten, den Massenmord an Behinderten und Geisteskranken, die so genannte »Euthanasie«, zu organisieren. Er war auch an grausamen Menschenversuchen in Konzentrationslagern beteiligt. Brandt untersucht das Gebiss eines Gefangenen, möglicherweise unter »rassenkundlichen« Aspekten. Frentz und Brandt waren befreundet und schon vor dem Krieg gemeinsam unterwegs. Bislang ist nicht bekannt, warum beide die Reise nach Weißrussland unternahmen. Möglicherweise sollten sie die Lager inspizieren und, unterstützt durch das Bildmaterial, im Führerhauptquartier berichten. Denkbar wäre jedoch auch eine Reise aus eigenem Antrieb.

Weißrussland, Porträts von sowjetischen Kriegsgefangenen, 11.-16. Juli 1941

Sowjetischer Kriegsgefangener, Lager in Weißrussland, 11.-16. Juli 1941

dass Frentz die Bilder in der »Wolfschanze« gezeigt hat. Sie sind auch nicht publiziert worden. Es erscheint deshalb ebenso denkbar, dass Frentz die Serie aus eigenem Antrieb anfertigte. Auffallend ist die breite Auswahl der dargestellten Gefangenen – Alte und Junge, einfache Soldaten und Offiziere. Nur wenige von ihnen tragen zu diesem Zeitpunkt noch eine reguläre Uniform. Auf die schlechte Ausrüstung der Sowjetarmee wurde in der Propaganda häufig hingewiesen. Sie bestärkte die Deutschen in ihrem zunächst fast grenzenlosen Überlegenheitsgefühl. Weiterhin zeigen die Bilder verschiedene Volksgruppen, die in der Roten Armee vereint waren – Europäer, Asiaten oder Kaukasier. Ob man von einem »rassischen« Interesse bei Frentz sprechen kann, bleibt ungeklärt. Noch sehr viel stärker als in seiner offiziellen Studioporträtreihe (vgl. S. 150-153), führt die Farbigkeit zu geringerer Distanz. Der Betrachter rückt den dargestellten Menschen stärker auf den Leib – und damit auch umgekehrt –, als wenn es sich um Schwarzweiß-Bilder handeln würde.

Die Sterblichkeitsrate unter den sowjetischen Gefangenen war in den ersten Monaten nach dem Überfall außerordentlich hoch. Die Wehrmacht hatte sich auf die Versorgung einer solchen Masse von Gefangenen nicht vorbereitet. In einer Mischung aus rassistischem Überlegenheitsgefühl, Entvölkerungsphantasien, Gleichgültigkeit und Überforderung, ließ man bis zum Jahresende 1941 etwa zwei Millionen sowjetische Kriegsgefangene verhungern. Erst 1942 begann man, die Kriegsgefangenen in großem Umfang als Zwangsarbeiter einzusetzen. Jüdische und »asiatische« Angehörige der Roten Armee sowie Politische Kommissare wurden schon im Sommer 1941 selektiert und von den »Einsatzgruppen« ermordet.

Bei dem Besuch des weißrussischen Kriegsgefangenenlagers mit Karl Brandt fotografierte Frentz eine etwa 70 Bilder umfassende Diaserie mit Einzelporträts von Gefangenen. Nie zuvor hatte Frentz eine so große Zahl von Menschen hintereinander porträtiert. Der serielle Charakter lässt vermuten, dass ein offizielles Informationsbedürfnis über das gegnerische »Menschenmaterial« befriedigt werden sollte. Doch gibt es keinen Beleg,

1-12 Kriegsgefangenenlager in Weißrussland, Porträts von Gefangenen, 11.-16. Juli 1941

Minsk, Sockel des Lenindenkmals vor dem »Haus der Sowjets«,
14. August 1941
Die Lenindenkmäler, die die zentralen Plätze fast jeder sowjetischen Stadt
einnahmen, wurden von den deutschen Besatzern gestürzt und häufig liegen gelassen, um so die Niederlage des Bolschewismus zu symbolisieren.
Sie gehörten zu beliebten Motiven der privaten Fotografie deutscher Soldaten.

Minsk, Friseur auf einer Dachterrasse des »Hauses der Sowjets«, wohl 16. August 1941

Das moderne »Haus der Sowjets« hatte als eines von wenigen Gebäuden in der Stadt die Kämpfe unbeschädigt überstanden. Im August 1941 war es der Dienstsitz des »Höheren SS- und Polizeiführers Russland-Mitte«, Erich von dem Bach-Zelewski. Über dem Zeichen der Sowjetmacht wurde demonstrativ die SS-Fahne gehisst. Frentz dokumentierte hier eine Szene aus dem Alltag der Besatzer. Auf der Dachterrasse arbeiteten auch zwei jüdische Schneider, die mit Stoffflecken an der Kleidung gekennzeichnet waren. Sie sind ebenfalls auf zwei Schwarzweißaufnahmen (Kontaktbogen 4126) zu sehen (S. 178, Bilder 32 und 33).

Minsk

4124

Weißrußland: Minsk

**Die 3 Kontaktbögen der Reise nach Minsk
vom 14. bis zum 16. August 1941**

1 s/w-Negativfilm 4124, bis Nummer 27 vermutlich Aufnahmen vom
14. August 1941, anschließend vom 15. August 1941

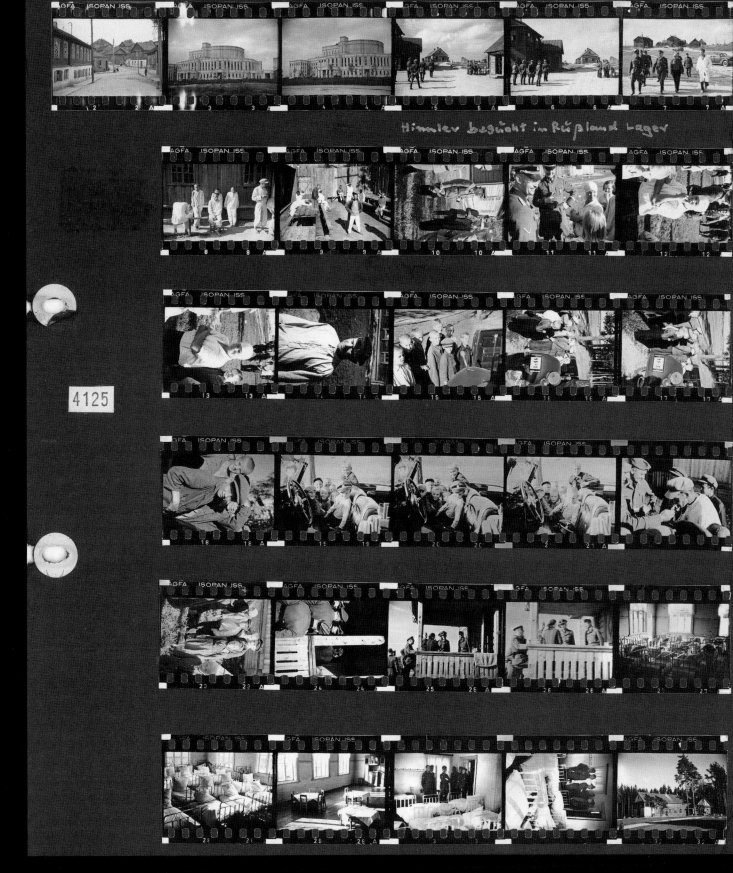

Himmler besucht in Rußland Lager

4125

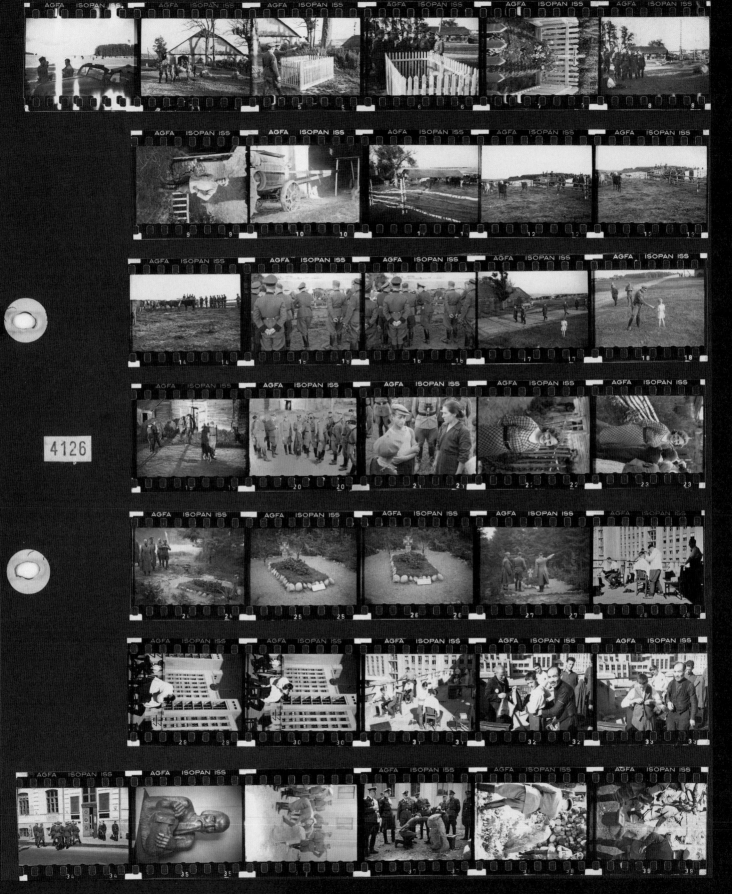

4126

3 s/w-Negativfilm 4126, bis Nummer 27 vermutlich Aufnahmen vom
15. August 1941, anschließend vom 16. August 1941

KLAUS HESSE

»...Gefangenenlager, Exekution, ...Irrenanstalt...« Walter Frentz' Reise nach Minsk im Gefolge Heinrich Himmlers im August 1941

Der historische Kontext

Durch seine Zugehörigkeit zur engeren Umgebung Hitlers waren Begegnungen mit anderen Mächtigen des »Dritten Reiches« für Walter Frentz nahezu alltäglich. Als Filmberichter der »Deutschen Wochenschau« und »Kameramann des Führers« begleitete Frentz zwar meist Hitler, gelegentlich aber auch Speer, Ribbentrop oder Göring. Die Reise mit Heinrich Himmler, »Reichsführer-SS und Chef der Deutschen Polizei« und »Reichskommissar für die Festigung deutschen Volkstums«, war deshalb nicht ungewöhnlich. Ihr besonderer Stellenwert ergibt sich aus ihrem zeitgeschichtlichen Kontext und der historischen Rolle ihrer Hauptfigur Himmler, dessen Reise nach Minsk in den meisten wissenschaftlichen Veröffentlichungen zur Geschichte des Holocaust erwähnt wird.[1] Dass Walter Frentz zu Himmlers Begleitung gehörte, hat erst spät, im Gefolge der quellenkritischen Edition von dessen Dienstkalender der Jahre 1941/42, vereinzelt Beachtung bei Historikern gefunden.[2]

Am 22. Juni 1941 hatte das deutsche Reich den Pakt mit Stalin gebrochen, dessen Abschluss Frentz als Kameramann in Moskau miterlebt hatte. Der damit entfesselte, von der NS-Rassen- und Herrenmenschenideologie bestimmte Eroberungs- und Vernichtungskrieg unterschied sich fundamental von den »Blitzkriegen« im Westen, aber auch von dem in Ansätzen bereits ähnliche Züge tragenden Vorgehen in Polen. Das »Unternehmen Barbarossa« war Hitlers »eigentlicher Krieg«.[3] Über militärische und wirtschaftliche Zwecke hinaus sah er ihn als »Weltanschauungskrieg« zur Vernichtung des »jüdischen Bolschewismus« und zur Eroberung von »Lebensraum im Osten«. Das zu besetzende sowjetische Territorium bis zum Ural sollte rücksichtslos ausgebeutet und kolonisiert werden. Seine politische »Befriedung« und »rassische Flurbereinigung« übertrug er Himmler.[4] Für »Sonderaufgaben im Auftrage des Führers, die sich aus dem endgültig auszutragenden Kampf zweier entgegengesetzter politischer Systeme ergeben«, wie es das »Oberkommando der Wehrmacht« lakonisch formulierte, operierten hinter der Front »Einsatzgruppen« der von Geheimer Staats- und Kriminalpolizei gebildeten »Sicherheitspolizei« und des »Sicherheitsdienstes« der SS sowie spezielle Brigaden der Waffen-SS.[5] Sie erschossen alle kommunistischen und jüdischen Partei- und Staatsfunktionäre und die »sonstigen radikalen Elemente«.[6] Nachdem anfangs vermutlich kein Befehl Hitlers zur unterschiedslosen Ermordung aller sowjetischen Juden vorlag, wurde der Vernichtungsauftrag bald schrittweise ausgeweitet. Seit dem Juli 1941 wurden nicht im Arbeitseinsatz befindliche jüdische Männer im wehrfähigen Alter zwischen 17 und 45 Jahren, unter dem Vorwand »standrechtlicher« Maßnahmen gegen »Saboteure«, »Plünderer« und »Partisanen«, als potentielle »Gegner« quasi präventiv erschossen. Gleichzeitig wurden unter den sowjetischen Kriegsgefangenen neben Politischen Kommissaren alle irgendwie »Verdächtigen«, jüdische und »asiatische« Soldaten selektiert und liquidiert. Im »Übergang von der selektiven Erschießungspraxis zum unterschiedslosen Massenmord« waren dann seit dem August 1941 jüdische alte Männer, Frauen und auch Kinder, die Himmler als potentielle künftige »Rächer« dämonisierte, die Opfer.[7] Unter Duldung, teils mit Billigung und Mitwirkung der Wehrmacht ermordeten SS und Polizei nun »sogar bevorzugt die ›Unproduktiven‹. Das war, darüber herrscht inzwischen Übereinkunft, unmittelbare Folge von Himmlers Besuch an der Ostfront am 15. und 16. August.«[8]

Himmler hat während mehrerer Inspektionsfahrten die praktische Durchführung der als »Sicherungsmaßnahmen« legitimierten Vernichtung gewissermaßen »evaluiert«. Durch persönliche Einwirkung »verstärkte er die regionale Dynamik des Tötungsprozesses – häufig auf weniger greifbare Weise als mit direkten Befehlen – (...) durch rhetorische Ermutigung von oben«.[9] Die Koordination überließ er den Verantwortlichen vor Ort. Vor allem seine Treffen mit den drei ihm direkt unterstellten »Höheren SS- und Polizeiführern« in Russland, Jeckeln, Prützmann und von dem Bach-Zelewski zwei Tage vor und während seiner Reise nach Minsk, bewirkten einen letzten Radikalisierungsschub.[10] Es war die »Vision des Sieges über die Sowjetunion, die den historischen Rahmen für die ›Endlösung‹ bildete.«[11] Bis Mitte August 1941 wurden etwa 50.000 sowjetische Juden ermordet, bis Jahresende jedoch annähernd 500.000.[12] »Im August war etwas Wesentliches in den Weiten Rußlands geschehen: Die Vernichtung der Juden hatte den Bereich des nur Möglichen verlassen und wurde nach und nach zur Realität.«[13]

Der Reiseverlauf

Dem Abflug am 14. August 1941 ging am Tag zuvor ein Gespräch Himmlers mit Hitler im »Führerhauptquartier« voraus.[14] Mit Himmler reisten außer seiner ständigen Begleitung zwei hochrangige SS-Führer: der Chef des »Persönlichen Stabes Reichsführer-SS« und Verbindungsoffizier Himmlers bei Hitler, Karl Wolff, und der »Höhere SS- und Polizeiführer Rußland-Nord«, Hans-Adolf Prützmann.[15] Walter Frentz gehörte als Leutnant der Luftwaffe als einziger Mitreisender bei Reisebeginn nicht der SS an, wurde aber noch während der Reise in die SS aufgenommen. In Himmlers Dienstkalender wird er als »Bildberichter« genannt.[16] Der als zweiter »Bildberichter« teilnehmende Fotograf Franz Gayk trug einen Unterführerdienstgrad der SS.[17] Der von Himmler für die Auswahl zu beschlagnahmender Kunstwerke aus dem Museum in Minsk hinzugezogene »Reichsbühnenbildner« Benno von Arent trug einen höheren »Ehrenführer«-Rang der SS.[18]

Wie auf den vorangegangenen Fahrten absolvierte Himmler »ein dichtgedrängtes Programm, das fast pausenlos mit Massenmord zu tun hatte«.[19] Am 14. August ließ er sich in Baranowicze vom Kommandeur der SS-Kavalleriebrigade, Hermann Fegelein, und dem »Höheren SS- und Polizeiführer Rußland-Mitte«, Erich von dem Bach-Zelewski, über den von ihnen geleiteten Ausrottungseinsatz im Pripjetgebiet Bericht erstatten.[20] Dann fuhr Himmler in Begleitung von dem Bach-Zelewskis über Lachowicze, wo ihm an der Aktion beteiligte Führer und Unterführer der Brigade vorgestellt wurden, nach Minsk, wo er im »Leninhaus«, das als Dienstsitz des »Höheren SS- und Polizeiführers Rußland-Mitte« diente, eine Besprechung mit Wolff, von dem Bach-Zelewski, Prützmann und dem Chef der vor Ort operierenden »Einsatzgruppe B«, Arthur Nebe, hatte.[21] Es ist nicht sicher, ob Himmler selbst dabei den Wunsch äußerte, eine Massenerschießung anzusehen oder ob ihm dies von von dem Bach-Zelewski, Nebe oder anderen vorgeschlagen wurde, ebenso wenig, ob dies kurzfristig entschieden wurde oder schon vorab geplant war. Am 14. August waren aber im Ghetto Minsk zahlreiche Verhaftungen vorgenommen worden.[22] Zudem fanden in einem in Minsk eingerichteten »Durchgangslager«, in dem zeitweise 40.000 männliche Zivilgefangene, Juden und Nichtjuden, und bis zu 100.000 Kriegsgefangene unter katastrophalen Bedingungen zusammengepfercht wurden, täglich Selektionen statt. Das »Einsatzkommando 8« der »Einsatzgruppe B« unter Dr. Otto Bradfisch führte jeden Tag Erschießungen von Gefängnis- und Lagerinsassen durch.[23] Die »Einsatzgruppe B« ermordete zeitweise täglich etwa 200 Menschen, 90% der Opfer waren zu diesem Zeitpunkt Juden.[24] Bis zum 20. August 1941 hatte sie eigenen Meldungen zufolge 16.964 Menschen ermordet. Sie kamen zum großen Teil aus dem Minsker Ghetto und dem Minsker »Durchgangslager«, deren Besichtigung ebenfalls zu Himmlers Besuchsprogramm gehörte.[25] Vor diesem Hintergrund hat es sich bei der Erschießung eher um einen von Himmler »inspizierten« Routinemord aus dem Dienstalltag sei-

ner Untergebenen gehandelt, der sich in seine übergeordneten Reiseintentionen fügte.[26]

Die von Himmlers Adjutant Grothmann später vorgenommene Eintragung in dessen Dienstkalender verzeichnet unter »Freitag, 15. August 1941«: »Vormittags: Beiwohnen bei einer Exekution von Partisanen und Juden in der Nähe von Minsk. Besichtigung eines Gefangenen-Durchgangslager[s]. 14.00 Mittagessen Leninhaus 15.00 Fahrt durch das Ghetto von Minsk – Besichtigung der Irrenanstalt. Anschließend Fahrt auf eine Sofiose [sic] (von SS bewirtschaftet) gegen Abend Rückfahrt nach Minsk Abendessen und Übernachtung Leninhaus.«[27] Abweichend hinsichtlich des Verlaufs findet sich in einer Abschrift des Tageskalenders von Walter Frentz der Eintrag: »Mit RF-SS Frühstück bei Ortskommandant Minsk, Gefangenenlager, Exekution, Mittagessen Leninhaus, Irrenanstalt, SS-Kolchose. RF-SS zwei russ. Jungens mitgenommen (für Berlin). Von Grf. Wolf [sic] als [Leerstelle] in die SS aufgenommen.«[28]

Über die Zahl der Opfer der vom »Einsatzkommando 8« und der ihm unterstellten 2. Kompanie des »Reserve-Polizeibataillons 9« durchgeführten Erschießung außerhalb von Minsk liegen abweichende Angaben vor.[29] Es ist von mindestens 80, vermutlich aber von mehr Opfern, möglicherweise über 300, darunter vereinzelt Frauen, die meisten Juden, auszugehen.[30] Die Durchführung erfolgte ohne militärische, standrechtliche Fassade und entsprach der alltäglichen Praxis der Täter. »Ohne Namensaufruf, ohne Verlesung eines Urteils oder Erschießungsbefehls hätten sie so, wie sie gruppenweise angefahren worden seien, in die Grube springen und sich auf den Bauch legen müssen«, heißt es in der Urteilsschrift des Landgerichts München II im Nachkriegsprozess gegen Himmlers Mitreisenden Karl Wolff.[31] 8-10 Täter schossen auf die gleiche Anzahl von Opfern. Diese wurden von hinten, liegend, durch Genick- oder Kopfschüsse getötet. Anschließend musste sich die nächste Gruppe von Opfern jeweils auf die vor ihnen Erschossenen legen.[32] Anwesend waren außer Himmler, Nebe, Bradfisch, von dem Bach-Zelewski und Wolff alle übrigen Reiseteilnehmer – also auch Walter Frentz. Dieser erinnerte sich später:«(...) wir haben dann ganz überraschend erfahren, dass am nächsten Tag eine Erschießung besucht wird. Und wir kamen dahin, dann waren da Gruben ausgehoben. Es kamen dann später (...) Lastwagen, mit ganz einfachen Leuten, so Bauerntypen, und die mussten sich auf Befehl da rein legen, Kopf nach unten, außen rum standen die Soldaten von der SS, jeder zielte auf einen anderen und auf Befehl schossen sie alle ab.«[33]

Nach Aussagen einzelner Zeugen und Tatbeteiligter im Zuge von Gerichtsverfahren der Nachkriegszeit soll Himmler während der Erschießung die Nerven verloren haben, was aber nicht als gesichert gelten kann. Im Zusammenhang mit der Schauexekution habe er sowohl den Befehl zur künftigen Ermordung auch von Frauen und Kindern gegeben als auch Nebe angewiesen, nach einer größere physische Distanz einräumenden, die Täter »schonenden« Mordmethode zu suchen. Die Erschießung am

4 Franz Gayk: Heinrich Himmler besichtigt das »Durchgangslager« für
Kriegs- und Zivilgefangene. Links neben Himmler (im Profil mit »Schiffchen«
-Kopfbedeckung, 4. v. r.) der Kommandeur des »Einsatzkommandos 8«,
Dr. Otto Bradfisch, neben diesem der »Höhere SS- und Polizeiführer Ruß-
land-Mitte«, Erich von dem Bach-Zelewski (6. v. r., im Profil, mit Brille).
Neben diesem ein Dolmetscher der Wehrmacht. Rechts am oberen Bild-
rand eine Filmkamera mit Linsenaufsatz, Minsk, 15. August 1941

5 Erich von dem Bach-Zelewski, Dr. Otto Bradfisch, Heinrich Himmler,
Himmlers Adjutant Werner Grothmann, ein Offizier der Ordnungspolizei, der
Chef des »Persönlichen Stabes Reichsführer-SS« Karl Wolff (von l. nach r.),
Minsk, wohl Vormittag des 15. August 1941

6 Heinrich Himmler im Gespräch mit weißrussischen Zivilisten, dahinter
(verdeckt) Erich von dem Bach-Zelewski, 3. v. r. der Chef des »Begleitkommandos Reichsführer-SS« und Leibwächter Himmlers, Josef Kiermaier,
Minsk, 15. August 1941

15. August ist u.a. deshalb in der historischen Forschung besonders beachtet worden. Die Augustreise und ein späterer Besuch
Himmlers im Raum Minsk/Mogilew sind außerdem mit dessen
Suche nach geeigneten Standorten künftiger Vernichtungslager
zur Ermordung aller europäischen Juden im deutschen Macht-
bereich in Zusammenhang gebracht worden.[34]

Aus verschiedenen, hier nicht ausführbaren Gründen handelte es sich jedoch keinesfalls, wie vom Tatbeteiligten von dem
Bach-Zelewski konstruiert, um die »Geburtsstunde der Gas-
kammer.« Desgleichen wurde auch der Befehl zum unterschiedslosen Massenmord an Frauen und Kindern auf komplexere
Weise durchgesetzt und vermittelt.[35] Es trifft dagegen vermutlich zu, dass Himmler entweder direkt im Anschluss oder bei
einem der »seelischen Betreuung« dienenden »Kameradschafts-

abend«[36] im »Leninhaus« die Erschießung gegenüber Zeugen
und Beteiligten als zwar widerliche, aber geschichtlich notwendige, legitime Abwehr der »jüdisch-bolschewistischen« Gefahr
vom deutschen Volk gerechtfertigt hat. Unsicher bleibt, ob
Himmler sich dabei öffentlich oder auf Befragen auf einen
»Führerbefehl« Hitlers berief. Walter Frentz erinnert sich: »Und
am Abend hat dann der Himmler zu seinen Leuten, die da mit
dabei waren bei der Erschießungsaktion, gesagt: Ihr werdet
Euch vielleicht wundern, daß so etwas gemacht wird, aber
wenn wir das nicht machen, würden die das mit uns machen.«[37]

Nach der Rückkehr nach Minsk und dem Mittagessen brach
man um 15 Uhr erneut auf. Die Fahrtroute führte durch das
Ghetto von Minsk in die wenige Kilometer außerhalb gelegene

7 Heinrich Himmler besichtigt die »Irrenanstalt« Nowinki bei Minsk. Im Hintergrund Gebäude der von der SS übernommenen und von Himmler ebenfalls besuchten Sowchose. V. l. n. r.: Karl Wolff, Dr. Otto Bradfisch, Erich von dem Bach-Zelewski, Himmler, russischer Übersetzer (?), ein Anstaltsarzt (?). Im Hintergrund beim »Einsatzkommando 8« eingesetzte Angehörige des »Nationalsozialistischen Kraftfahrkorps« (NSKK), 15. August 1941

»Irrenanstalt« von Nowinki, die Himmler in Begleitung der Reiseteilnehmer, von dem Bach-Zelewskis, Bradfischs und angeblich auch Nebes, besichtigte. Die Anstalt, in der im August 1941 350 Kranke untergebracht waren, lag auf dem Gelände einer anschließend besuchten, von der SS bewirtschafteten Sowchose.[38] Bei der Begehung soll Himmler Nebe beauftragt haben, »die Kranken dort zu ›erlösen‹«.[39] Himmler soll in diesem Zusammenhang zuerst mit Nebe über die Möglichkeiten gesprochen haben, »Menschen anders als durch Erschießen zu ermorden«.[40] In der Forschung geht man in der Regel davon aus, dass Nebe daraufhin in den folgenden Wochen Experten aus dem »Kriminaltechnischen Institut« der Reichskriminalpolizei, das schon vorher an der Entwicklung Gas verwendender Techniken zur Ermordung psychisch Kranker in Deutschland und im besetzten Polen beteiligt war, hinzuzog. Möglicherweise versuchte aber zuerst von dem Bach-Zelewski, wenn auch erfolglos, die Himmler-Anweisung umzusetzen.[41] Nebe führte im September 1941 in Mogilew Tötungsversuche an dort untergebrachten psychisch kranken Klinikinsassen mit Fahrzeugabgasen und Sprengstoff durch. Auch in Nowinki wurden am 18. September 1941 durch Giftgas 120 Kranke getötet, am 19. September weitere 80, darunter die jüdischen Insassen, erschos-

sen.[42] 92 arbeitende Patienten wurden am 5. November 1941 von deutscher Gendarmerie, die anschließend die Anstaltsbauten bezog, erschossen, andere Kranke zu Versuchszwecken von Nebe mit Sprengstoff getötet.[43]

Für den letzten Reisetag, den 16. August 1941 notierte Frentz: »Mit RFSS Aufnahmen vom Umkleiden der Kolchos-Jungen. Minsk, Museum besichtigt, dem Führer einen Aufriß vom Theater Minsk mitgenommen, Rückflug.«[44] Um 13.45 Uhr landete Himmlers Maschine im ostpreußischen Lötzen nahe der »Wolfschanze«. Für 14 Uhr vermerkte der Dienstkalender Himmlers: »Essen mit dem Führer.«[45]

Im Auftrag?
Anmerkungen zur filmischen Überlieferung der Reise

Sehr wenige Momentaufnahmen der Reise sind in einer 2,25 Minuten umfassenden 35mm-s/w-Filmsequenz überliefert, deren Urheberschaft bisher nicht feststellbar ist.[46] Es ist schwer vorstellbar, wer anderes als Frentz sie gedreht haben sollte. Sie enthält u.a. Himmlers Aufenthalt in Lachowicze am Nachmittag des 14. August, Szenen der Fahrt nach Minsk, die Abfahrt Himmlers, Bach-Zelewskis, Wolffs und Bradfischs vom »Leninhaus« entweder am Morgen oder am Nachmittag des

8, 9 Insassen der psychiatrischen Anstalt Nowinki bei Minsk am 15. August 1941. Alle dort untergebrachten Patienten wurden bis zum November 1941 ermordet.

15. August, Fahrtansichten des teilzerstörten Minsk sowie Himmlers Besichtigung des Minsker »Durchgangslagers«, aber weder Aufnahmen der Erschießung noch des Besuchs in Nowinki. Bei der Ankunft im Gefangenenlager sieht man kurz einen uniformierten Fotografen, vermutlich Gayk. Walter Frentz ist zu keinem Zeitpunkt zu erkennen. Es kann als sicher gelten, dass er für die »Deutsche Wochenschau« keine Filmaufnahmen der Reise lieferte.[47] Bei der Filmsequenz handelt es sich um Material, das vom »US Army Signal Corps« für den amerikanischen Anklagevertreter im Nürnberger Hauptkriegsverbrecherprozess kompiliert und vermutlich von den Sowjets zur Verfügung gestellt wurde. Es ergeben sich daraus keine Hinweise auf Urheberschaft, Provenienz, Beschaffenheit und Verbleib des Ausgangsmaterials, das hier vermutlich in stark verstümmelter Form vorliegt.[48]

Stammen die Filmaufnahmen tatsächlich von Frentz und nahm er an der Reise nach Minsk als Kameramann teil? Diese und andere Fragen wurden bislang nicht gestellt.[49] Bis heute ist die von Walter Frentz öffentlich vertretene Version einer Mitreise privater Natur, aus Langeweile und Neugier angetreten, unhinterfragt übernommen worden. Sie wird begünstigt durch eine von ihm mit hoher Wahrscheinlichkeit beeinflusste, deso-

late Quellenlage, die den sicheren Nachweis des Gegenteils außerordentlich erschwert. Massive Zweifel an Frentz Darstellung sind angebracht. Auf zahlreiche evident unsinnige oder unzutreffende, nicht zu belegende Angaben zur Reise, die er in Interviews nach 1945 gemacht hat, kann hier nicht näher eingegangen werden. Sie entbehren bei kritischer Prüfung jeder Grundlage. Nicht wenige dieser Äußerungen dienten direkt und indirekt seiner persönlichen Entlastung. Sie waren ganz offensichtlich häufig frei erfunden, sollten den Hintergrund der Reise verharmlosen und seine eigene Rolle in ein günstigeres Licht rücken. Bestenfalls könnte man sein fortgeschrittenes Alter verantwortlich machen, wären da nicht andererseits sehr präzise und verlässliche Erinnerungen immer dort, wo sie unverfänglich erschienen.[50]

»Ich wollte ja nur aus Neugierde mal nach Russland, weil wir ja nie wegkamen. Wir kamen nie an die Front« - der hier von Walter Frentz erweckte Eindruck, seine Minsk-Reise sei die erste Fahrt eines Neugierigen in »den Osten« gewesen, ist bewusst irreführend.[51] Vom 26. Juni bis zum 14. August hatte er bereits an drei Besuchen Hitlers im Hinterland der Ostfront teilgenommen, die sich von der Himmler-Fahrt, die auch ein Etappenunternehmen und keine »Frontfahrt« war, nicht grundsätzlich unterschieden.[52] Eine vierte Reise unternahm er einen Monat vor Minsk mit dem mit ihm befreundeten Begleitarzt Hitlers und »Euthanasie«-Mitverantwortlichen Dr. Karl Brandt.[53]

Walter Frentz hat sich über die Reise ausschließlich als nicht direkt beteiligter Zeitzeuge und nur zu der Erschießung am 15. August öffentlich geäußert. Erwähnt hat er lediglich ein von ihm angeblich fotografiertes Farbdia des Massakers, keine Filmaufnahmen. Seine Darstellung bleibt aber widersprüchlich. So hat er einerseits schriftlich eine Tätigkeit als Kameramann kategorisch bestritten: »Ich hatte selbst keine Filmkamera mit in Russland, da ich mehr aus persönlicher Neugierde den Flug nach Minsk mitmachte.«[54] Andererseits hat er sich in einer mündlichen Schilderung anders geäußert: »Also ich hab bewusst gedreht, weil ich gar nicht wusste, dass es so was gibt! Und ich wollte sehen, ob ich mit dieser Aufnahme irgend etwas Positives erreichen kann.«[55] Der Ausdruck »gedreht« kann nur als eindeutiger Hinweis auf ein Filmen der Erschießung verstanden werden. Nicht auszuschließen ist, dass er sich versprochen hat, denn im nächsten Satz ist von einer »Aufnahme« die Rede, mit der, wie aus dem Gesprächskontext hervorgeht, das Farbdia gemeint war, keine Filmaufnahme. Sein damaliger Gesprächspartner erinnert sich jedoch, Frentz habe »nie« Fotografieren und Filmen verwechselt.[56]

In seinem Tageskalender vermerkte Frentz für den 16. August: «Mit RFSS Aufnahmen vom Umkleiden der Kolchos-Jungen.«[57] Wären hiermit Fotografien gemeint, müssten sie bei den im Nachlass überlieferten Farb- und s/w-Aufnahmen zu finden sein. Zwei Fotos zeigen die Jungen, nicht aber deren Neueinkleidung. Erklären ließe sich dies nur mit einer unvollständigen Überlieferung im Nachlass, mit unpräziser Bildbeschreibung aus der Erinnerung oder aber damit, dass hier Filmaufnahmen gemeint waren und Fotos nie entstanden sind. Im Nachlass finden sich auch keine Bilder des Himmler-Besuchs im Gefangenenlager. Mit Ausnahme der Erschießung, von der Frentz wie erwähnt nur ein einziges Farbdia gemacht haben will, das er, angeblich auf Anweisung von Hitlers Wehrmachtsadjutanten Schmundt, später vernichtet haben will, sind von allen übrigen Stationen der Reise Fotos vorhanden. Warum entstand ausgerechnet vom Besuch des »Durchgangslagers«, einem wichtigen Programmpunkt von Himmlers Reise, kein einziges Foto, wenn die übrigen öffentlichen Termine mit Ausnahme der Erschießung fotografisch belegt sind? Weil Franz Gayk dies bereits mehrfach fotografierte? Weil Frentz derlei Aufnahmen schon bei der Fahrt mit Brandt gemacht hatte? Oder weil die Fotos später zu tabubelastet schienen um sie zu erhalten? Das erscheint eher unwahrscheinlich. Denkbar wäre dagegen, dass er den Besuch filmte und deshalb keine zusätzlichen Fotos machte. Dafür spricht auch, dass vom zweiten »Bildberichter« der Reisegruppe, Heinrich Hoffmanns Fotograf Franz Gayk, mehrere Fotos des Lagerbesuchs überliefert sind. Auf einem dieser Bilder (Abb. 1) ist am rechten Bildrand eine Filmkamera mit Linsenaufsatz zu erkennen. In vielen ähnlichen

»Schuss-Gegenschuss«-Arbeitssituationen haben Hoffmann oder Gayk, während sie Hitler fotografierten, oft auch den gleichzeitig dieselbe Szene filmenden Frentz im Bild festgehalten.[58] Der die Kamera führende Mann scheint auch überdurchschnittlich groß gewesen zu sein, was auf Frentz zuträfe.

Warum wurden in Himmlers Dienstkalender ausdrücklich zwei »Bildberichter« erwähnt, wenn nur einer von beiden, Gayk, »dienstlich« dabei war? Den übrigen Mitreisenden sind im Dienstkalender keine Funktionen zugeordnet worden, weil sie implizit bekannt waren. Gayk und Frentz gehörten aber nicht zu Himmlers, sondern zu Hitlers ständiger Umgebung. Dort hatten sie auf offizieller Ebene, unabhängig von Frentz fotografischer Tätigkeit, bis zum Ende des Krieges eine klare Arbeitsteilung: Frentz filmte, Gayk fotografierte. Vermutlich blieb dies auch während der Minsk-Reise so.

Der Historiker Christian Gerlach sieht Himmlers Reise vor dem Hintergrund der Entschlussbildung Hitlers zur Ermordung zuerst aller sowjetischen, dann aller Juden Europas. Er betont Hitlers zentrale Rolle bei der Auslösung der genozidalen »Endlösung« und untersucht die spezifische Form der »Kommunikation« weichenstellender Entscheidungen u.a. zwischen Hitler und Himmler. Gerlach geht davon aus, dass Walter Frentz im Auftrag reiste. Seines Erachtens wurde die Erschießung »gefilmt, und zwar wahrscheinlich für Hitler«, wobei er sich auch auf die diese Annahme stützende Aussage eines ehemaligen Tatbeteiligten bezieht.[59] Er hält die Teilnahme gleich zweier »Bildberichter« aus dem engeren Umfeld Hitlers deshalb nicht für zufällig, behauptet aber fälschlich, Frentz und Gayk seien im Dienstkalender als »Film«-Berichter erwähnt.[60] Ungewöhnlich erscheint, dass sich Himmler auf dieser Reise nicht von eigenen Fotografen, sondern von Hitlers persönlichem Kameramann und vom ständigen Fotografen Heinrich Hoffmanns im »Führerhauptquartier« begleiten ließ.

Himmlers Dienstkalender enthält eine weitere Eintragung, die an Frentz' Darstellung zweifeln lässt. Unter dem 19. November 1941 notierte Himmler handschriftlich: »20.15 Abendessen im Zug. Wochenschau u. Film von Minsk«.[61] Sehr wahrscheinlich handelte es sich um die Filmaufnahmen der August-Reise. »Wochenschau«-Ausgabe und »Film von Minsk« erscheinen als von Himmler ganz eindeutig getrennt. Zwar unternahm dieser bis November 1941 noch weitere Ostreisen, fuhr aber nicht noch einmal nach Minsk.

Gerlach weist hinsichtlich möglicher Gründe für Frentz' und Gayks Mitreise auf einen weiteren Aspekt hin, den bereits Fleming herausgearbeitet hat und den auch Kershaw hervorhebt: »Hitler war sehr darauf bedacht, laufend über die Mordoperationen in der Sowjetunion Berichte zu erhalten.«[62] Zur Ergänzung der über Heydrichs »Reichssicherheitshauptamt« (RSHA) an Hitler, Himmler und zahlreiche andere Personen und Stellen gehenden, regelmäßigen »Ereignismeldungen UdSSR des Chefs der Sicherheitspolizei und des SD«, die auf Berichten der »Einsatzgruppen« basierten, wies der Chef der Geheimen Staatspo-

10 Heinrich Himmler und Karl Wolff sprechen nach Besichtigung der psychiatrischen Anstalt Nowinki mit Bewohnern und Arbeiterinnen der dortigen Sowchose, 15. August 1941

11 Heinrich Himmler (2. v. r.) und sein Adjutant Werner Grothmann (3. v. r.) im Gespräch mit weißrussischen Landarbeiterinnen, Nowinki bei Minsk (?), 15. August 1941

lizei im RSHA, Heinrich Müller, in einem geheimen, verschlüsselt übermittelten Funk-Befehl diese am 1. August 1941 zusätzlich an: »Dem Führer soll [sic] von hier aus lfd. Berichte über die Arbeit der Einsatzgruppen im Osten vorgelegt werden. Zu diesem Zweck wird besonderes [sic] interessantes Anschauungsmaterial, wie Lichtbilder, Plakate, Flugblätter und andere Dokumente, benötigt.«[63]

Es ist heute gesichert, dass die SS die Massenmorde gegenüber der engeren NS–Nomenklatura nicht geheim hielt und diese und vor allem Hitler selbst über die Durchführung der Verbrechen im Osten ständig auf dem Laufenden gehalten wurden.[64] Fraglich bleibt dennoch, ob Hitler auch an einer Konkretisierung und Visualisierung der Informationen gelegen war oder ob nicht gerade dies in den Bereich der »täglichen Schmutzarbeit des Völkermords« fiel, von der er sich mit Bedacht fern hielt.[65] Die Anforderung von Fotos durch das RSHA belegt verlässlich nur, dass man dort eine Konkretisierung zum damaligen Zeitpunkt für nötig hielt oder sie ggf. ermöglichen wollte, nicht aber, ob und in welcher Form dieses Material Hitler dann wirklich vorgelegt, möglicherweise ihm aber auch vorenthalten oder nur »gefiltert« gezeigt wurde.

Es liegen kaum aussagefähige und verlässliche Quellen darüber vor, wie offen oder verdeckt zwischen Hitler und Himmler und in Hitlers engster Umgebung über Mord und Vernichtung und insbesondere über die Ermordung der Juden gesprochen wurde. Hitlers öffentliche antijüdische Äußerungen waren seit Kriegsbeginn unmissverständlich, seine Tiraden im engsten Kreis, aber auch gegenüber Politikern des Auslands gerade im Sommer 1941 teils von vulgärer, barbarischer Direktheit. Dabei erreichte die rassenideologische Gleichsetzung von »Judentum« und »Bolschewismus« gepaart mit einer zumeist biologistisch gefärbten Sprache eine frappierende Dichte. In Äußerungen gegenüber dem kroatischen Kriegsminister Kvaternik bezeichnete er das russische Volk als »bestialisch«. Man könne nur eines

mit solchen »Verbrechern« und »asozialen Elementen« tun, nämlich »sie vernichten«.[66] Solche Äußerungen hatten immer auch eine antijüdische Konnotation. Der professionelle Politiker in Hitler blieb jedoch sprachlich bewusst »generalisierend und abstrakt« und vermied durchweg Präzisierungen.[67] Die technischen Einzelheiten der Vernichtung blieben im unmittelbaren Umkreis Hitlers offenbar ein Tabuthema, was auf den ersten Blick auch gegen eine fotografische und filmische Dokumentation der Erschießung am 15. August durch Frentz für Hitler spräche.

Politisch-propagandistische Sprachregelungen erlaubten es aber, auch Vernichtungsaktionen als polizeiliche und militärische Sicherheitsmaßnahmen zu deklarieren. So handelte es sich bei den Hitler zugeleiteten Zahlenangaben zur Vernichtung offiziell um polizeiliche »Ereignismeldungen« und »Meldungen über Bandenbekämpfung«, die sich als gegenüber einem »bolschewistischen« Gegner militärisch geboten und kriegsrechtlich legitim darstellen ließen. Was Filme und Fotos vor diesem Hintergrund allen Tabuschranken zum Trotz zeigen durften, waren demzufolge im offiziellen Sprachgebrauch keine »Morde«, sondern »Maßnahmen« zur Bekämpfung von »Partisanen« hinter der Ostfront.[68] In dieser offiziellen und gleichzeitig tarnsprachlichen Lesart des Massenmordes wurden die Begriffe »Jude« und »Partisan« gezielt synonym verwendet, teilweise von den Akteuren möglicherweise auch so begriffen. Dabei benutzten Hitler und Himmler frühzeitig Stalins Aufruf zum Partisanenkrieg hinter der Front zur Legitimation ihrer Massenerschießungen. Auch die Erschießung am 15. August wurde im Dienstkalender Himmlers von seinem Adjutanten als »Exekution von Partisanen und Juden« eingetragen. Möglicherweise wurde sie auch für Frentz, Gayk und von Arent als nicht in die Organisation der Vernichtung Involvierte als militärisch notwendig und gerechtfertigt dargestellt, was auch ihre fotografische und filmische Dokumentation hätte enttabuisieren müssen. Angenommen eine auszugsweise Weitergabe von Bildern der Reise an

Hitler oder eine Vorführung von Aufnahmen für Hitler hätte stattgefunden, hätte sie vor diesem Hintergrund neben Ansichten von Minsker Bauten vermutlich auch Fotos der Erschießung enthalten können, ohne gegen das Tabu der offenen oder detaillierten Erörterung des Massenmordes zu verstoßen. Die Art der Durchführung der Erschießung, tätersprachlich wurde die Bezeichnung »Ölsardinenmethode« benutzt, hatte mit einer Exekution nach militärischen Regeln jedoch ganz offensichtlich nichts zu tun und war geeignet, die pseudolegitimatorische Fassade zu konterkarieren.[69] Jede fotografische und filmische Dokumentation hätte dies vermutlich berücksichtigen und die Bilder entsprechend arrangieren müssen. Sowohl Franz Gayk als auch Walter Frentz waren professionell in der Lage, solche Bilder zu liefern.

12 Auf dem Sowchosengelände in Nowinki lebende Kinder. Auf dem Areal war auch ein Kinderheim untergebracht. 15. August 1941

Sogenannte »Abwehrmaßnahmen« gegen Anschläge und Sabotage einer zu diesem Zeitpunkt allerdings noch gar nicht wirksamen sowjetischen Partisanenbewegung fanden im Sommer 1941 als »erbarmungslose Ausrottung artfremder Heimtücke und Grausamkeit« Zustimmung und Akzeptanz auch bei der Wehrmacht, trotz ihrer unübersehbaren Verschmelzung mit dem antijüdischen Vernichtungsfeldzug.[70] Der antibolschewistische Konsens von politischer Führung und militärischen Eliten des NS-Staates schloss vielmehr das barbarisch rücksichtslose Vorgehen gegen die jüdische Zivilbevölkerung in der Sowjetunion ausdrücklich mit ein, denn die Juden galten als »Hauptträger des Bolschewismus.«[71] Der auch militärisch gegenseitig mit äußerster Brutalität geführte Krieg »im Osten« galt von Beginn an als »ein Kampf gegen wilde Tiere«, wie sich Hitlers Sekretärin Christa Schröder bereits am 28. Juni 1941 in einem Brief an eine Freundin ausdrückte.[72]

» (...) nur gute Bilder machen« –
Anmerkungen zur fotografischen Überlieferung[73]
Himmlers Minsk-Reise ist partiell auch durch andere Fotografen dokumentiert. So finden sich in Untersuchungsakten des ehemaligen »Staatssicherheitsdienstes« der DDR vier technisch schlechte Privataufnahmen eines ehemaligen Angehörigen des »Einsatzkommandos 8«. Sie zeigen Himmler lachend mit Bradfisch beim Verlassen des »Leninhauses« am 15. August, den ein Autogramm gebenden Himmler sowie diesen, von dem Bach-Zelewski und vermutlich Wolff in ihrem vorbeifahrenden Fahrzeug.[74] Ein sehr ähnlicher »Knipser«-Schnappschuss Himmlers und Bradfischs findet sich im Staatsarchiv Freiburg.[75] Unklar bleibt, ob die Fotos am Vormittag oder am Nachmittag, vor oder nach der Erschießung, aufgenommen wurden. Mehrfach überliefert sind Bilder der Reise, die höchstwahrscheinlich Franz Gayk aufgenommen hat. Ohne Nennung des Fotografen finden sich unter »Hoffmann, Heinrich (Firma)« allein im Bildarchiv der Bayerischen Staatsbibliothek sieben jeweils Himmler fokussierende Szenen des Lagerbesuchs, eine davon zeigt ihn mit einem ihm vorgeführten Politischen Kommissar der Roten Armee. Weiter gibt es fünf Aufnahmen Himmlers im Gespräch mit Untergebenen, Soldaten und einheimischer Zivilbevölkerung, eine Aufnahme Himmlers vor dem Gebäude der Minsker Oper möglicherweise am 14. August, fünf Aufnahmen Himmlers während des Museumsbesuchs am 16. August und zwei Fotos von ihm am selben Tag kurz vor dem Abflug auf dem Feldflughafen Minsk. Eines davon zeigt ihn mit den von ihm »ausgesuchten« und nach Deutschland verschleppten russischen Jugendlichen, die auf diesem Foto bereits andere Kleidung tragen als auf den Aufnahmen von Walter Frentz vom Vortag.[76] Zur Ikone avanciert ist die Aufnahme Himmlers beim Besuch des »Durchgangslagers«, die in einem Detail zeigt, dass dieselbe Szene auch gefilmt wurde (Abb. 4).[77] Aufnahmen der Erschießung oder des Besuchs in der »Irrenanstalt« sind bisher nicht bekannt. Es ist denkbar, aber bisher nicht zu belegen, dass auch Gayk diese Stationen fotografiert hat.

Von Walter Frentz sind heute noch 130 s/w-Negativ- und Farbaufnahmen der Reise überliefert. Es ist nicht überprüfbar, wie viele Fotos er ursprünglich gemacht hat.[78] Das Farbdia, »wie die Polizei mit den Gewehren in diese Grube reinschießt«, will er nach der Rückkehr von der Reise vernichtet haben.[79] Keine der erhaltenen Aufnahmen lässt direkt etwas vom mörderischen Kontext der Reise erkennen. Über mögliche Verwendungsabsichten für diese Fotos wissen wir nichts. An Farbbildern sind noch 24 Motive vorhanden. 18 zeigen Minsker Stadtansichten wie den sowjetischen Monumentalbau des »Leninhauses«, die Oper, aus Hochbauten aufgenommene Überblicksansichten, orthodoxe Kirchen, Denkmäler der Sowjetzeit und, während des Museumsbesuchs am 16.8. aufgenommen, Gemälde der bolschewistischen Revolution und des Stalinkults. Eine Aufnahme zeigt symbolträchtig im »Leninhaus« untergebrachtes deutsches Polizeipersonal, im Hintergrund das Gebäude mit der über dem noch erhaltenen Symbol von Hammer und Sichel wehenden, schwarzen Fahne mit den Sig-Runen der SS. Unter fünf Dias von Einheimischen befindet sich eine Aufnahme Himmlers, der einem abgerissen gekleideten, blonden russischen Jungen in väterlich gütiger Pose die Hand auf die Schulter legt (Abb. 15, 16). Das aus leichter Untersicht fotografierte Bild gehört zu den meist publizierten Himmler-Aufnahmen der letzten 20 Jahre. Bei dem Jungen handelte es sich um einen der beiden erwähnten, nach Deutschland verschleppten Jugendlichen.

Zusätzlich zu den Farbdias sind 106 Aufnahmen auf s/w-Negativfilm erhalten. Teils spiegeln sie Frentz persönliche Vorlieben.[80] So finden sich 27 Stadtansichten vorwiegend des modernen Hochhauskomplexes des »Leninhauses«, andere, politisch symbolhafte Bilder zeigen das davor befindliche und von den Deutschen gestürzte Lenindenkmal. Weiterhin fotografierte Frentz auch in s/w die Oper und machte nur eine einzige »lyrische« Landschaftsaufnahme. Über 40 Fotos zeigen Stationen des offiziellen Besuchsprogramms.

Auf Gruppenaufnahmen stellt Frentz Himmler stets in den Mittelpunkt. Die Bilder fangen also die protokollarische und dienstliche Hierarchie perfekt ein. Einzelaufnahmen anderer Mitreisender finden sich nicht. Häufig fotografiert Frentz Begegnungen Himmlers mit der einheimischen Bevölkerung. Außerdem gelangen ihm zahlreiche atmosphärisch eindrucksvolle Fotos russischer Kinder, die durch die völlige Abwesenheit von Misstrauen oder scheuer Zurückhaltung verblüffen. Möglicherweise sind diese Eindrücke von Frentz gesucht und »gemacht«. Sie haben aber mit propagandistischen Bildstereotypen der Zeit – Tenor: vom Bolschewismus unterdrückte weißrussische Bauern begrüßen deutsche Befreier – wegen der Absenz jeder Spur sichtbaren Arrangements nichts gemein. Vielmehr wirken sie wie gelungene Beispiele klassischer Reisefotografie. Technisch sind sie in Schärfe, Licht und Bildaufbau von hervorstechender Qualität. In ihrer ästhetisierenden Sprache unterscheiden sie sich auffällig von den typischen Presseillustrationen Franz Gayks, von dem noch dazu keine ähnlichen Motive vorliegen.

Wie hinter einem dichten Vorhang scheint der historische Hintergrund der Reise außer in den Aufnahmen Himmlers und seiner Umgebung nur in sehr wenigen Momentaufnahmen durch. Die besonders in den Farbaufnahmen eingefangene hochsommerliche Atmosphäre wirkt im Kontext der politischen Organisation von Massenverbrechen irreal, ja gespenstisch. Ihre oberflächliche »Normalität« verlieren die Bilder für den heutigen Betrachter erst im Wissen um die eigentliche Geschichte dahinter, mit der sie auf den ersten Blick kaum etwas zu verbinden scheint.

Das Medium Fotografie ist in der Dokumentation historischen Geschehens bekanntlich nur von relativem, begrenztem Wert, in jedem Fall sind zunächst Situation und Kontext der Aufnahme zu klären. Auftrags- und Entstehungszusammenhang machen den Blick des Fotografen selektiv. Zusätzlich inszeniert und stilisiert er auch eine Gegenwelt zu den Geschehensbereichen, deren Abbildung ein Tabu darstellt. Walter Frentz war diese Problematik sicherlich bewusst, er fragte: »Wie kombiniere ich [die Aufnahme] (...) mit dem Möglichen, mit der Realität? Was mache ich an der Realität, durch mein Sehen, durch meine Einstellung?«[81]

13 Auf dem Sowchosengelände in Nowinki lebende Kinder bestaunen Himmlers Wagen. 15. August 1941

Weil Fotografie dabei teils handlungs- und zeitidentisch parallel verlaufende Geschehensebenen abbildet, können Fotografien zu »wahrhaftigen Lügen« werden, indem sie verschiedene authentische »Wirklichkeiten« separat interpretieren.[82] Einerseits werden Facetten des wirklichen Geschehens realistisch abgebildet, anderseits werden wesentlich relevantere oder charakteristischere Bestandteile der Realität völlig ausgeblendet oder auch arrangierend verformt. Frentz wusste, welche Bilder man in welchem Kontext von ihm erwartete. Dies gilt für die Fotos und Filme von und für Hitler und par excellence für die fotografische und filmische Dokumentation der Minsk-Reise, von der sich nicht ausschließen lässt, dass sie auch für Hitler entstand. Inwieweit sich das Ergebnis dieser Mischung von »picture-making« und »picture-taking« auch mit der persönlichen Realitätswahrnehmung des Fotografen deckt, ob es sich also um mehr als um eine »Instrumentalisierung des Sehens« gehandelt hat, darüber können fotografische Bildquellen in der Regel keine Auskunft geben.[83] Mangels entsprechender Selbstzeugnisse wissen wir nicht, was Walter Frentz selbst auf dieser Reise über seine professionelle Wahrnehmung hinaus gehört und gesehen hat, inwieweit es ihm möglich und vor allem ob er willens und fähig war, den spezifi-

187

14 Die Kinder in Himmlers Wagen, einer von ihnen trägt eine SS-Schirmmütze. 15. August 1941

schen historischen Hintergrund der Minsk-Reise momenthaft oder tiefer zu erfassen. Vermutlich hat ihn die Nähe zu Hitler aber persönlich weit stärker ideologisiert und politisch geprägt und seine Tätigkeit subjektiv beeinflusst als es seine Rechtfertigungslegenden späterer Jahre jemals erkennen lassen durften. Seine spätere Selbsteinschätzung als »unpolitisch« muss gerade vor dem Hintergrund der Minsk-Reise und seiner Aufnahme in die SS mit allergrößter Skepsis betrachtet, wenn nicht sogar als vordergründige Apologetik zurückgewiesen werden.

Eingedenk der Tatsache, dass das fotografische Resultat aufgrund des Kontextes seiner Entstehung kaum grundsätzlich anders hätte ausfallen dürfen, hat Frentz letztlich handwerklich perfekt eine parallel verlaufende eigene Bildgeschichte dieser Reise über ihren verbrecherischen Kern gelegt. Kontextuell vorgegebener, professionell-selektiver Blick und private Sichtweise erscheinen dabei nicht hart getrennt. Einige Aufnahmen machten jene Situationen zu technisch-kompositorisch hervorragenden Bildern, in denen Himmler seinem persönlichen Selbstbild und dem politisch-propagandistisch intendierten Außenbild entsprach. Keines der in der Wahl des Moments »kunstvollen« Bilder wirkt künstlich wie ein aufgesetztes Arrangement. Wie in einer

inszenatorischen Kongenialität von Fotograf und Hauptdarsteller erscheint Himmler auf den Fotografien von Walter Frentz als freundlich nahbare Führergestalt. In der Begegnung mit russischen Zivilisten wirkt dieser Mann, dessen Reden und Aussprüche nie einen Zweifel an seiner vor nichts zurückschreckenden Herrenmenschenhaltung zur slawischen Bevölkerung ließen, wie ein würdig-patriarchalischer Feudalherr des von ihm als »Reichskommissar für die Festigung deutschen Volkstums« zu germanisierenden, neuen »deutschen Ostens«, der dessen unterworfener Bevölkerung »menschlich« zu begegnen weiß, ohne eine strenge Distanz und Überlegenheit zu verlieren. Himmler erscheint hier genauso nahbar und gleichzeitig charismatisch stilisiert wie auch Hitler in vielen Fotografien von Walter Frentz. Selbst wenn diese Fotos Himmlers zumindest nicht unmittelbar zur Veröffentlichung bestimmt waren, hätte man sie jederzeit dafür verwenden können. Frentz wird das gewusst haben. Der Eindruck, den sie hinterlassen, ist in einem kritischen Nachruf, auf seine Hitler-Fotografien angewendet, treffend charakterisiert worden: »Zweifel sind seinen Bildern fremd. (...) Erst auf den zweiten Blick wird deutlich, dass Frentz mit anderen Mitteln fortgesetzt hat, was Heinrich Hoffmann (...) begonnen hatte: die

Darstellung des Heros Hitler (...) Der übertriebene dramatische Gestus ist (...) nicht länger notwendig. Es genügt Hitlers ernster, nachdenklich wirkender Blick (...) es genügen die entschlossen verschränkten Arme (...) um die heldische Pose in den Alltag des Staatsmanns und Kriegsherrn zwischen seinen Offizieren zu übertragen.«[84]

Hitlers Gefolgsmann Himmler zwischen seinen Offizieren, der selbsternannte »Fachmann« für Agrarwirtschaft, »Volkstum«, »Siedlung«, »Rasse«, für »Blut und Boden« besichtigt den eroberten neuen »Lebensraum im Osten«, das ist, auf einen zugegeben groben Nenner gebracht, die »Message« dieser Himmler-Bilder in ihrer Gesamtaussage.

Dass da Opfer waren, scheint in sehr wenigen Fotos wie zufällig auf, beispielsweise in zwei Aufnahmen von Patienten der »Irrenanstalt« Nowinki. Man ist dankbar, dass diese Fotos existieren, sonst verlöre man vollends den Kontakt zur eigentlichen Geschichte und hielte sie am Ende noch für fiktiv. Es sind in der bekannten bildlichen Überlieferung der Vernichtung seltene, sehr distanzierte, skeptische, aber nicht erkennbar feindliche oder entstellende, am Ende immer auch einen nüchtern-dokumentarischen Kern aufweisende Blicke auf »das Fremde«. Zwei Fotos zeigen vermutlich für SS und Polizei arbeitende, deshalb bis dahin überlebende jüdische Schneider auf einer Dachterrasse des »Leninhauses« wohl am 16. August 1941, zwei weitere, aus dem fahrenden Wagen aus größerer Distanz aufgenommen, mehrere mit groben gelben Flecken auf der Kleidung als »Juden« gekennzeichnete Bewohner des Minsker Ghettos. Das Bild von Himmlers Ankunft in Nowinki wirkt auf den heutigen Betrachter, als beträte der Herr über Leben und Tod seine Bühne (Abb. 7).

Zumindest einige der Fotos haben heute auch direkte ereignisgeschichtliche Aussagen. Sie repräsentieren darüber hinaus aber vor allem einen sehr spezifischen Ausschnitt von Bildmustern der NS-Fotografie in der Darstellung nationalsozialistischer »Führerpersönlichkeiten«. Frentz wollte die NS-Prominenz als »große« Männer »ihrer Zeit« zugleich charismatisch, sachlich und »menschlich« zeigen, sie insbesondere nicht entrücken. Auch Himmler hat er in den von ihm sorgfältig gestalteten Bildern der Minsk-Reise häufig so interpretiert.[85]

»Nur der Reproduzent des Geschehens«?
Walter Frentz und die Reise nach Minsk

Wie offen Walter Frentz, sollte er wirklich im Auftrag Hitlers oder Himmlers gereist sein, seine Aufgabe vermittelt wurde, ob er vorher wusste, dass er Zeuge einer Massenerschießung würde und diese auch zu filmen hätte, ob er trotz Auftrag in Unkenntnis reiste und erst vor Ort davon erfuhr, ob der Auftrag zuerst etwas anderes vorsah oder vorgab und sich dann »erweiterte« oder erweitert wurde oder ob Frentz am Ende doch nur einer von Tausenden soldatischer »Knipser« bei Vernichtungsaktionen war, wird sich mangels tragfähiger Quellen kaum jemals sicher beurteilen lassen. Er selbst hat zur Aufklä-

rung nichts beigetragen. Einem Antwortschreiben auf eine Rechercheanfrage des Historikers Christian Gerlach meint man im Gegenteil eine gewisse Verteidigungs- und Verweigerungshaltung anzumerken, was nachvollziehbar wäre.[86] Zusätzlich ist aber auch eine Spur Ressentiment mit antisemitischem Unterton zu erkennen.[87] Die Speer-Biographin Gitta Sereny gewann im Gespräch mit Frentz den Eindruck »Er filmte das Massaker« und bescheinigte ihm einen erstaunlichen »Gedächtnisverlust (unter dem viele litten, die in Hitlers Nähe gelebt hatten)«.[88]

In Bezug auf die Minsk-Reise nicht vorstellbar erscheint angesichts seiner vorherigen Reisen u.a. mit Brandt, aber auch angesichts seiner vielfältigen sonstigen Gesprächskontakte, dass Frentz damals ahnungslos gewesen sein soll, wie der Krieg »im Osten« geführt wurde.[89] Die Kenntnis von Massenerschießungen hatte sich damals bereits verbreitet. Sie war auch beim Verwaltungspersonal von Ministerien und Wehrmachtsstellen »angekommen«, in Ansätzen auch bei der Zivilbevölkerung »im Reich«. Auch und gerade im »Führerhauptquartier« wird hierüber gesprochen worden sein.[90] Angesichts massiver voyeuristischer Teilnahme von Wehrmachts- und Zivilpersonal als Zuschauer und als bisweilen freiwillig Mitwirkende bei Judenerschießungen waren an der Ostfront bereits Verbote »außerdienstlichen« Fotografierens ausgesprochen worden.[91] Filmen oder Fotografieren konnten nicht »dienstlich« Anwesende nur noch heimlich, mit Duldung, unentdeckt oder aufgrund eines Sonderstatus, den Frentz aber natürlich besaß. Als Kameramann Hitlers und in Himmlers Begleitung hätte man ihm das Filmen und Fotografieren schwerlich verwehrt. Frentz muss vorab nicht präzise gewusst haben, was ihn erwartete. Aber weil er ein Grundwissen von Himmlers Funktionen gehabt haben wird und aus den genannten anderen Gründen hätte er es sicher wissen können, wenn dieser Umstand für ihn überhaupt eine Rolle gespielt hat. So viele Freiheiten er auch hatte, als Angehöriger einer militärischen Propagandaeinheit war er letztlich Weisungen unterworfen. Vor allem aber war Frentz Hitlers »persönlicher Kameramann«, der von diesem gleichzeitig als sein »fliegender Holländer«, wie Frentz am 22. Januar 1941 eigens im Tageskalender notiert haben soll, bezeichnet wurde, ihn mit auf Reisen gewonnenen Bildeindrücken versorgte und dem Hitler »vertraute«.[92] Er sah sich neben seiner Haupttätigkeit für die »Wochenschau« auch als dessen »Auge.«[93] Sein professionelles Selbstverständnis war dabei nicht das eines Akteurs. Er sah sich vielmehr in einer dienenden Funktion: »Ich habe doch nur reproduziert. Ich habe doch nur das Geschehen gesehen und gefilmt. Ich selber hatte kein Geschehen. Ich war nur der Reproduzent des Geschehens.«[94]

Diese technokratische Haltung schloss Zweifel und Opposition aus und stellte das bedingungslose Mitmachen als pflichtbewusst und zugleich »unpolitisch« dar. Auf diese Weise legitimierte und verharmloste er das eigene Verhalten während des »Dritten Reiches«. Freilich teilte Walter Frentz eine solche Sicht der Dinge vor und nach 1945 mit Millionen Deutschen. Erst die-

sprächsmonologen als »Humanitätsduselei« denunziert. Ebenso wie während der Reise mit Himmler herrschte dort ein besonders hoher Konformitäts- und Loyalitätsdruck, dem Frentz alltäglich ausgesetzt war. Aber er stand noch dazu vermutlich in großem persönlichen Einklang mit Hitler. Beruflich war er arriviert, hatte Freiheiten, Möglichkeiten, Zukunft. Dies alles war mit diesem Mann und dem Milieu um ihn herum untrennbar verknüpft und stand zu dieser Zeit für Frentz vermutlich keinesfalls in Frage. Vor diesem Hintergrund dürften auch persönliche Karriere- und Opportunitätserwägungen, nicht zuletzt auch gegenüber Himmler und der SS, bei seiner Teilnahme an der Reise eine Rolle gespielt haben. Die Eintragung der Aufnahme in die SS in seinen Tageskalender am 15. August 1941 hätte Frentz kaum vorgenommen, wenn er sich wirklich innerlich dagegen gewehrt hätte, bei aller möglicherweise gebotenen diplomati-

15, 16 Heinrich Himmler wählt einen von ihm als »rassisch wertvoll« eingestuften Jungen aus, der anschließend mit einem weiteren Jungen nach Deutschland verschleppt wurde. Beide Kinder lebten wahrscheinlich bis dahin in dem besuchten Kinderheim. Linkes Bild: Josef Kiermaier, Karl Wolff, Himmler, ein Dolmetscher der Ordnungspolizei (?) (v. l. n. r.). Rechtes Bild: Dr. Otto Bradfisch, Erich von dem Bach-Zelewski, Kiermaier, Wolff, Himmler, der Dolmetscher und weitere Mitreisende (v. l. n. r.). Nowinki bei Minsk, 15. August 1941

se Einstellung machte auch den distanzierten, unbeteiligten, den »entleerten Blick hinter der Kamera« möglich, der es zuließ, »mit der Kamera eine Welt konstruieren zu können, zu der der Fotograf nicht gehört, sondern der er gegenübersteht und zu der ihn die Kamera auf Distanz hält.«[95] War dies nicht sogar Bedingung für eine handwerklich besessene, nach seinem eigenen Verständnis jedoch dadurch um so mehr »unpolitische« Tätigkeit als Kameramann und Fotograf Hitlers?[96] Frentz konnte vermutlich auf diese Art »ausblenden«, aber das musste er nicht einmal in einem mentalen Klima, das in der politisch-militärischen Situation des August 1941 in der engeren Umgebung Hitlers und in einem ganz besonderen »sozialen Biotop« wie dem »Führerhauptquartier« besonders prägend, möglicherweise auch radikalisierend gewirkt haben muss. Humanität gegenüber einem angeblich nicht menschlichen Feind wurde dort alltäglich von Hitler in Befehlen und Teege-

schen Zurückhaltung. Es war etwas Besonderes für ihn, vielleicht empfand er es als Auszeichnung, zu der das am selben Tag Erlebte dann aber offenkundig nicht im Widerspruch gestanden haben kann.[97] So eng wie Frentz beruflich und alltäglich mit Hitler und seinem Regime über viele Jahre verbunden war, hat er diesen als politische Figur, vor allem aber als private Person von ihrer verbrecherischen Wirkungs- und Handlungsweise entweder besonders nachhaltig getrennt oder er blieb demgegenüber zumindest indifferent. Beide Verhaltensweisen waren damals weit verbreitet. »Wenn das der Führer wüsste« – die Verantwortung für alles, was dem idealisierten persönlichen Führerbild nicht entsprach, ließ sich abspalten und delegieren. Aber Walter Frentz geriet durch die Erlebnisse in Minsk nicht in Konflikt mit Hitler. Am 16. August notierte er wie ein strebsamer, anhänglicher Schüler: »Dem Führer einen Aufriß vom Theater Minsk mitgenommen.« Am 21. August 1941, seinem 34. Geburtstag, vermerkte er nicht ohne Ergriffenheit und Stolz: »Beim Mittag- und Abendessen Ehrenplatz rechts vom Führer«, dann die Liste der teils prominenten Gratulanten, an erster Stelle wieder »der Führer.«[98]

»(...) Frentz (...) hat sich stets als Dokumentarist betrachtet, der nur aufzeichnet, jedoch selbst im Zentrum des Terrors nie teilgehabt habe an den Greueltaten des Dritten Reiches.«[99] Nicht zufällig hat Walter Frentz die Teilnahme an der Minsk-Reise deshalb später besonders tabuisiert, weil sie dieses möglicherweise nicht nur nach außen vertretene Selbstverständnis im Kern erschüttern musste. Hier war er den Verbrechen des »Dritten Reiches« nicht nur während der sicherlich mindestens eine Stunde, wahrscheinlich aber weit länger währenden Erschießung, sondern vermutlich auch in Gesprächen mit den Beteiligten und bei anderen Gelegenheiten während zweier Tage wiederholt und massiv konfrontiert. Dies gilt auch dann, wenn die Teilnahme an der Reise wirklich privater Natur gewesen sein sollte, denn in diesem Fall wäre er durch keine berufliche Tätigkeit, nicht durch Kamera und Fotoapparat vom Geschehen distanziert gewesen. Dessen auch in der Art der Durchführung erkennbarer, eindeutig verbrecherischer Charakter ließ sich weder innerlich noch nach außen leugnen, so sehr Walter Frentz versucht hat, diesen Zusammenhang nicht zum Thema werden zu lassen. Auch vor diesem Hintergrund war seine Vernichtung fotografischer Zeugnisse geradezu zwingend. Dieser »Vorgang«, wie Frentz die Erschießung in einem Gespräch sehr unterkühlt genannt hat, blieb sperrig.[100] Er ließ sich nicht wie seine Jahre mit Hitler mit bitterem Unterton zu »Vergangenheit« erklären und gleichsam persönlich historisieren.[101] Der »Vorgang« holte ihn mehrfach ein, wenn auch nur in der erträglichen Rolle des Zeitzeugen.

Obwohl sie vor dem Hintergrund seiner übrigen Arbeiten auf den ersten Blick einen von wenigen Sonderfällen darzustellen scheinen, bilden die Fotografien der Minsk-Reise durch ihren besonderen historischen Kontext teilweise in aller Härte ab, wozu sein mit professioneller Leidenschaft ausgeübtes Talent beitrug, nämlich »Führer« und führende Repräsentanten des NS-Regimes in oft brillant komponierten, niemals kritischen Filmaufnahmen und meist unveröffentlicht gebliebenen Fotografien visuell zu nobilitieren. Die äußerliche Mediokrität Hitlers, Himmlers und ihrer Umgebung hat er dabei filmisch-fotografisch häufig wirksam neutralisiert und ins »Menschliche« gewendet. Dies macht noch heute ganz wesentlich die zweideutige Anziehungskraft vieler seiner Bilder aus.

Es wäre in heutiger Betrachtung mehr als naiv, Frentz dabei bewiesene handwerkliche Perfektion als »Kunst« von der möglichen politischen Wirkung seiner ästhetisierenden Überformung der nationalsozialistischen »Banalität des Bösen« zu trennen.[102]

1 So schon 1953 bei Gerald Reitlinger, Die Endlösung. Hitlers Versuch der Ausrottung der Juden Europas 1939-1945, Berlin 1956, S. 234 f.

2 Spätestens durch Jürgen Stumpfhaus »Das Auge des Kameramannes. Walter Frentz. Ein dokumentarischer Film«, SWF Baden-Baden, 1992, war dies bekannt. Nach dem Fund des Terminkalenders Himmlers im Moskauer Sonderarchiv vgl. Peter Witte u.a. (Hg.), Der Dienstkalender Heinrich Himmlers 1941/42, Hamburg 1999, S. 193, S.680; vgl. ausführlich Christian Gerlach, Kalkulierte Morde. Die deutsche Wirtschafts- und Vernichtungspolitik in Weißrußland 1941-1944, Hamburg 1999, S. 571 ff. Visuelle Quellen wurden nur in Einzelfällen berücksichtigt.

3 Jürgen Förster, Das nationalsozialistische Herrschaftssystem und der Krieg gegen die Sowjetunion, in: Peter Jahn/Reinhard Rürup (Hg.), Erobern und Vernichten. Der Krieg gegen die Sowjetunion 1941-1945, Berlin 1991, S. 28-46, hier S. 33.

4 Förster 1991 (wie Anm. 3), S. 38.

5 »Richtlinien auf Sondergebieten zur Weisung Barbarossa« der Abteilung Landesverteidigung des OKW über Sonderaufgaben des »Reichsführers-SS« im Operationsgebiet, 13. März 1941, BA/MA RW 4/v. 522 (Kopie), zit. n. Peter Longerich (Hg.), Die Ermordung der europäischen Juden. Eine umfassende Dokumentation des Holocaust 1941-1945, München/Zürich 1989, S. 110.

6 Einsatzbefehl des »Chefs der Sicherheitspolizei und des SD«, Heydrich, an die »Höheren SS- und Polizeiführer« in der Sowjetunion betr. seine Weisungen an »Einsatzgruppen und -kommandos der Sicherheitspolizei und des SD«, 2. Juli 1941, BA R 70 Sowjetunion/32, Bl. 384-390, zit. n. Longerich 1989 (wie Anm. 5), S. 116.

7 Martin Cüppers, Wegbereiter der Shoah. Die Waffen-SS, der Kommandostab Reichsführer-SS und die Judenvernichtung 1939-1945, Darmstadt 2005, S. 186.

8 Götz Aly, »Endlösung«. Völkerverschiebung und der Mord an den europäischen Juden, Frankfurt a. M. 1995, S. 333.

9 Christopher Browning, Die Entfesselung der »Endlösung«. Nationalsozialistische Judenpolitik 1939-1942, München 2003, S. 376.

10 Vgl. u.a. Cüppers 2005 (wie Anm. 7), S. 182 f. Zu von dem Bach-Zelewski, Jeckeln u. Prützmann vgl. Ruth Bettina Birn, Die Höheren SS- und Polizeiführer. Himmlers Stellvertreter im Reich und in den besetzten Gebieten, Düsseldorf 1986, S. 331 f., S. 337 f., S. 342 f.

11 Förster 1991 (wie Anm. 3), S. 39.

12 Vgl. Philippe Burrin, Hitler und die Juden. Die Entscheidung für den Völkermord, Frankfurt a. M. 1993, S. 132, S. 106 ff.; Aly 1995 (wie Anm. 8), S. 283 ff.

13 Burrin 1993 (wie Anm. 12), S. 133.

14 Vgl. Witte u.a. 1999 (wie Anm. 2), S. 192.

15 Mit weiteren Angaben Witte u.a. 1999 (wie Anm. 2), S. 709, S. 729. Zu Wolff vgl. Birn 1986 (wie Anm. 10), S. 348 f.

16 Vgl. Witte u.a. 1999 (wie Anm. 2), S. 193. Mit Verweis auf die nach der Reise für Frentz angelegte SS-Stammkarte (25. August 1941) mit Dienstgradangleichung zum SS-Untersturmführer Witte u.a. 1999 (wie Anm. 2), S. 680. Belege für eine aktive spätere Ausübung der SS-Zugehörigkeit und weitere Dienstgradangleichungen fehlen. In der von Jürgen Stumpfhaus veranlassten Transkription von Walter Frentz Tageskalender findet sich am 15. August 1941 der Eintrag: «Von Grf. Wolf [sic] als ...[Leerstelle] in die SS aufgenommen.« Die näheren Gründe der Aufnahme sind ungeklärt. Die Leerstelle weist darauf hin, dass vermutlich erst zu klären war, welcher Dienstgrad zugrunde gelegt werden sollte und Frentz deshalb noch keine Eintragung vornahm oder aber wegen Unlesbarkeit die Originalfassung hier nicht transkribiert wurde. Ein direkter oder indirekter Zusammenhang mit der Minsk-Reise ist naheliegend, wenn auch nicht konkret nachweisbar. Die Aufnahme durch Wolff könnte auf eine Zuordnung von Frentz zum Arbeitsgebiet des von Wolff geleiteten »Persönlichen Stabes Reichsführer-SS« hinweisen. Zum Tageskalender vgl. Anm. 28 in diesem Beitrag. 1942 erhielt Frentz von der SS eine Drehgenehmigung für das KZ Theresienstadt. Ein entsprechender Film scheint jedoch nicht zustande gekommen zu sein. Vgl. dazu Gerlach 1999 (wie Anm. 2), S. 573 und den Beitrag von Matthias Struch in diesem Band.

17 Gayk war für Hitlers Leibfotograf Heinrich Hoffmann bis Kriegsende als Fotograf im »Führerhauptquartier« tätig und gehörte wie Frentz zu Hitlers Begleitung. Vgl. Witte u.a. 1999 (wie Anm. 2), S. 681; Rudolf Herz, Hoffmann & Hitler. Fotografie als Medium des Führer-Mythos, München 1994, S. 327.

18 Vgl. Witte u.a. 1999 (wie Anm. 2), S. 193, S. 196, Anm. 16, S. 666. Weitere Mitreisende waren Himmlers militärischer Adjutant, Werner Grothmann, Heydrichs Verbindungsoffizier bei Himmler, Hermann Dörner, der Mediziner Hermann Thull, Himmlers Leibwächter und Chef des »Begleitkommandos Reichsführer-SS«, Josef Kiermaier und Himmlers Ordonnanz Gerhard Koch. Mit weiteren Angaben Witte u.a. 1999 (wie Anm. 2), S. 192 f., S. 676 ff.

19 Gerlach 1999 (wie Anm. 2), S. 571. Zu Himmlers Inspektionsfahrten vgl. Witte u.a. 1999 (wie Anm. 2), S. 30.

20 Die vorläufige »Abschlussmeldung« der »Säuberungsaktion« meldete 13.788 »erschossene Plünderer«, die Tarnbezeichnung für ermordete Juden. Vgl. Witte u.a. 1999 (wie Anm. 2), S. 193, S. 663 ff. Vgl. auch Cüppers 2005 (wie Anm. 7), S. 142 ff.

21 Vgl. die plastische Schilderung der Wirkung von Himmlers Auftritt in Lachowicze in der Äußerung eines Unterführers der SS-Kavalleriebrigade - »Jetzt geht es aber rund, jetzt wird den Juden der Arsch aufgerissen« - bei Cüppers 2005 (wie Anm. 7), S. 182. Nebe war als Reichskriminaldirektor auch Chef der Reichskriminalpolizei, die als Amt V Teil des von Heydrich geleiteten Reichssicherheitshauptamtes war. Zu Nebe Witte u.a. 1999 (wie Anm. 2), S. 705.

22 Vgl. Witte u.a. 1999 (wie Anm. 2), S. 193; Christian Gerlach, Die Einsatzgruppe B, in: Andrej Angrick u.a., Die Einsatzgruppen in der besetzten Sowjetunion 1941/42. Die Tätigkeits- und Lageberichte des Chefs der Sicherheitspolizei und des SD, Berlin 1997, S. 52-70, hier S. 56; Gerlach 1999 (wie Anm. 2), S. 567.

23 Zu Bradfisch vgl. Gerlach 1999 (wie Anm. 2), S. 185, Anm. 350.

24 Vgl. Gerlach 1997 (wie Anm. 22), S. 54 f.

25 Vgl. Gerlach 1999 (wie Anm. 2), S. 567 f.

26 Gerlach 1999 (wie Anm. 2), S. 571 f. weist darauf hin, dass sich Himmler mehrfach Mordaktionen vorführen ließ.

27 Witte u.a. 1999 (wie Anm. 2), S. 195.

28 Tageskalender Walter Frentz, Transkription Jürgen Stumpfhaus. Das mit kurzen handschriftlichen Einträgen geführte Original lag Stumpfhaus bei der Arbeit an Film vor. Es wurde ihm zufolge nur auszugsweise transkribiert, ist aber im Nachlass Frentz heute nicht mehr auffindbar. Der Verbleib ist ungeklärt. Ein Abgleich der Transkription mit dem Original und die vollständige Einsichtnahme in die Transkription waren bedauerlicherweise nicht möglich. Jürgen Stumpfhaus stellte dem Verfasser zwei Seiten mit der Transkription der Einträge vom 30. Juli bis zum 28. August 1941 zur Verfügung.

29 Gerlach 1999 (wie Anm. 2), S. 571 nennt Smolewitschi oder Smilowitschi als mögliche, nicht identische Schauplätze. Vgl. auch Wolfgang Curilla, Die deutsche Ordnungspolizei und der Holocaust im Baltikum und in Weißrußland 1941-1944, Paderborn u.a. 2006, S. 432.

30 Vgl. u.a. Curilla 2006 (wie Anm. 29), S. 432.

31 Urteil gegen Karl Wolff, Lg. München II 1 Ks 1/64 v. 30. September 1964, in: Christiaan Frederik Rüter u.a., Justiz und NS-Verbrechen. Sammlung deutscher Strafurteile wegen nationalsozialistischer Tötungsverbrechen 1945-1966, Bd. XX, Amsterdam 1979, Lfd. Nr. 580 a-1, S. 434.

32 Ebd.

33 Stumpfhaus 1992 (wie Anm. 2), Mitschrift d. Verf. 2006.

34 Vgl. Christian Gerlach, Failure of Plans for an SS Extermination Camp in Mogilev, Belorussia, in: Holocaust and Genocide Studies 7 (1997) 1, S. 60-78.

35 Vgl. Browning 2003 (wie Anm. 9), S. 413 f., S. 452. Bereits vor dem August 1941 war bei der Ermordung psychisch Kranker im Deutschen Reich und im besetzten Polen der Einsatz von Kohlenmonoxid (CO) vor allem in Gaskammern der »Euthanasie«-Anstalten praktiziert worden. Im kausalen Zusammenhang mit Himmlers Minsk-Reise standen dagegen u.a. die von Nebe initiierten Versuche mit Auspuffabgasen für die Verwendung in so genannten »Gaswagen«.

36 »Die Eindrücke des Tages sind durch Abhaltung von Kameradschaftsabenden zu verwischen,« Befehl des Pol. Rgt. Mitte (Montua) betr. Erschießung von Juden v. 11. Juli 1941, zit. n. Wolfgang Benz u.a., Einsatz im »Reichskommissariat Ostland«. Dokumente zum Völkermord im Baltikum und in Weißrußland 1941-1944, Berlin 1998, S. 76.

37 Laurence Rees, The Nazis. A Warning from History, BBC, GB 1997, Mitschrift d. Verf. 2006.

38 Gerlach 1999 (wie Anm. 2), S. 1068, Anm. 74.

39 Gerlach 1999 (wie Anm. 2), S. 573.

40 Ebd.

41 Die häufig vertretene Annahme, Nebe sei der Erstempfänger des Himmler-Befehls gewesen, beruht auf Aussagen von dem Bach-Zelewskis, der sich nachweislich nach dem Krieg durch zahlreiche Falschaussagen zu entlasten suchte. Sie wird durch die von Frentz bei der Begehung in Nowinki gemachten Fotos nicht belegt. Diese sind, bei aller gebotenen Skepsis gegenüber fotografischen Quellen, aus verschiedenen Gründen ernst zu nehmen. Nebe müsste eigentlich zumindest auf einzelnen dieser Fotos abgebildet sein, es sei denn, er hätte bei jeder der von Frentz im Bild festgehaltenen Situationen aus derselben Position wie dieser fotografiert oder gefilmt (Nebe soll privat und »dienstlich« passionierter Schmalfilmer gewesen sein) oder wäre aus anderen Gründen vorübergehend nicht zugegen oder verdeckt gewesen, wofür sehr wenig spricht. Die Bildfolge erscheint hier vollständig. Dies würde die bei Gerlach 1999 (wie Anm. 2), S. 648 vertretene Annahme stützen, Himmler habe ursprünglich von dem Bach-Zelewski, der auf den Fotos auch mehrfach zu erkennen ist, beauftragt, nicht Nebe, der erst später eingeschaltet worden sei. Auch Prützmann ist weder auf Fotografien noch auf Filmaufnahmen der Reise sicher auszumachen.

42 Gerlach 1999 (wie Anm. 2), S. 649, S. 1068.

43 Vgl. ausführlich Gerlach 1999 (wie Anm. 2), S. 1067 ff.; Angelika Ebbinghaus/Gerd Preissler, Die Ermordung psychisch kranker Menschen in der Sowjetunion. Dokumentation, in: Aly, Götz u.a., Aussonderung und Tod. Die klinische Hinrichtung des Unbrauchbaren, Berlin 1985, S. 75-107; Matthias Beer, Die Entwicklung der Gaswagen beim Mord an den Juden, in: Vierteljahreshefte f. Zeitgeschichte 35 (1987), S. 403-417.

44 Tageskalender Walter Frentz, Transkription Jürgen Stumpfhaus.

45 Witte u.a. 1999 (wie Anm. 2), S. 196, Anm. 16; vgl. S. 198, Anm. 26 mit Angaben zum in Verbindung mit dem Museumsbesuch stehenden Kunstraub unter Beteiligung von Arents.

46 Ausschnitte verwendet Rees 1997 (wie Anm. 37).

47 Mdl. Mitteilung von Hans-Günther Voigt, Bundesarchiv/Filmarchiv, Berlin, a. d. Verf. v. 12. Dezember 2005. Die sonst im Nachlass Frentz lückenlos vorhandenen Durchschläge seiner »Filmaufnahme-Tagesberichte«, die im Original an das Reichspropagandaministerium, mit zweitem Durchschlag an die »Propaganda«-Einheit des Kameramannes gingen, fehlen genau für das kritische dritte Quartal 1941. Eine Aufstellung des von Frentz vom 4. September 1939-6. September 1944 gedrehten Ausgangsmaterials für Filmberichte der »Deutschen Wochenschau« weist eine Lücke vom 11. Juni-30. September 1941 auf. Zur Minsk-Reise liegen deshalb weder Belege für Drehtätigkeit vor noch ist publiziertes Material bekannt. In diesem Zeitraum sind vier von Frentz gedrehte Beiträge für die »Deutsche Wochenschau« überliefert. Alle zeigen Besuche Hitlers an der Ostfront im Zeitraum Juli–Anfang August 1941: Nr. 570, 33/1941; Nr. 571, 34/1941; Nr. 573, 36/1941; Nr. 574, 37/1941.

48 Der Film »The Nazi Plan« wird u.a. vom US Holocaust Memorial Museum, Washington unter RG-60.0423, das Original von den National Archives, Washington, verwahrt. Das USHMM weist die darin enthaltenen Minsk-Reiseaufnahmen ohne Beleg, vermutlich wegen seiner Nennung im Dienstkalender Himmlers, Walter Frentz zu. Hanns-Peter Frentz danke ich für die Beschaffung des Films und weitere diesbezügliche Hinweise. Budd Schulberg, der 1945 als Mitarbeiter des US-Anklägers in Nürnberg u.a. dieses Bildmaterial für die Anklage recherchierte, erinnert sich:« I am quite sure I got the Minsk film from a Soviet officer, Major Avenarius, who was in charge of the UFA Studio (...) I did not identify Walter Frentz at the time when I was preparing the film for Nuremberg.« Schriftliche Mitteilung von Budd Schulberg, New York, a. d. Verf. v. 6. März 2006. Michael Kloft danke ich für den Hinweis auf Schulberg.

49 Stumpfhaus' Film liefert einige verwertbare, da ansonsten äußerst rare Selbstzeugnisse von Frentz, ist aber wenig quellenkritisch und in seinem Quellenwert begrenzt. Karl Stamms »Filmdokumente zur Zeitgeschichte – Walter Frentz über seine Tätigkeit als Kameramann 1932-1945«, D 1985/2001, behandelt vorwiegend filmhistorische Aspekte.

50 Geradezu exemplarisch ist seine in einem Brief an den Historiker Christian Gerlach vom 31.Dezember 1992 gemachte Angabe, er habe Himmler am zweiten Tag der Reise, also am 15. August 1941, begleitet als dieser den Kommandeur der »SS-Leibstandarte Adolf Hitler«, Josef (»Sepp«) Dietrich besucht habe, um diesem zum Geburtstag zu gratulieren. Dies sei, so Frentz, »wohl der Anlaß der Flugreise für den RFSS« gewesen. Der eigentliche Kontext der Reise war, wie hier dargestellt, ein ganz anderer,

nämlich Mordplanung im großen Stil, was Frentz' Angabe objektiv zynisch wirken lässt. Ein Besuch bei Dietrich ist im Dienstkalender Himmlers noch dazu für keinen der Reisetage aufgeführt. Das dichtgedrängte Programm ließ einen solchen Termin ohnehin nicht zu. Ein Treffen wäre auch schwer gefallen, denn Dietrichs »Leibstandarte-SS« war zu diesem Zeitpunkt weit entfernt im Südabschnitt der Ostfront eingesetzt. Auch Aufnahmen einer solchen Begegnung, die Frentz angesichts von Dietrichs Prominenz wohl sicher gemacht und noch wahrscheinlicher auch aufgehoben hätte, tauchen weder in den Bild- noch in den Filmdokumenten der Reise auf. Fast müßig zu erwähnen, dass Dietrichs Geburtstag nicht auf den 15. August fiel, sondern auf den 28. Mai.

51 Walter Frentz in: Stumpfhaus 1992 (wie Anm. 2), Mitschrift d. Verf. 2006.

52 Vgl. Anm. 47. Die im Nachlass erhaltenen s/w-Negativfilme datieren 26. Juni-29. Juni (»im Osten«), 30. Juni-3. Juli (Grodno, Bialystok), 11. Juli (Riga), 30. Juli (Pleskow/Pleskau), 4.-6. August (ohne Ortsangabe), in der Transkription des Tageskalenders mit Hinweisen auf Pleskau 30. Juli, die Umgebung von Minsk, anschließend Rowno, Shitomir u. Berditschew 4.-6. August 1941. Diese Filme enthalten wesentlich mehr Landschaftsaufnahmen als die Filme der Minsk-Reise und mehr Fotografien von Spuren der Kämpfe, wie sie in den Sujets auch für die »Knipser«-Fotos in privaten Fotoalben von Kriegsteilnehmern typisch sind.

53 Von dieser Fahrt zwischen dem 11. und 16. Juli 1941 enthält der Nachlass eine umfangreiche fotografische Überlieferung. Zahlreiche als Bildquellen eindrucksvolle, in der Aussage ambivalente Farbdias und s/w-Fotografien sowjetischer Gefangener entstanden in einem Kriegsgefangenenlager, das er mit Karl Brandt besuchte (s. S. 170-173).

54 Brief W. Frentz an Christian Gerlach v. 31. Dezember 1992, Nachlass Frentz. Hanns-Peter Frentz danke ich für den Hinweis und die Möglichkeit zur Einsichtnahme.

55 Walter Frentz in: Stumpfhaus 1992 (wie Anm. 2), Mitschrift d. Verf. 2006.

56 Mdl. Mitteilung v. Jürgen Stumpfhaus a. d. Verf. v. 20. März 2006.

57 Tageskalender Walter Frentz, Transkription Stumpfhaus.

58 Vgl. zahlreiche Beispiele im Bildarchiv der Bayerischen Staatsbibliothek, München, Fotoarchiv Heinrich Hoffmann.

59 Gerlach 1999 (wie Anm. 2), S. 573 verweist auf die bei Stumpfhaus 1992 (wie Anm. 2) zitierten Eintragungen in Frentz' Tageskalender sowie besonders auf die glaubwürdige Aussage eines ehemaligen Angehörigen des »Einsatzkommandos 8«, »daß bei der Schauexekution in Minsk gefilmt wurde.« Vgl. Vernehmungsprotokoll O. M. v. 28. Mai 1945 in Prag durch die Sowjets (auszugsweise Übersetzung), BStU ZUV 9, Bd. 20, Bl. 450-453, hier Bl. 451. Aufgrund der schlechten Übersetzung ermöglicht diese Quelle ansonsten keine Aufschlüsse über das Geschehen.

60 Gerlach 1999 (wie Anm. 2), S. 573 u. Anm. 440. Auch bei Witte u.a. 1999 (wie Anm. 2), S. 269, Anm. 74, werden Frentz und Gayk unter Verweis auf den Wortlaut der Quelle als »Filmberichter« bezeichnet. Ebd., S. 193 wie auch im Original ganz eindeutig werden beide jedoch als »Bildberichter« genannt.

61 Witte u.a. 1999 (wie Anm. 2), S. 269.

62 Ian Kershaw, Hitler. 1936-1945, Stuttgart 2000, S. 621.

63 RSHA IV A 1 b, Nr. 576 B/41, 1. August 1941, Institut f. Zeitgeschichte, München, Fa 213/3, zit. n. Gerald Fleming, Hitler und die Endlösung. »Es ist des Führers Wunsch ...«, Wiesbaden/München 1982, S. 123.

64 Vgl. Browning 2003 (wie Anm. 9), S. 453.

65 Kershaw 2000 (wie Anm. 62), S. 618.

66 Zitiert nach Kershaw 2000 (wie Anm. 62), S. 628.

67 Ian Kershaw, Der Hitler-Mythos, Stuttgart 1999, S. 296.

68 Man denke an die so ostentative wie heuchlerische Empörung des Präsidenten des »Volksgerichtshofs«, Roland Freisler, als der im Zusammenhang mit dem 20. Juli 1944 angeklagte Ulrich Wilhelm Graf von Schwerin von Schwanenfeld zu seiner Befragung durch Freisler in teilöffentlicher Verhandlung von »vielen Morden« des NS-Regimes sprach, eine für dessen Repräsentanten offenbar ungeheure öffentliche Tabuverletzung sprachlicher Chiffrierungen ihrer mörderischen Politik.

69 Dies hätte jedem nicht befangenen Zeugen den eigentlichen Hintergrund der Aktion deutlich machen können.

70 Befehl des Oberbefehlshabers der 6. Armee, Generalfeldmarschall v. Reichenau, über das Verhalten der Truppe »gegenüber dem bolschewistischen System« v. 10. Oktober 1941, zit. n. Horst Boog u.a., Das Deutsche Reich und der Zweite Weltkrieg, Bd. 4, Der Angriff auf die Sowjetunion, Stuttgart 1983, S. 1051.

71 Befehl des Chefs des Oberkommandos der Wehrmacht, Wilhelm Keitel, vom 12. September 1941, zitiert nach Kershaw 2000 (wie Anm. 62), S. 622.

72 Christa Schroeder, Er war mein Chef. Aus dem Nachlaß der Sekretärin von Adolf Hitler, hg. v. Anton Joachimsthaler, München/Wien 1985, S. 114.

73 Frentz äußerte dazu später, »er habe aus einem Bildfanatismus heraus gedreht. (...) Zu gute Bilder habe er von Hitler gemacht, hätten ihm später viele vorgeworfen. Aber er könne doch nur gute Bilder machen.« Walter Frentz in der Wiedergabe durch Jürgen Stumpfhaus in: Stumpfhaus 1992 (wie Anm. 2), Mitschrift d. Verf. 2006.

74 BStU, ZUV 9, Bd. 32, die Fotos Nr. 16, 17, 3 u. 4. Siehe auch Angrick 1997, hinteres Umschlagbild, u. Witte u.a. 1999 (wie Anm. 2), S. 194.

75 Staatsarchiv Freiburg/Br., F 176/13, 1420, Pack 159, Bild 17, veröffentlicht als Titelfoto bei Klaus-Michael Mallmann/Gerhard Paul (Hg.), Karrieren der Gewalt. Nationalsozialistische Täterbiographien, Darmstadt 2004.

76 Bayerische Staatsbibliothek, Bildarchiv, Fotoarchiv Heinrich Hoffmann, unter verschiedenen Sigeln dort u.a. die Bildnummern hoff-37571-37570, 37554, -37540, 37532, -37530.

77 Das Foto wird von den meisten deutschen und ausländischen Bildagenturen angeboten.

78 Für die Farbaufnahmen sind nur gerahmte Dias vorhanden. Hanns-Peter Frentz danke ich für die Möglichkeit zur Einsichtnahme, für die Bereitstellung des vorhandenen Bildmaterials und Angaben zum Nachlass.

79 Walter Frentz in: Stumpfhaus 1992 (wie Anm. 2), Mitschrift d. Verf. 2006.

80 Im Nachlass die Filme Nr. 4124, 4125, 4126. Die Beschriftung lautet jeweils »Fahrt Reichsführer SS 14. 8.-16. 8. 41«. Die einzelnen Kontaktbögen waren ursprünglich nur mit Bleistiftdatierungen versehen, aber nicht nummeriert. Die Nummerierung und die o. g. Beschriftungen sind offenbar mit Füllfederhalter nachträglich über den Ursprungsbeschriftungen aufgebracht worden. Obwohl für die Kontaktbögen des Jahres 1941 eine durchgängige Filmnummerierung vorliegt, scheint nicht sicher, ob es sich um die vollständige Überlieferung aller damals entstandenen Filme handelt. Wenige noch vorhandene Notizen zu Bestellungen von Fotos ergeben keine zusätzlichen Aufschlüsse zum Inhalt. Bei Film 4125, der Szenen vom 15. August 1941 (dem Tag der Erschießung) zeigt, fehlen 5 Negativnummern. Er weist nur 31 Fotos auf und trägt zusätzlich eine scheinbar erst nach 1945 vorgenommene Beschriftung »Himmler besucht in Rußland Lager«, enthält aber keinerlei Aufnahmen des Lagerbesuchs.

81 Walter Frentz, in: Stumpfhaus 1992 (wie Anm. 2), Mitschrift d. Verf. 2006.

82 Freddy Langer, Star unter Stars: Anton Corbijns Fotografien aus dem Rock'n Roll Zirkus in Düsseldorf, in: Frankfurter Allgemeine Zeitung 66 (19. 3. 2001), S. 54.

83 Bernd Hüppauf, Der entleerte Blick hinter der Kamera, in: Hannes Heer/Klaus Naumann (Hg.), Vernichtungskrieg. Verbrechen der Wehrmacht 1941-1944, Hamburg 1995, S. 504-527, S. 515.

84 Freddy Langer, Das Führerhauptquartier als Idyll: Zum Tod des Hitlerfotografen Walter Frentz, in: Frankfurter Allgemeine Zeitung 174 (29. 7. 2004), S. 29.

85 Im Tageskalender notierte Frentz 1943: »Eigene Erkenntnis zur Filmdramaturgie: das Geheimnis der Dramaturgie ist, immer ein Geheimnis der Handlung zu bewahren. D.h. bei Personen, schlechte Menschen dürfen nicht nur schlecht und gute dürfen nicht nur gut, sondern beide müssen menschlich glaubhaft und wahrhaftig erscheinen. Eines muss immer und überall möglich sein: Die eigene Illusion.« In: Stumpfhaus 1992 (wie Anm. 2), Mitschrift d. Verf. 2006.

86 Vgl. Anm. 54.

87 In Frentz Antwortschreiben an Christian Gerlach vom 31.12.1992 findet sich neben unverhohlenem, seit den ersten Nachkriegsjahren nicht nur im rechtsextremen Lager gängigen Ressentiment gegen »Amis« und alliierte »Sieger« auch die folgende maliziöse Nachbemerkung: »Eine Frage, da Sie »Experte« sind: Sie kennen sicher auch das Buch von Frau Dr. Eva Reichmann: ‚Flucht in den Haß‘. Ein interessantes Buch über Antisemitismus, worin sie allerdings zu dem Fazit kommt: Am Antisemitismus ist das Verhalten der Juden schuld. – Daher meine Frage: War sie selbst Jüdin – oder nicht? Nur ihr Mann? Würde mich interessieren.«

88 Gitta Sereny, Das Ringen mit der Wahrheit. Albert Speer und das deutsche Trauma, München 1995, S. 158. S. 157 f. sieht sie Frentz kritisch als Gestalter auch seiner Erinnerung: »Obwohl er viel und charmant redete (...) war er als Gesprächspartner wenig ergiebig. Außer angenehm plätscherndem Geplauder hatte er nur die Behauptung zu bieten, er habe fast alles vergessen, was mit Hitlers Hauptquartier zu tun hatte. Er konnte sich an keine einzige Person und kein Ereignis erinnern, das er fotografiert hatte, und an keine der vielen Dutzend mitternächtlichen Teegesellschaften Hitlers, an denen er teilgenommen hatte.«

89 Brandts Rolle in der »Euthanasie« kann hier nicht zum Gegenstand gemacht werden. Dass Frentz aber nicht mit irgendjemandem reiste, sondern mit einem der Hauptverantwortlichen dieses ersten NS-Vernichtungsprogramms, dessen Auswirkungen öffentlich bekannt geworden waren und deshalb für Hitler und die NS-Führung gerade im Juli/August 1941 zu einem brisanten Problem wurden, wirft zumindest die Frage auf, ob Frentz beispielsweise hiervon und von Brandts Auftrag wusste.

90 Vgl. als Beispiel Marianne Feuersenger, Mein Kriegstagebuch. Zwischen Führerhauptquartier und Berliner Wirklichkeit, Freiburg/Br. 1982, S. 63.

91 Vgl. zum Beispiel den Befehl des Pol. Rgt. Mitte (Montua) betr. Erschießung von Juden v. 11. Juli 1941, zit. n. Benz 1998 (wie Anm. 36), S. 76: »Ich verbiete das Fotografieren und die Zulassung von Zuschauern bei Exekutionen. Exekutionen und Gräber sind nicht bekanntzugeben.«

92 »»Der Frentz ist unser fliegender Holländer. Einmal ist er weg, einmal ist er da.‹ Führer zu Goebbels.« Tageskalender Walter Frentz, 22. Januar 1941, in: Stumpfhaus 1992 (wie Anm. 2), Mitschrift d. Verf. 2006. Ebd. gibt Stumpfhaus Frentz mit den Worten wieder: » Er vertraute mir.«

93 Stumpfhaus zitiert Frentz weiter: «Ich war sein Auge. Durch mich hat er alles gesehen. Das Ungewöhnliche, das Malerische«. Und weiter: »Das (...) Einmalige suche ich, das Sensationelle.« Überzeichnend nennt Stumpfhaus Frentz Hitlers »Dokumentaristen«, der nicht nur Bilder geliefert habe, »wie er Hitler sehen wollte«, sondern auch »Bilder, die er für Hitler sah.« Stumpfhaus 1992 (wie Anm. 2), Mitschrift d. Verf. 2006.

94 Walter Frentz, in: Stumpfhaus 1992 (wie Anm. 2), Mitschrift d. Verf. 2006.

95 Hüppauf 1995 (wie Anm. 83), S. 504, S. 514.

96 Zum beruflichen und persönlichen Selbstverständnis vgl. die Erinnerungen von Frentz' Sohn Hanns-Peter bei Frank Schirrmacher, Des Teufels Fotograf. Gespräch mit Hanns-Peter Frentz, in: Frankfurter Allgemeine Zeitung 57 (9. März 2005), S. 40/41, hier S. 40.

97 Stumpfhaus 1992 (wie Anm. 2) zitiert aus Frentz' Tageskalender, ohne genaue Datierung, 1941: »Himmler verspricht mir Yang-Tse-Kiang Kajakexpedition nach dem Krieg,« Mitschrift d. Verf. 2006.

98 Jeweils Tageskalender Walter Frentz, Transkription Jürgen Stumpfhaus.

99 Langer 2004 (wie Anm. 84).

100 Rees 1997 (wie Anm. 37), Mitschrift d. Verf. 2006.

101 Frentz bei seinem Besuch des Nürnberger Parteitagsgeländes, in: Stumpfhaus 1992 (wie Anm. 2), Mitschrift d. Verf. 2006.

102 In ihrer konnotativen Substanz lassen sich vor allem Frentz' Farbaufnahmen Hitlers und der NS-Eliten potentiell auch heute noch geschichtspolitisch selektiv ausschöpfen und instrumentalisieren. Neben Frentz' nie erfolgter kritischer Reflexion und öffentlicher Distanzierung von seiner Tätigkeit für Hitler erklärt dies zu erheblichen Teilen die unleugbare, langjährige Wertschätzung seiner Fotos und seiner Person durch revisionistische, rechtsextreme Kreise.

Linz, Skulpturenmodelle auf der Nibelungenbrücke, April 1943 oder später
Anlässlich von Hitlers letztem Besuch in Linz am 4. und 5. April 1943 wurden zwei der vier für die Nibelungenbrücke geplanten Skulpturen als Gipsmodelle an deren südlichem Ende aufgestellt: »Siegfried« und »Krimhild«. Hitler war laut Speer von den beiden Werken des Bildhauers Bernhard Graf Plettenberg begeistert: »Wunderbar! Deutsche Kunst! Sehen Sie sich die Details des Pferdekopfes an! Plettenberg ist wirklich ein gottbegnadeter Künstler!« Die beiden ausdruckslosen Figuren standen bis nach Kriegsende auf der Brücke. Der Ort war für Hitler von besonderem Interesse: Direkt oberhalb der Brücke sollte seine Altersresidenz entstehen.

Linz-Harbach, »Führersiedlung«, um 1943

Anders als in den übrigen Städten des Großdeutschen Reiches wurden in Linz noch bis 1944 Wohnsiedlungen gebaut. Das prestigeträchtigste Projekt war die »Führersiedlung«, die im Auftrag der Stiftung »Wohnungsbau Linz an der Donau« von italienischen Arbeitern errichtet wurde. Vorsitzender dieser Stiftung war Hitler selbst. 840 Wohnungen waren bis 1944 bezugsfertig. Der Propaganda zufolge war die Siedlung für arme Familien bestimmt, die

in Barackensiedlungen hausten. Tatsächlich hatten jedoch Rüstungsarbeiter Vorrang, die in großer Zahl nach Linz zuwanderten. Es wurde festgelegt, dass die Wohnungen »charakterlich würdigen, politisch zuverlässigen und rassisch geeigneten Volksgenossen« vorbehalten sein sollten, die sich zudem einer »erbbiologischen« Untersuchung unterziehen mussten. Es ist anzunehmen, dass Frentz das Foto im Auftrag Hitlers machte, der ständig über die Baufortschritte in seiner »Patenstadt« informiert werden wollte.

Dänemark, Fahrradfahrer, Sommer 1943
Frentz besuchte Dänemark, um die Befestigungsarbeiten an der Westküste des besetzten Landes zu dokumentieren. Mit der Fotokamera hielt er auch zahlreiche touristische Impressionen fest. Während des Krieges war der Autoverkehr wegen des Treibstoffmangels stark eingeschränkt und das Fahrrad zu einem wichtigen Fortbewegungsmittel geworden.

Guernsey, zwei Jungen mit englischen Helmen, Mitte Mai 1943
Die Kanalinseln waren der einzige Teil Großbritanniens, der von den Deutschen besetzt war. Frentz besuchte die Inseln während der Arbeit an seiner Dokumentation über den »Atlantikwall«.

Geschütz am Atlantik, Sommer 1943

1943 bereiste Frentz die Atlantikküste von den Niederlanden bis nach Südfrankreich. Er war vom Führerhauptquartier beauftragt worden, den Ausbau der Küstenbefestigungen zur Abwehr einer Invasion der Alliierten zu dokumentieren. Es fällt auf, dass die Bilder den Anspruch an eine systematische Dokumentation kaum erfüllen. Viele von ihnen wirken inszeniert und eher effektvoll als informativ. In Nahsicht fotografierte Frentz zwei Soldaten eines getarnten Geschützes, die sich für die Kamera hinter Entfernungsmessern postierten. Wie bei Frentz' Bild der »Batterie Lindemann« (S. 228), das 1944 in der Propagandazeitschrift »Signal« veröffentlicht wurde, erzeugt die geringe Distanz und das in Untersicht gezeigte Geschützrohr eine bedrohliche und einschüchternde Wirkung. Weitere Aufnahmen der Anlage machte Frentz nicht. Da Hitler die von der Propaganda als »Atlantikwall« bezeichneten Bunkeranlagen nie persönlich in Augenschein nahm, dürfte sein Eindruck stark von den Aufnahmen seines Kameramannes geprägt worden sein.

**Französische Atlantikküste, Artilleristen an einem Geschütz,
Mitte Mai 1943**
Die NS-Propaganda präsentierte die Befestigungen als eine dichte Abfolge
modernster Bunkeranlagen mit schwerer Bewaffnung. Die Realität sah in
vielen Abschnitten der Küste anders aus. Oft waren die Anlagen noch nicht
fertiggestellt, häufig mussten veraltete Geschütze verwendet werden. Die
vier Soldaten stellten hier die Beladung des Geschützes für den Fotografen
nach.

**Bei Calais, Rede Albert Speers vor Arbeitern der »Organisation Todt«,
9. Mai 1943**

Als Frentz den »Reichsminister für Bewaffnung und Munition« auf einer
Inspektionsreise im Mai 1943 begleitete, entstand ein Teil seiner Dokumen-
tation des »Atlantikwalls«. Bei der Rede Speers vor militärisch angetretenen
Arbeitern der »Organisation Todt« postierte sich Frentz hinter dem Redner.
So wird Speer als Führerfigur ins Bild gesetzt. Die »Organisation Todt« war
Speer direkt unterstellt und für die Errichtung der Befestigungsanlagen am
Atlantik verantwortlich. Hierfür wurden tausende Zwangsarbeiter ausgebeu-
tet.

Bruneck (?) in Südtirol, Schützentreffen, Mitte Mai 1944

Ein Treffen von Schützen aus verschiedenen Regionen Südtirols. Es ist unklar, ob Frentz im offiziellen Auftrag oder nur zufällig anwesend war. Augenfällig ist der Gebrauch der subjektiven Kamera. Der Betrachter fühlt sich inmitten der Menge, und es ist als ob unter den zum »deutschen Gruß« gereckten Armen auch der eigene sein müsste. Die Identifikation des Fotografen mit den Menschen geht weit und verstärkt die propagandistische Wirkung der Aufnahme beträchtlich. Bis zum Sturz Mussolinis und der faktischen deutschen Annexion Südtirols im Herbst 1943 durften die Südtiroler offiziell keine Tracht tragen. Schützenverbände waren verboten, ihre Waffen hatten sie lange zuvor abgeben müssen. Der Tiroler Gauleiter und Oberste Kommissar der »Operationszone Alpenvorland«, Franz Hofer, hatte die Schützen wieder zugelassen, um sich bei der Südtiroler Bevölkerung beliebt zu machen, aber auch, um sie im Ernstfall als eine Art Privatarmee gegen die von Süden heranrückenden Amerikaner aktivieren zu können. Für die Veranstaltung wurden die Schützen offenbar mit Wehrmachtsgewehren ausgestattet.

Brixen, Zwei Frauen in den Großen Lauben, Mitte Mai 1944
Obwohl auch dieses Bild im Dritten Reich nicht veröffentlicht wurde, vereint es doch wichtige Elemente
aus dessen öffentlicher Bildwelt: Die malerische Altstadtgasse mit zwei lachenden, »feschen« Frauen in
Tracht unter blauem Himmel entsprechen einer klischeehaften Idylle, die durch die Hakenkreuzfahnen zu
einer Art nationalsozialistischer Postkarte wird. Die Hakenkreuzfahne war in der Farbfotografie des Dritten
Reiches ein beliebtes Motiv. Sie war das wichtigste Bildsymbol des Systems. Zudem konnte der »Agfacolor«-Film rote Farbwerte besonders gut zum Ausdruck bringen.

Bruneck (?), Schützentreffen, Mitte Mai 1944
Durch ein Spalier von Zuschauern bahnt sich der Mercedes von Franz Hofer den Weg zum Schützentreffen.

Bruneck (?), Gauleiter Franz Hofer beim Schützentreffen, Mitte Mai 1944
Das Bild zeigt Franz Hofer beim Schützentreffen, gerahmt von zwei Frauen. Die linke von ihnen hatte Frentz bereits in Brixen fotografiert. Die Darstellung Hofers entspricht ganz dem Ideal von Frentz, die Mächtigen in »lebensnahen Zeitporträts« festzuhalten. Während Hitler 1944 nicht mehr in der Öffentlichkeit auftrat und sich – sehr zum Leidwesen seiner Propagandisten – immer mehr von der Bevölkerung abkapselte, hatte Hofer offenbar keine Schwierigkeiten damit, Volksnähe zu demonstrieren. Damit war er ein dankbares Motiv für Frentz, der stets auf »menschliche« Momente bei den Mächtigen wartete.

Venedig, Schaufenster des Kaufhauses »Standa«, September/Oktober 1944
Im Herbst 1944 unternahm Frentz eine wahrscheinlich private Reise nach Venedig. Neben vielen Sehenswürdigkeiten fotografierte er diese überra-

schend gut ausgestatte Schaufensterauslage mit Schreib- und Lederwaren. Außer den möglicherweise propagandistischen Aufklebern an der Wand, an denen man das Wort »Terroristi« lesen kann, weist nichts auf den Krieg hin.

Venedig, Säule, September/Oktober 1944
Den Totenkopf und die sich vermutlich auf die alliierten Luftangriffe beziehende Parole »Inglesi Assassini«
(Engländer – Mörder) fotografierte Frentz an einer Säule in der Altstadt von Venedig. Ähnliches konnte man
zu dieser Zeit auch in Deutschland an vielen Hauswänden lesen.

Bei Salzburg, Voralpenlandschaft mit Autobahn, um 1943
Auf der leeren Autobahn ist nur ein einsamer Radfahrer unterwegs. Die Aufnahme zeigt den Blick von der Ausfahrt »Salzburg-Mitte« nach Süden. Obwohl die Auffahrten noch nicht fertiggestellt waren, war der Abschnitt für den Verkehr bereits freigegeben. Die Autobahn war ein beliebtes Motiv in der Malerei und Fotografie der NS-Zeit und wurde als persönliche Leistung Hitlers verherrlicht. Beispielsweise wurde 1936 in München eine Ausstellung »Die Straßen Adolf Hitlers in der Kunst« gezeigt. Den dort gezeigten Darstellungskonventionen folgend zeigt auch Frentz die Autobahn im Stil von Landschaftsgemälden des 19. Jahrhunderts.

Blick aus dem Flugzeug, wohl 24. April 1945

Seine letzte Reise als »Kameramann des Führers« führte Frentz von Berlin zum Obersalzberg, nachdem er sich am 22. April im Bunker der Reichskanzlei von Hitler verabschiedet hatte. Wie viele andere Angestellte Hitlers wurde er aus dem fast eingeschlossenen Berlin ausgeflogen. Frentz gab später an, dies sei ihm von seinem unmittelbaren Vorgesetzten, Hitlers Luftwaffen-adjutanten Nicolaus von Below, befohlen worden. Es ist nicht sicher, ob das Foto tatsächlich auf diesem letzten Flug entstanden ist. Denkbar wäre auch ein früherer Termin im April. Aus dem Fenster fotografiert er die Voralpenlandschaft mit der Autobahn München-Salzburg. Auf dieser war er oft mit Hitler gefahren.

1 Walter Frentz bei Filmaufnahmen der Flugbombe Fi 103, die seit Beginn des Einsatzes gegen Großbritannien in der Nacht vom 12. auf den 13. Juni 1944 von der deutschen Propaganda als »Vergeltungswaffe« V 1 bezeichnet wurde. Fotograf der Aufnahme ist wahrscheinlich Frentz' Assistent Karl Schulmeister, der ihn zu Filmaufnahmen begleitete. Ort und Zeitpunkt der Aufnahme sind nicht bekannt. Um den 20. Juli 1944 sollen sich Frentz und Schulmeister in Mecklenburg an der Ostsee aufgehalten haben, um Raketen zu filmen - wahrscheinlich in Peenemünde, wo Arbeiter des VW-Werks Testzellen der V 1 montierten. Das Foto könnte aber auch zwischen Mai und Juli 1944 an einer der Produktionsstätten der V 1 – Fallersleben, Cham, Magdeburg-Schönebeck, Berlin-Tempelhof und Nordhausen – oder auf dem Raketentestgelände bei Blizna in Polen entstanden sein.

BERND BOLL

Spuren eines Filmauftrags
Die Farbfotos der Zwangsarbeit im »Mittelwerk« und der Raketenstarts in Blizna

Seit einigen Jahren versuchen die Medien den Abnutzungseffekt, der durch die Wiederholung der immer gleichen Bildmotive aus der NS-Zeit entstanden ist, durch die Verwendung von Farbmaterial zu unterlaufen. Deshalb fanden die Farbdias von Walter Frentz, die KZ-Häftlinge bei der Produktion der V 2 zeigen, nach ihrer zufälligen Entdeckung 1998 schnell Eingang in Presse und Fernsehen. Eine 1999 eröffnete Ausstellung des Zentrums für Kriegs- und Raketengeschichte »La Coupole« bei Saint-Omer, deren deutsche Fassung 2001 im Deutschen Museum in München gezeigt wurde, konfrontierte sie mit Zeichnungen ehemaliger Häftlinge, ebenfalls 2001 war eine Auswahl in der Ausstellung »Mémoire de camps« zu sehen. Seitdem hält sich die Lesart, dass die Fotos von Frentz als Bildreportage entstanden seien, deren Zweck und Auftraggeber allerdings unklar blieben.[1]

Überlieferung

Dabei wurde übergangen, dass die Serie nicht nur Fotos von der Montage der V 2 zeigt, sondern auch von ihrer Erprobung auf dem Testgelände bei Blizna im damaligen Generalgouvernement. Den mehr als 50 zu Einzelbildern geschnittenen Farbdias lässt sich eine zweite Überlieferungsschicht im Nachlass von Walter Frentz zuordnen, die aus schwarz-weiß-Kontaktabzügen von verschollenen Farbnegativen besteht. Die dritte Schicht enthält einige einzelne Farbnegative und einen kurzen Filmstreifen. Hier finden sich weitere Bildmotive, etwa die Erprobung der V 1 und der Me 262, der Bau der unterirdischen Stollen im Harz sowie Aufnahmen von Personen, die an diesen Projekten beteiligt waren.[2]

An der Echtheit dieser Fotos bestehen keine Zweifel. Zumindest ein ehemaliger Häftling konnte sich an die Aufnahmen von Frentz in den Tunnels der Mittelwerk GmbH im Harz erinnern und erkannte sich auf einem Foto sogar wieder;[3] er und andere identifizierten außerdem weitere Kameraden.[4] Anhand von Bilddetails datierten sie die Entstehung der Aufnahmen im Raketentunnel auf einen Zeitpunkt nach Mai 1944, die Aufnahmen vom Testgelände auf Juni 1944.[5] Leicht abweichende Datierungen legen die von Walter Frentz auf den Kontaktbogen angebrachten Filmnummerierungen nahe. Sie machen eine Entstehung der Aufnahmen zwischen der zweiten Maihälfte

und Juli 1944 wahrscheinlich, wobei die Aufnahmen vom Stollenbau bei Nordhausen vor denen aus Blizna entstanden sein müssen. Weitere Aufnahmen vom Tunnelbau sind auf einem Film enthalten, den seine Nummer als gegen Ende des Jahres entstanden ausweist, falls er nicht nachträglich nummeriert wurde. Einige Fotos, die Walter Frentz bei der Arbeit mit der Filmkamera zeigen, hat mit großer Wahrscheinlichkeit – dies ist auch für andere Gelegenheiten dokumentiert – sein Assistent aufgenommen. Da Frentz neben den offiziellen Filmaufnahmen sehr häufig auch ohne Auftrag fotografierte, muss man davon ausgehen, dass die »Dora«-Fotos nicht als Reportage, sondern als fotografisches Tagebuch zur Dokumentation seiner Arbeit als »Kameramann des Führers« entstanden sind.[6]

Wegen der unvollständigen Nummernfolge auf den Dias ist zu vermuten, dass die überlieferten Fotos Teil einer größeren Serie waren und zu jenen Bildern gehören, über deren Konfiskation in den letzten Kriegstagen Walter Frentz mehrfach berichtet hat. Nach dem Verlassen des Berliner Führerbunkers flog er am 24. oder 25. April 1945 von Tempelhof nach München und fuhr von dort mit dem Auto weiter nach Berchtesgaden. Noch in derselben Nacht wurde er vom – für die Bewachung Hitlers, seiner Minister und der Staatsgäste zuständigen – Reichssicherheitsdienst verhaftet und zusammen mit Göring und hohen Luftwaffenoffizieren in einer SS-Kaserne in Salzburg inhaftiert. Nach Hitlers Selbstmord holte ihn ein Offizier des Sicherheitsdienstes, nach einer anderen Version der Vertreter Bormanns, nach Berchtesgaden und forderte als Gegenleistung für seine Entlassung die Übergabe aller Negative. Am Ende begnügte er sich damit, dass Frentz die Fotos von den Raketen und von Eva Braun ablieferte.[7] Die heute noch im Nachlass vorhandenen Dias entgingen der Konfiskation und wurden 1998, verwahrt in einem unauffälligen Briefumschlag, von seinem Sohn in einem Koffer aufgefunden, der 50 Jahre lang unbeachtet im Keller gestanden hatte.[8]

Speers Filmauftrag

Auch wenn der Film, dessen Entstehung Frentz fotografisch dokumentierte, verschwunden ist, hat er doch Spuren hinterlassen. Am 13. Mai 1944 akzeptierte Hitler einen Vorschlag von Albert Speer, »möglichst bald« eine Gauleitertagung einzuberufen, auf der der Minister »über den neuesten Stand der Rüstung« berichten wollte.[9] Die Veranstaltung ließ auf sich warten, aber als Speer Hitler zu Gesprächen über Rüstungsfragen vom 6. bis 8. Juli 1944 auf dem Berghof besuchte, wiederholte er seinen Vorschlag. Offenbar hatte Speer inzwischen Vorbereitungen getroffen, denn die Tagung sollte schon zwei bis drei Wochen später stattfinden. Als Tagesordnung schlug er vor: »Farbfilme über V 1 und V 2 von Frentz möglichst auch über Strahljäger und Strahlbomber von Frentz. Vortrag über die Rüstungslage von mir. Vorführungen von Panzern usw. Tagungsort am besten ein Truppenübungsplatz des Heeres.«[10] Hitler war damit ebenso einverstanden wie mit einer Propagandakampagne über die V 1, die zwei Wochen später in den illustrierten Zeitungen und in der Wochenschau beginnen sollte, bestand jedoch darauf, dass die Abschussrampen auf den

Beginn der sowjetischen Offensive am 22. Juni innerhalb weniger Tage die gesamte Heeresgruppe Mitte zusammen.

Nach dem Desaster von Stalingrad hatte die nationalsozialistische Propaganda gezielt Hoffnungen auf neuartige »Wunderwaffen« geweckt, deren spektakulärste die Raketenprojekte der Luftwaffe und des Heeres waren. Beide wurden in Peenemünde entwickelt, getestet und zumindest teilweise auch produziert. Unter der militärischen Tarnbezeichnung FZG 76 hatten die Firmen Fieseler (Kassel) und Argus (Berlin) im Auftrag der Luftwaffe gemeinsam einen ferngelenkten Flugkörper mit Strahltriebwerk entwickelt, die Fi 103, die nach Beginn ihres Einsatzes als »Vergeltungswaffe 1« (V 1) bekannt gemacht wurde. Aber technische Probleme, Facharbeitermangel und Sabotage in den Zulieferfirmen in Frankreich erzwangen die Verschiebung des für Dezember 1943 vorgesehenen Einsatztermins. Weitere Ver-

2 Aufnahme eines Testflugs der Messerschmidt Me 262, wohl Juli 1944

3 Testpiloten im Cockpit einer Me 262, wohl Juli 1944

Fotos nicht zu sehen waren. Innerhalb von 14 Tagen sollten als Titelbildvorschläge Fotos sowie Zeichnungen des PK-Zeichners Hans Liska vorgelegt werden. Allerdings machte Walter Hoffmann, der Leiter der Zentralabteilung Kultur und Propaganda in Speers Ministerium, sein Einverständnis davon abhängig, dass auch andere Fotografen mit Aufnahmen damit beauftragt wurden. Zu diesem Zeitpunkt arbeitete Walter Frentz gleichzeitig für die Wochenschau an einem Farbfilm über die V 1.[11] Da von dem Farbfilm über die Strahlwaffen schon wenige Tage später eine zumindest vorläufige Schnittfassung vorlag, muss Walter Frentz mit der Arbeit an dem Film begonnen haben, sobald Hitler im Mai die Gauleitertagung abgesegnet hatte.

Die Filmaufnahmen fanden in einer Zeit militärischer Rückschläge statt. Bereits im November des Vorjahres hatte die Rote Armee Kiew zurückerobert, im April 1944 folgten Odessa und Sewastopol. Wenige Wochen später fiel Monte Cassino und bald auch Rom in die Hände der Alliierten, Anfang Juni begann die Invasion im Westen. An der Ostfront brach nach dem

zögerungen verursachten alliierte Luftangriffe, die am 22. Oktober 1943 die Fließbänder von Fieseler in Kassel zerstörten und die Verlagerung in das Zweigwerk der Firma in Cham bei Regensburg erforderlich machten.[12]

Das Heer ließ in Peenemünde das »Gerät A 4« – später V 2 genannt – entwickeln, dem Hitler zunächst mit Skepsis begegnete. Erst nach einem gelungenen Testflug im Sommer 1943 ordnete er ihre Serienproduktion an, die jedoch wegen technischer Mängel vorläufig nicht aufgenommen werden konnte.[13] Nach verheerenden Luftangriffen auf die Werke in Peenemünde, Friedrichshafen und Wiener Neustadt am 17. und 18. August 1943 fiel die Entscheidung, die Produktion der Rakete unter Tage zu verlagern, die Erprobung in das Generalgouvernement zu verlegen und für die Montage KZ-Häftlinge einzusetzen.[14] Die Fertigung der A 4 wurde von der Firma Mittelwerk GmbH übernommen, einer Gründung des Rüstungsministeriums.[15]

Auf dessen Initiative waren in Peenemünde von Heer wie Luftwaffe bereits seit Frühjahr 1943 600 Häftlinge aus dem KZ Buchenwald eingesetzt. Dem geplanten Einsatz von mehreren tausend weiteren Häftlingen kam jedoch der britische Luftangriff vom 17./18. August 1943 zuvor. Nachdem bereits Ende August ein Kommando von 107 Häftlingen mit SS-Wachmannschaften aus Buchenwald eingetroffen war, wurde die Mehrzahl der bereits vorhandenen Häftlinge im Oktober von Peenemünde nach Nordhausen in Thüringen verlegt, um den Stollen für die Produktionsverlagerung auszubauen.[16] Hier entstand in den folgenden Monaten das Außenlager Dora von Buchenwald, das erst im Oktober 1944 organisatorisch selbständig wurde.[17] Seit 1936 befand sich hier ein unterirdisches Treibstofflager der dem Reichswirtschaftsministerium unterstehenden Wirtschaftlichen Forschungsgesellschaft mbH (Wifo). Bis Weihnachten 1943 waren dort mehr als 10.500 Häftlinge unter Leitung der SS zum Stollenbau eingesetzt. Als im Januar 1944 die Produktion der V 2 aufgenommen wurde, waren fast 2.900 bei den Arbei-

600 Raketen.[19] Am 5. März 1944 befahl Hitler die Verlegung eines Teils der Produktion der V 1 in das Mittelwerk, die nach der Bombardierung des zunächst dafür vorgesehenen VW-Werks in Fallersleben am 20. Juni 1944 forciert wurde. Unter dem Eindruck der Wirkung der V 1, die am 12./13. Juni erstmals gegen Großbritannien verschossen wurde, ordnete Hitler an, die Produktion der A 4 auf 150 Stück im Monat zu drosseln. Dagegen lief die V 1 im Frühjahr 1944 in beachtlicher Stückzahl — im April 1.700, im Mai 2.500 — von den Bändern.[20]

Die dritte »Wunderwaffe«, die Walter Frentz für den Rüstungsminister im Film dokumentierte, war die Me 262, ein strahlgetriebenes Flugzeug der Firma Messerschmitt in Augsburg. Im März und April 1944 waren die ersten 13 Vorserienmaschinen fertiggestellt und der Luftwaffe zur Einsatzerprobung übergeben worden.[21] Die zunehmenden alliierten Luftangriffe

4 Die Fi 103 (V 1) wird für den Start vorbereitet. Die Aufnahme entstand wahrscheinlich auf dem Testgelände in Blizna, Mitte Juni 1944

5 »Niedersachswerfen Stollen-Fertigung« (handschriftlicher Vermerk von Walter Frentz zu dieser Bildserie), Mai-Juli 1944

ten gestorben, 3.000 Sterbende wurden nach Lublin-Majdanek und Bergen-Belsen überstellt.[18]

Von den 17.000 Häftlingen, die von September 1943 bis März 1944 nach Dora gebracht worden waren, überlebten 6.000 – mehr als ein Drittel – nicht. Im Juli 1944 arbeiteten in der Raketenfertigung der Mittelwerk GmbH im Harz 2.500 bis 3.000 deutsche Zivilarbeiter und 5.150 KZ-Häftlinge. Im gleichen Monat arbeiteten beim Ausbau des Stollens für die Wifo etwa 700 Zivilarbeiter und 4.713 Häftlinge. Nur rund die Hälfte der Häftlinge war also im Juli 1944 in der Raketenproduktion eingesetzt. Es waren überwiegend Franzosen, die höhere Überlebenschancen hatten als die Russen und Polen, die den Ausbau der Tunnelanlagen vorantreiben mussten. Die Produktion der V 2 im Mittelwerk kam nur langsam in Gang: Die monatlichen Stückzahlen stiegen von 50 im Januar auf 86 im Februar, 170 im März, 253 im April und 437 im Mai 1944. Dann sanken sie im Juni auf 132 und im Juli auf 86. Erst im August begann sich der Ausstoß wieder zu erhöhen: von 374 auf 629 im September 1944. Bis zum Februar 1945 lag die monatliche Fertigung bei mehr als

seit Mitte 1943 nötigten die Luftwaffe zur Verstärkung ihrer Jägerproduktion, vor allem der Me 163 und Me 262. Diese Strahlflugzeuge waren zwischen Hitler und dem Reichsluftfahrtministerium heftig umstritten. Während der Diktator sie am liebsten als Bomber eingesetzt hätte, beharrte der Inspekteur der Jagdflieger, General Adolf Galland, darauf, dass nur mit ihrer Massenfertigung als Jäger die verlorene Lufthoheit zurückzugewinnen sei. Galland testete die Me 262 im Mai und Juni 1943. Die Aufnahmen von Frentz sind wohl erst im Juli 1944 entstanden.[22]

Nach dem Bombenangriff auf Peenemünde wich die Luftwaffe auf ein neues Versuchsgelände bei Königsberg aus, das Heer nach Blizna, 150 Kilometer nordöstlich von Krakau. Dort hatte Himmler dem A 4-Projekt einen Truppenübungsplatz der SS zur Verfügung gestellt, der die Tarnbezeichnung »Heidelager« trug. Das Testgelände diente sowohl der Fehlerbehebung an den Raketen wie der Ausbildung der Artilleristen an der neuen Waffe. Im Lauf der nächsten Monate wurden zur Bedienung der Raketen zunächst eine Versuchsbatterie und zwei Artillerieabteilungen mit jeweils drei Batterien verlegt. Jede Batterie verfügte über drei Abschussstellen, von denen abwechselnd geschossen wurde. Von 57 Startversuchen bis Mitte März 1944 verliefen nur 26 erfolgreich, die meisten Raketen brachen in der Luft auseinander.[23] Ursache waren vor allem Heckexplosionen und vorzeitiger Brennschluss der Triebwerke. Zwar wurden bis zum Frühjahr 1944 die meisten Probleme beim Start behoben, aber immer noch zerbrachen 70 Prozent aller Projektile beim Wiedereintritt in die Atmosphäre.[24] Seit dem Frühjahr 1944 wurde in Blizna auch die V 1 erprobt, da hier mit scharfen Sprengköpfen geschossen werden konnte. Walter Frentz machte seine Filmaufnahme von den Raketenstarts Mitte Juni 1944. Am 15. Juni besuchte der Chef der deutschen Raketenentwicklung, Generalleutnant Walter Dornberger, die Stellung der 2. Batterie der Artillerie-Abteilung 836 auf dem Testgelände in Blizna, und kündigte für die nächsten Tage Filmaufnahmen »durch einen Bildberich-

7 Deutscher Arbeiter und Häftlinge bei Montagearbeiten an der Steuereinheit der V 2, Mittelwerk, Mai-Juli 1944

6 »Niedersachswerfen: V 2-Fertigung« (handschriftlicher Vermerk von Walter Frentz zu dieser Bildserie). Das Bild zeigt die Montagestraße für den Mittelteil der Rakete mit den Tanks für Alkohol und flüssigen Sauerstoff. Mai-Juli 1944

ter des Führers beim Fertigmachen der Geräte« an. Am 17. Juni machte diese Batterie eine Rakete startklar: »Kurz vor dem Abschuß besucht General Dornberger die Feuerstellung mit dem Bildberichter aus dem Führerhauptquartier. Dieser filmt das Gerät mehrmals auf dem Abschußtisch mit den Bedienungsmannschaften. Während des Abschusses sitzt er im Feuerleitpanzer und filmt den Abschuß zunächst durch die Schlitze, dann durch die Turmluke.

Zur gleichen Zeit ist das Gerät [mit der Seriennummer] 18030 fertiggemacht worden. Auch bei diesen Arbeiten wird mehrfach gefilmt.« Die Filmaufnahmen dürften aber auch an anderen Stellen entstanden sein, denn auf einem Foto ist Walter Frentz vor einer V 2 zu sehen, die am Tag zuvor bei der Versuchsbatterie 444 verschossen worden war.[25]

Spuren von »Speers Film«

Am 12. Juli 1944 waren Speer, sein Stellvertreter Generalfeldmarschall Erhard Milch und führende Industrielle – alle Mitglieder der Kommission zur Überprüfung der Zweckmäßigkeit der

Organisation der Wehrmacht – bei Goebbels zum Mittagessen, um ihren Prüfbericht vorzustellen. Nachdem dieser Punkt abgehakt war, wurden die Unternehmer entlassen. Was folgte, beschrieb Goebbels in seinem Tagebuch: »Speer führt mit Milch zusammen einen Film über V1 und V2 vor. Die Konstruktion von V1 ist denkbar einfach und primitiv; trotzdem aber erzielt V1 ungeheure Effekte. Wenn man das Geschoß von seiner Startbahn abfliegen sieht, so möchte man die ganze Sache für eine Harmlosigkeit halten. Ich glaube, die Engländer sind gegenteiliger Meinung. Umso imposanter ist die Vorführung von A4. A4 wird in der Hauptsache in Fabriken unter der Erde geschaffen. Wenn man diese Fabriken im Film sieht, hat man den Eindruck, es handle sich um Zwerge, die den Nibelungenschatz bearbeiten. Die Arbeit wird vorwiegend von KZ-Häftlingen gemacht. Dann sieht man, wie das Geschoß zur Abschußstelle gefahren wird. Es beansprucht zwei Eisenbahnwagen zum Transport. Auf einer Lafette wird es dann ganz steil emporgerichtet, und auf einen Knopfdruck hin erhebt sich das Riesenbiest von 15 m Länge langsam in die Luft, um dann in rasanter

Geschwindigkeit in der Stratosphäre zu verschwinden. Man hat den Eindruck, der Geburt einer neuen Welt beizuwohnen. Ich kann mir vorstellen, daß A4 zu einer völligen Revolutionierung unserer Waffentechnik führen und der Zukunftskrieg durch diese Erfindung ein neues Gesicht erhalten wird. Ich kann mir die Vorführung dieses Films nicht oft genug anschauen.«[26]

Wilfried von Oven, der als PK-Berichter von der Abteilung Wehrmachtpropaganda im OKW als Pressereferent zum Goebbels-Ministerium abgestellt war, beobachtete mit einem SS-Offizier heimlich die Vorführung: »Es ist ein Farbfilm, der Herstellung und Abschuß der neuen Vergeltungswaffe zeigt. Zunächst sehen wir die Fertigungsstätten, die wie in den Sagen der Vorzeit in tiefen Höhlen und Bergstollen liegen. Züge mit Arbeitern und Material verschwinden in dem dunklen Bergschacht. Da drinnen werden die Ungeheuer, die Giganten

dostand, von dem aus der Abschuß ausgelöst wird. Es ist ein in respektabler Entfernung in die Erde eingelassener Panzer. Ein Offizier sitzt vor einem Schaltbrett, auf dem Instrumente und bunte Signallämpchen in verwirrender Vielfalt blinken. Jetzt dreht er an ein paar Knöpfen, schaltet an Hebeln, und nun läßt uns die Kamera durch den Sehschlitz des Panzers blicken.

Am Fuß der Bombe blitzt Feuer auf, eine dichte Qualmwolke breitet sich aus, und nun hebt sich, ganz langsam erst, die riesige, 20 Tonnen schwere stählerne Zigarre über die Baumwipfel, ein wahrhaft phantastischer Anblick. Sie gewinnt an Schnelligkeit, einen dicken weißen Kondensstreifen am blauen Sommerhimmel hinterlassend.

Diese Prozedur des Startes wird im Film wohl ein Dutzend Mal gezeigt.«[27]

Nach diesen Berichten von der Vorführung im Propaganda-

8 Unbekannter Fotograf: Walter Frentz filmt auf dem Testgelände Blizna (Polen) die Verladung der V 2 von der Bahn auf einen Spezialtransportwagen, Mitte Juni 1944

9 Vorbereitung der V 2 für den Startversuch auf dem Testgelände Blizna (Polen), Mitte Juni 1944

menschlicher Zerstörungskunst, bei künstlichem Licht hergestellt. Emsiges Gewimmel wie in einem Ameisenhaufen.

Dann verläßt eine fertige V 2 den Stollen. Sie muß mit ihren 17 Metern Länge auf zwei Spezial-Waggons verstaut werden. An ihrem Bestimmungsort angelangt, wird sie mit Hilfe mächtiger Kräne auf ein sinnreich konstruiertes Fahrgestell verladen, das von einer überschweren Zugmaschine quer durch den dichten Wald zu dem geheimen und sorgfältig abgesperrten Startplatz geschleppt wird.

Hier treten wieder Kräne in Aktion, die die Riesenbombe aus der waagerechten in die senkrechte Lage bringen, bis sie, eine riesige stählerne Zigarre, die höchsten Wipfel der Bäume gerade noch überragt. Sie hat die Höhe eines mittleren Kirchturmes. Eifriges Hantieren beginnt, um die Bombe schußfertig zu machen. Stählerne Gerüste werden herangeschoben, auf denen Soldaten herumturnen. Sie wirken in den Uniformen unserer Zeit unwirklich neben diesem Ungetüm, das in eine ferne technische Zukunft zu gehören scheint, von der wir bisher nur träumen konnten.

Eine andere Einstellung: Wir befinden uns in dem Komman-

ministerium verlieren sich die Spuren des Films. Als die Gauleitertagung, die wegen des Attentats auf Hitler verschoben worden war, schließlich am 3. August im Posener Schloss stattfand, stand sie im Zeichen des 20. Juli: Himmler und Goebbels redeten ausschließlich über die Bekämpfung der »Reichsfeinde«. Der Propagandaminister kündigte nur kurz an, dass Speer am Nachmittag von Waffen spreche, »die alles bisher Dagewesene in den Schatten stellen werden.«[28] Aber Speer hielt sich auffällig bedeckt, stattdessen überschüttete er die Gauleiter mit Details der Rüstungsproduktion. Auf Raketen und Strahlflugzeuge kam er auffällig beiläufig erst in der zweiten Hälfte seiner zweistündigen Rede zu sprechen: »Weiter wollen wir die Lastkraftwagen auf mindestens 14.000 Stück im Dezember steigern, die Zugkraftwagen auf 2.270 Stück und die V 1, die jetzt im Durchschnitt täglich mit 100 Stück, also mit einer Monatsproduktion von 3.000 Stück nach England geschickt werden kann, bis zum Ende dieses Jahres auf 9.000 Stück, das heißt einen Durchschnittsbeschuß von 300 Stück am Tage, eine Leistung, die auch schon erheblich ist, wenn man sich vorstellt, daß es

10 Artilleristen des Heeres beobachten einen Probestart der V 2 auf dem Testgelände in Blizna (Polen), Mitte Juni 1944

sich letzten Endes hier um ein zwar kleines, aber komplettes Flugzeug handelt.«[29] Noch knapper war der einzige Hinweis auf die V 2: »Letzten Endes werden auch die V 2 und die anderen Nachfolger in Kürze zur Verfügung stehen.«[30] Zum Schluss seiner Rede machte Speer klar, dass man sich nicht auf die »Geheimwaffen" verlassen dürfe, sondern dass der Rüstung genügend Arbeiter und der Wehrmacht ausreichend Soldaten zur Verfügung gestellt werden müssten.[31]

Es ist nicht wahrscheinlich, dass der ursprünglich für diesen Anlass hergestellte Film tatsächlich gezeigt wurde; das Tagebuch von Goebbels schweigt dazu.[32] Zum einen hatte der Schock des Attentats die Stabilität des Regimes als Thema in den Vordergrund gerückt. Zum anderen musste sich Speer den Gauleitern gegenüber vom Verdacht befreien, an der Verschwörung gegen Hitler beteiligt gewesen zu sein. Vor allem aber hatten sich inzwischen die Machtverhältnisse zugunsten der Gauleiter verschoben. Bereits eine Woche vor dem 20. Juli hatte ein Führererlass die Kompetenzen der Gauleiter im »Fall eines Vordringens feindlicher Kräfte auf deutsches Gebiet« gestärkt. Der

territorial zuständige militärische Oberbefehlshaber hatte seine Anforderungen an den jeweiligen Gauleiter zu richten, der in seiner Eigenschaft als Reichsverteidigungskommissar staatlichen Dienststellen Weisungen erteilen und den Einsatz der Polizei beim Höheren SS- und Polizeiführer beantragen konnte.[33] Ihr Einfluss nahm weiter zu, als Hitler nach dem Attentat Goebbels zum Reichsbevollmächtigten für den totalen Kriegseinsatz ernannte, der nun auch den obersten Reichsbehörden und der der Industrie gegenüber Vollmachten erhielt, die er wiederum teilweise an die Gauleiter delegierte.[34] So war Speer noch mehr als zuvor auf Kooperation mit der Mittelinstanz der NSDAP angewiesen. Davon konnte er nichts wissen, als er Walter Frentz den Filmauftrag erteilte. Aber schon damals hatte er allen Grund, bei ihnen verlorenen Boden gutzumachen: Sie warfen ihm seit Monaten vor, für den Waffenmangel an der Front verantwortlich zu sein und machten dem Rüstungsministerium dessen umfassende Kompetenzen streitig, indem sie immer wieder in die Kriegsproduktion ihres Gaues eingriffen. Während der Erkrankung Speers von Januar bis April 1944 hatten ihre Intrigen

11 Für seine privaten Aufnahmen ignorierte Walter Frentz das Verbot Hitlers, die V 2 auf der Startrampe zu zeigen. Truppenübungsplatz »Heidelager« bei Blizna (Polen), Mitte Juni 1944

gegen ihn derart zugenommen, dass er gezwungen war, seine Autorität wiederherzustellen.[35] Als nach dem 20. Juli die Behauptung zirkulierte, er sei in das Attentat eingeweiht gewesen, präsentierte Speer mit seinem Tagungsbeitrag Fakten statt Hoffnungen, eine trockene Leistungsbilanz ersetzte den schönen Schein, als der ihm der Film von Walter Frentz nun erscheinen mochte – zu wenig geeignet jedenfalls, die mittlere Ebene der Partei für sich zu gewinnen. Trotzdem warf ihm diese noch monatelang vor, er habe in Posen falsche Zahlen präsentiert.[36]

In den folgenden Monaten führte Goebbels einen Dauerstreit mit Speer über die Frage, wie viele wehrfähige Männer der Rüstungsindustrie zur Erhöhung der Produktion oder der Wehrmacht zur Stabilisierung der allenthalben bröckelnden Fronten zugeführt werden sollten.[37]

Mitte November 1944 hatte sich das Verhältnis zwischen den beiden Ministern vorübergehend entspannt. Anlässlich eines Besuchs von Vertretern der Regierung und der Partei, darunter Dönitz, Kaltenbrunner, Backe, Funk und Ley, führte Goebbels am 14. November sogar »eine außerordentlich freundschaftli-

che Unterhaltung« mit Speer. »Zur Aufhellung des Abends« führte der Propagandaminister seinen Besuchern zuerst einen neuen Unterhaltungsfilm der Tobis vor, danach den Raketenfilm von Walter Frentz: »Mit atemloser Spannung verfolgen die Herren eine Vorführung des von Speer hergestellten Films über die V 2-Waffe. Die meisten sind über die V 2-Waffe nur sehr wenig orientiert, und deshalb wirken die Aufnahmen auf sie geradezu alarmierend.«[38] Goebbels war vor allem zur Motivierung der Bevölkerung für den »totalen Kriegseinsatz« dringend auf Meldungen angewiesen, die sein Propagandaapparat als Hoffnungsstrahl an den Horizont werfen konnte. »Das einzige Positive, was wir im Augenblick anzuführen haben, ist unsere V 1-Waffe«, notierte er schon am 21. August 1944. Aber das war zu wenig, wie er selbst erkannte: »Vorläufig ist V 1 nicht kriegsentscheidend. Ich setze große Hoffnungen auf das Einsetzen unserer A 4-Waffe, das für Anfang September geplant ist.«[39] Wie aussichtslos er selbst die Lage empfand, zeigt seine Eintragung vom 29. August: »Es ist notwendig, daß wir einige militärische Erfolge erzielen; denn die Stimmung im Volke ist ziemlich grau in grau geworden. Man neigt immer mehr zu der Meinung hin, daß der Krieg nicht mehr zu gewinnen sei.«[40]

Der Einsatz der V 1 war von einer Pressekampagne flankiert, deren Zweckoptimismus selbst Goebbels zu weit ging und deshalb von ihm gebremst wurde. Auch wenn die Reaktionen im Reich nicht einheitlich waren, verbreitete sich zunächst eine Euphorie, die aber nach zwei Wochen wieder abgeflaut war.[41] Zwischen Juli 1944 und Anfang Januar 1945 erschienen mindestens fünf Berichte über die V 1 in der Wochenschau, für die offenbar keine Aufnahmen von Frentz verwendet wurden. Aber erst am 18. Januar 1945 zeigte die Wochenschau mit reichlich Verspätung – die erste V 2 war am 8. September 1944 von Holland aus nach England abgeschossen worden – einen Bericht über den Einsatz dieser Waffe. Von da an spielten die »Wunderwaffen« in der Filmpropaganda keine Rolle mehr.[42]

Dokumentation oder Propaganda?

Seit ihrer ersten Veröffentlichung wurde kritisch angemerkt, dass die Farbdias von Walter Frentz das Massensterben, den Terror der Wachmannschaften und die unsäglichen hygienischen Zustände ausblenden. Aber offenbar ändert sich die Wahrnehmung mit dem Blick, der auf die Bilder gerichtet wird. Denn es waren ehemalige Häftlinge aus Dora, die ihre Bedeutung als historische Dokumente erkannten und nutzten. Indem sie deren Bildmotive auf der Basis von wissenschaftlichen Forschungsergebnissen mit ihren eigenen Erinnerungsberichten und Zeichnungen konfrontierten, lasen sie die Bilder als Beglaubigung ihrer Leiden für die deutsche Rüstungsindustrie. Für die Überlebenden ist es nicht erforderlich, dass die Aufnahmen ihre damalige Lage realistisch dokumentieren: Dass einige von ihnen unbezweifelbar bei der Raketenmontage abgebildet sind, schließt auch alle anderen ein und identifiziert sie mit den Bedingungen der Zwangsarbeit, die aus der Forschung ohnehin bekannt sind.

Was aber lässt sich über den Blick des Fotografen sagen? Zunächst muss zwischen dem Film und den gewissermaßen als fotografisches Tagebuch entstandenen Fotos unterschieden werden. Dass der Rüstungsminister Walter Frentz mit dem Film beauftragte, dürfte kaum ein Zufall gewesen sein – beide waren seit Jahrzehnten miteinander gut bekannt. Und als Angehöriger der Luftwaffen-Kriegsberichterkompanie (mot.) 6, zu deren Aufgaben Propagandaarbeit für die Wehrmacht gehörte, war Walter Frentz als ausgewiesener Fachmann geradezu prädestiniert.[43] Ein dritter Grund mochte gewesen sein, dass Frentz bereits über Erfahrungen mit Industriefilmen wie »Hände am Werk« verfügte, die seinen künstlerischen Rang verbürgten. Und schließlich besaß er das persönliche Vertrauen Hitlers, der sich darauf verlassen konnte, dass er die Arbeit zuverlässig ausführte.

Der Film von Walter Frentz hatte Vorläufer. Um Hitler ihrem Projekt gewogen zu stimmen, hatte ihm die Entwicklungsabteilung in Peenemünde am 20. August 1941 Aufnahmen von Raketenstarts gezeigt, die seine Entscheidung für die rasche Entwicklung der A 4 tatsächlich beeinflusste.[44] Am 7. Juli 1943 sah Hitler dann einen Film vom ersten geglückten Flug einer A 4 am 26. Mai 1943. Wie sich Speer später erinnerte, war das der Durchbruch für die Serienfertigung.[45] Man darf nicht erwarten, dass Frentz in seinem Film Sequenzen zeigte, die den Verwendungszweck sabotierten. Speer wollte bei den Gauleitern punkten, und zumindest von Goebbels wissen wir, dass er das zunächst auch erreichte.

Anders stellt sich die Frage nach dem Blick des Autors bei den Fotos. Die erhaltenen Bilder bilden gewissermaßen nur die zweite Endmoräne des ursprünglichen Auftrags, eine zufällige, wenig repräsentative Auswahl aus den belichteten Filmen, die auch nur dürftige Rückschlüsse auf das Narrativ des Films zulässt.[46] Auf Grund seiner Stellung, ausgestattet mit einem Schreiben Speers, das jegliche Unterstützung von Industrie, staatlichen Behörden und Parteistellen einforderte, unterlag Walter Frentz in der Wahl seiner Motive kaum wesentlichen Beschränkungen.

Auffallend ist der Inszenierungscharakter der Fotos aus dem Raketentunnel. Weder sind deutsche Uniformen noch Kapos zu sehen – lediglich deutsche Arbeiter und technisches Personal. Die Häftlinge – sichtbar keine »Ostarbeiter« – wirken gesund, sauber und rasiert. Auf einigen Fotos scheinen sie eher den Größenmaßstab für die Rakete abzugeben, auf anderen zu posieren anstatt tatsächlich zu arbeiten. Diese Manipulation hat allerdings technische, keine ideologischen Ursachen: Da Frentz mit wenig lichtempfindlichem Farbdiamaterial arbeitete, wurden die Belichtungszeiten so lang, dass er mit künstlicher Beleuchtung arbeiten und die Häftlinge anweisen musste, schnelle Bewegungen zu vermeiden.[47]

Das erklärt aber nicht, warum die Realität der Häftlinge weichgezeichnet wird. Darin die Befolgung eines Fotografierverbots zu sehen, kann nicht überzeugen. Frentz' Aufnahmen von »Standzerlegern« in Blizna hätten dem Raketenprojekt durchaus schaden können, wären sie in die falschen Hände geraten, und die Fotos der V 1 auf der Abschusslafette und der V 2 auf der Startrampe setzten sich sogar über ausdrückliche Befehle Hitlers hinweg. Aber offenbar weckten die Häftlinge in Walter Frentz keine gestalterischen Impulse, und der Gedanke an eine dokumentarische, publizistische oder juristische Verwendung nach dem Ende des Krieges, das im Sommer 1944 bereits absehbar war, scheint ihm ferngelegen zu haben. Insofern sind diese Farbdias nicht zuletzt Dokumente seiner Wahrnehmung und seines Selbstverständnisses als »Kameramann des Führers«.

1 Yves Le Maner/André Sellier, Bilder aus Dora. Zwangsarbeit im Raketentunnel 1943-1945, Ausstellungskatalog Berlin 2001; Julia Encke, Reiseziel Mord, FAZ 25. Januar 2001; Clément Cheroux (Hg.): Mémoire des camps. Photographies des camps de concentration et d'extermination nazis (1933-1999), Paris 2001; Rudolf Walther: Eine Pädagogik des Schreckens in: Freitag, 4. Mai 2001; Ilsen About/Clément Chéroux: Fotografie und Geschichte. Vortrag an der Hochschule für Grafik und Buchkunst Leipzig. Leipzig 2004.

2 Schriftliche Mitteilung von Hanns-Peter Frentz, 29. Januar 2006.

3 Léon Navaro-Vera an Hanns-Peter Frentz, 7. November 1998; Le Maner/Sellier 2001 (wie Anm. 1), S. 39.

4 Le Maner/Sellier 2001 (wie Anm. 1), S. 35-39; André Sellier, Zwangsarbeit im Raketentunnel. Geschichte des Lagers Dora, Lüneburg 2000, S. 41, 165 und 206 f.

5 Le Maner/Sellier 2001 (wie Anm. 1), S. 25/27.

6 Mitteilung von Hanns-Peter Frentz, 29. Januar 2006. – Für weitere Aufnahmen im Herbst 1944 spricht ein von Albert Speer am 10. Oktober 1944 ausgestelltes Schreiben, das einen Filmauftrag für Walter Frentz erwähnt, der sich unter anderem auf die V 1 (»FZG 176«) und die Me 262 erstreckte: BA R 3/1578, Bl. 170.

7 ZDF-Produktion »OLYMPIA 1936 – Der schöne Schein«, Prod.-Nr. 498/80024 – Interview mit Walter Frentz, Mai 1996; Filmdokumente zur Zeitgeschichte – Walter Frentz über seine Tätigkeit als Kameramann 1932-1945. Gesprächspartner: Dr. Karl Stamm. IWF Wissen und Medien GmbH G 217, 48 min, 2001.

8 Le Maner/Sellier 2001 (wie Anm. 1), S. 3.

9 Protokoll über Speers Besprechung mit Hitler am 13. Mai 1944, in: Willi Boelcke (Hg.), Deutschlands Rüstung im 2. Weltkrieg. Hitlers Konferenzen mit Albert Speer 1942-1945, Frankfurt/M. 1969, S. 360.

10 Protokoll über Speers Konferenz mit Hitler vom 6.-8. Juli 1944, datiert 10. Juli 1944, in: Boelcke 1969 (wie Anm. 8), S. 391 f.

11 Ebd.

12 Heinz Dieter Hölsken, Die V-Waffen. Entstehung – Propaganda – Kriegseinsatz, Stuttgart 1984, S. 37 f., 56-74, 218.

13 Albert Speer, Erinnerungen, Berlin 1969, S. 375-377; Hölsken 1984 (wie Anm. 12), S. 37.

14 Joachim Neander, Das Konzentrationslager Mittelbau in der Endphase der nationalsozialistischen Diktatur, Clausthal-Zellerfeld 1997, S. 175-177.

15 Jens-Christian Wagner, Produktion des Todes. Das KZ Mittelbau-Dora, Göttingen 2001, S. 194-196.

16 Jens-Christian Wagner, Opfer des Raketenwahns. Zwangsarbeit in Peenemünde und Dora-Mittelbau, in: Johannes Erichsen/Bernhard M. Hoppe (Hg.), Peenemünde. Mythos und Geschichte der Rakete 1923-1989. Katalog des Museums Peenemünde, Berlin 2004, S. 43-52, hier S. 45-47; Wagner 2001 (wie Anm. 15), S. 182 ff.

17 Wagner 2001 (wie Anm. 15), S. 181-194, 245-266.

18 Wagner 2004 (wie Anm. 16), S. 47 f.

19 Wagner 2001 (wie Anm. 15), S. 189 f., 202, 216 f.

20 Hölsken 1984 (wie Anm. 12), S. 48-74.

21 Besprechung Speers mit Hitler, 7. Juni 1944, in: Boelcke 1969 (wie Anm. 8), S. 378.

22 Gregor Janssen, Das Ministerium Speer, Berlin 1968, S. 178-189.

23 Hölsken 1984 (wie Anm. 12), S. 48, 66, 67.

24 Michael J. Neufeld, Die Rakete und das Reich, Berlin 1997, S. 246.

25 Kriegstagebuch der 2. Batterie der Artillerie-Abteilung 836 [Kopie im Besitz von Olaf Przybilski, TU Dresden.]; Dr. Olaf Przybilski, TU Dresden, an Hanns-Peter Frentz, 20. Dezember 2004.

26 Die Tagebücher des Joseph Goebbels. Im Auftrag des Instituts für Zeitgeschichte und mit Unterstützung des Staatlichen Archivdienstes Rußlands hg. von Elke Fröhlich, Teil II, Diktate 1941-1945, Bd. 13. München u.a. 1995, Eintragung vom 13. Juli 1944, S. 105 f.

27 Wilfried von Oven, Finale Furioso. Mit Goebbels bis zum Ende. Tübingen 1974, S. 390-393; von Oven datiert die Vorführung irrtümlich auf den 11. Juli.

28 Rede von Goebbels auf der Gauleitertagung am 3. August 1944, in: Goebbels Reden, Bd. 2, 1939-1945, hrsg. von Helmut Heiber, Düsseldorf 1972, S. 360-404, hier S. 403.

29 Rede von Reichsminister Speer auf der Gauleiter-Tagung am 3. August 1944 in Posen: IfZ ED 8, S. 25 f.

30 Speer 1944 (wie Anm. 29), S. 30c.

31 Speer 1944 (wie Anm. 29), S. 41f.

32 Goebbels, Eintragung vom 4. August 1944, in: Tagebücher (wie Anm. 26), Bd. 13., S. 222.

33 Erlaß des Führers vom 13. Juli 1944 über die Zusammenarbeit von Partei und Wehrmacht in einem Operationsgebiet innerhalb des Reiches, in: Walther Hubatsch, Hitlers Weisungen für die Kriegführung 1939-1945. Dokumente des Oberkommandos der Wehrmacht, Koblenz 2. Aufl. 1983, S. 259 f., Zitat S. 259; Peter Hüttenberger, Die Gauleiter. Studie zum Wandel des Machtgefüges in der NSDAP, Stuttgart 1969, S. 188.

34 Ralf Georg Reuth, Goebbels, München/Zürich 1990, S. 558.

35 Janssen 1968 (wie Anm. 21), S. 157-174.

36 Janssen 1968 (wie Anm. 21), S. 168 ff.

37 Janssen 1968 (wie Anm. 21), S. 271-282.

38 Goebbels, Eintragung vom 15. November 1944, Tagebücher (wie Anm. 26), Bd. 13, S. 212-213. Für den Hinweis auf dieses Zitat danke ich Matthias Struch.

39 Goebbels, Eintragung vom 21. August 1944, Tagebücher (wie Anm. 26), Bd. 13, S. 280.

40 Goebbels, Eintragung vom 29. August 1944, Tagebücher (wie Anm. 26), Bd. 13, S. 356.

41 Meldungen aus den SD-Abschnittsbereichen vom 19. Juni 1944, in: Meldungen aus dem Reich 1938-1945. Die geheimen Lageberichte des Sicherheitsdienstes der SS, hrsg. und eingeleitet von Heinz Boberach, Bd. 17, Herrsching 1984, S. 6595 ff.; Meldungen aus den SD-Abschnittsbereichen vom 28. Juni 1944, ebd., S. 6613 ff.

42 Wochenschauen und Dokumentarfilme 1895-1950 im Bundesarchiv-Filmarchiv, neubearbeitet von Peter Bucher (= Findbücher zu Beständen des Bundesarchivs, Bd. 8), Koblenz 1984, S. 145-151.

43 BAMA Personalakte Walter Frentz (LP 67297).

44 Aktennotiz Dornberger, 21. August 1941: National Air and Space Museum (NASM), FE341, abgedr. in: Neufeld 1997, S. 168-171.

45 Neufeld 1999 (wie Anm. 24), S. 232 f.; Speer 1976 (wie Anm. 13), S. 376 ff.

46 Im Bundesarchiv ist weder die Schnittfassung noch Rohmaterial bekannt (Mitteilung des Bundesarchivs/Filmarchiv, 23. Februar 2006).

47 Vgl. das Foto in: Le Maner/Sellier 2001 (wie Anm. 1), S. 39.

Mittelwerk bei Nordhausen, Bearbeitung von Blechen durch Häftlinge des KZ Dora, Mai-Juli 1944

Der Bau der »V 2« erfolgte im Tunnel B des Mittelwerks, wo sie auf einer Montagestraße in 13 Takten fertiggestellt wurde. Zunächst wurden als Mittelteil der Rakete die Behälter für Alkohol und flüssigen Sauerstoff zwischen zwei Halbschalen der Außenwand montiert. Der nächste Schritt war die Befestigung des Heckteils mit dem Triebwerksblock und den Heckflossen am fertigen Mittelteil. Nach der Befestigung der Steuereinheit am vorderen Teil der Rakete wurde diese für die Endprüfung durch die Wehrmacht senkrecht aufgestellt. Der Sprengkopf wurde erst kurz vor dem Abschuss angebracht. Auf dem Foto sieht man links den französischen Häftling Claude de Chanteloup bei der Bearbeitung eines Blechs für den Mittelteil der »V 2« im Montagetunnel der Mittelwerk GmbH.

**Mittelwerk bei Nordhausen, der französische Häftling Charles Sadron,
Professor an der Universität Straßburg, und ein deutscher Mitarbeiter bei
der Arbeit an einer Steuereinheit der »V 2«, Mai-Juli 1944**

Propagandaminister Goebbels bemühte den Nibelungenmythos, um die
Montage der V 2 zu beschreiben: »Wenn man diese Fabriken im Film sieht,
hat man den Eindruck, es handle sich um Zwerge, die den Nibelungenschatz
bearbeiten. Die Arbeit wird vorwiegend von KZ-Häftlingen gemacht.« Deren
Wirklichkeit sah anders aus, wie sich der ehemalige Häftling Erich Neumann
erinnert: »Nach 3/4-stündigem Gänsemarsch über Stock und Stein zu den
berüchtigten Übernachtungshallen. In einer Halle über 200 in vier Etagen

untergebracht mit Papierstrohsäcken, fast ohne Inhalt, als den von Flöhen,
Läusen; Tote, Sterbende, Ruhr- und Typhuskranke, Beinkranke, vereiterte
Körper ohne Bandagen oder Verbände, alles durcheinander im stinkenden
Schwefelgestank der Sprengungen. Jeder ringt nach Luft und schreit danach. Keine Ventilation [...]. In sämtlichen Gängen, Hallen, Stollen und Neben-
stollen Tote oder Sterbende und Erschlagene. Alles im Lauftempo. Erbar-
mungslos wird von der SS hineingeschlagen, um das Tempo zu beschleu-
nigen, mit Gummiknüppeln, Gewehrkolben, Eisenstangen und Holzstücken
Egal, wo der Schlag trifft, ob auf den Kopf, auf Schultern oder Rücken, wahl-
los – alles zu dem einen Zweck: Produktion der V-Waffen.«

Mittelwerk bei Nordhausen, Häftlinge des KZ Dora bei der Montage des Heckteils einer »V 2«, Mai-Juli 1944
Die Montage des Heckteils, bei der überwiegend Franzosen eingesetzt waren, wurde später von ehemaligen Häftlingen beschrieben. Guy Raoul-Duval: »Das Heck verließ Halle 35 auf einem Wägelchen und wurde von einer Art Flaschenzug gehalten. Im Schlußspurt brachten wir es am hinteren Block (des Mittelteils) an und schraubten es fest.« Bernard Ramillon: »Die Hecks wurden aufrecht mit dem zylindrischen Teil nach unten auf Wagen gesetzt. An die Seite wurde ein Holzgerüst gestellt, damit wir in größerer Höhe arbeiten konnten. In Halle 35 wurden verschiedene Arbeiten ausgeführt: Verstärkung der Ringe durch Schweißen oder explodierende Nieten, Löten von Platten mit Acetylen-Sauerstoff-Brennern, Montage des Rings, eines wichtigen Teils aus Leichtmetall, am Ende des Hecks, Montage der Steuermotoren für die Querruder usw.«

Mittelwerk bei Nordhausen, Häftlinge des KZ Dora bei der Arbeit an elektrischen Verkabelungen für die »V 2«, Mai-Juli 1944

Auf diesem Foto wird die wegen der schlechten Lichtverhältnisse und der geringen Empfindlichkeit des Diamaterials notwendige Inszenierung der Aufnahmen aus dem Raketentunnel sichtbar: Um ein Verwischen der Aufnahme zu vermeiden, stellen Häftlinge die Vorbereitung der elektrischen Verkabelungen zwischen der Rakete und dem Abschusspult für die Kamera nach. Ganz rechts ist ein Scheinwerfer zu sehen, mit dem Walter Frentz die Halle zusätzlich ausleuchtete. Der Häftling, der am rechten Bildrand zum Fotografen hinübersieht, ist Léon Navaro aus Grenoble, der damals 20 Jahre alt war und sich 55 Jahre später auf dem Foto wiedererkannte. Navaro, der die Häftlingsnummer 40.629 hatte, identifizierte als Ort der Aufnahme Halle 28, wo hauptsächlich Belgier, Holländer und Franzosen arbeiteten.

Truppenübungsplatz »Heidelager« bei Blizna (Polen), Bergung eines »V 2«-Wracks durch Artilleristen, Mitte Juni 1944

Technische Probleme führten häufig zu Heckexplosionen und vorzeitigem Brennschluss des Triebwerks, wobei die Rakete auf die Abschussanlage zurückfallen konnte. Ursachen waren schlechte Verarbeitung und die Beschädigung der empfindlichen Technik beim Transport. Auch wenn zumindest die Probleme beim Start seit Frühjahr 1944 weitgehend behoben waren, kam es auch während der Filmaufnahmen von Walter Frentz Mitte Juni 1944 zu »Standzerlegern«. Das Kriegstagebuch der 2. Batterie der Artillerie-Abteilung 836 beschreibt einen solchen Fehlstart am 14. Juni 1944: »Es ist 18.40 Uhr. Vorstufe in Ordnung; Hauptstufe kommt, setzt aber schlagartig aus und das Gerät, das sich etwa auf 1/2 m abgehoben hatte, legt sich langsam auf die Seite. Einige kräftige Detonationen folgen; die beiden Tanks platzen. Glücklicherweise hat das Gerät weder Tisch noch Meilerwagen beschädigt.« Es ist allerdings unwahrscheinlich, dass im Film ein solcher Fehlstart zu sehen war.

Truppenübungsplatz »Heidelager« bei Blizna (Polen), Start einer »V 2«, Mitte Juni 1944

Eine von mehreren überlieferten Aufnahmen, auf denen Walter Frentz geglückte Starts von V 2-Raketen festhielt. Propagandaminister Goebbels notierte in seinem Tagebuch: »Dann sieht man, wie das Geschoß zur Abschußstelle gefahren wird. Es beansprucht zwei Eisenbahnwagen zum Transport. Auf einer Lafette wird es dann ganz steil emporgerichtet, und auf einen Knopfdruck hin erhebt sich das Riesenbiest von 15 m Länge langsam in die Luft, um dann in rasanter Geschwindigkeit in der Stratosphäre zu verschwinden. Man hat den Eindruck, der Geburt einer neuen Welt beizuwohnen.« Auch der Pressereferent im Propagandaministerium und spätere Korrespondent des »Spiegel« und der »Frankfurter Allgemeinen Zeitung« in Ar-gentinien, Wilfried von Oven, beschrieb die Startszenen im Film von Walter Frentz: »Am Fuß der Bombe blitzt Feuer auf, eine dichte Qualmwolke breitet sich aus, und nun hebt sich, ganz langsam erst, die riesige, 20 Tonnen schwere stählerne Zigarre über die Baumwipfel, ein wahrhaft phantastischer Anblick. Sie gewinnt an Schnelligkeit, einen dicken weißen Kondensstreifen am blauen Sommerhimmel hinterlassend. Diese Prozedur des Startes wird im Film wohl ein Dutzend Mal gezeigt.« Nach der Vorführung soll Goebbels zu von Oven gesagt haben: »Könnten wir diesen Film in allen deutschen Kinos zeigen, ich brauchte keine Rede mehr zu halten und keinen Artikel mehr zu schreiben, auch der hartgesottenste Pessimist könnte danach nicht mehr an unserem Siege zweifeln.«

1 Straße am Hafen, wohl Calais, Ende Mai 1940

2 Kontaktbogen mit Aufnahmen von Dünkirchen und Calais, Ende Mai 1940

LUDGER DERENTHAL

Trümmerbilder
Fotografien der Kriegszerstörungen
von Walter Frentz (1939–1947)

Eine namenlose Straße (Abb. 1): Häuser, von denen nur noch die Fassade stehen geblieben ist, mit Brandspuren und ohne Fenster und Türen; Gebäude, deren Stockwerke aufgerissen sind, ohne Dach und Fußboden; Ruinen und Schutthaufen; eingestreute verbogene Stahlträger und Holzbalken, die die Straße unpassierbar machen. Merkwürdig nur die am linken Bildrand noch mitsamt ihrer Verglasung erhalten gebliebene Straßenlaterne, daneben die Straßenschilder, die mit Kreide mit »Hafen« beschriftet sind, so als ob sich durch diese Trümmerlandschaft doch noch ein Weg finden ließe. Walter Frentz hat diese Fotografie auf einer Reise während des Frankreichfeldzuges 1940 gemacht. Sie findet sich auf dem Kontaktbogen eines Schwarzweiß-Filmes (Abb. 2), der mit »Frankreich, Bei Dünkirchen, Film 4007« bezeichnet ist, einige Aufnahmen zuvor sind durch die Bezeichnung »Calais: Rathaus m. Beffroi [= Glockenturm]« lokalisiert. Es folgt im unmittelbaren Anschluss eine Serie zu einem an einem Hafen aufgebauten Geschütz in Gefechtsstellung, das er mit drei Aufnahmen geradezu umkreist, um die bildwirksamste Einstellung zu finden. Die Situation der Ruinen in der Straße scheint Frentz besonders beeindruckt zu haben, denn er hat, mit nur leichter Verschiebung der Perspektive, die namenlose Straße gleich zweimal fotografiert. Nur durch die deutschsprachige Kreideschrift, die den Truppen den Weg zu wichtigeren Zielen weisen sollte, wird der Konnex zu den Kriegshandlungen deutlich, bei anderen Bildern fehlt er völlig. Es scheint dennoch, als habe Frentz sich nur wenig Zeit für diese Fotografien genommen, allzu flüchtig und beiläufig wirken die Blickwinkel.

Bereits 1939 hatte Walter Frentz, oft aus dem fahrenden Auto heraus, zerstörte Dörfer und Städte des Polenfeldzuges fotografiert. Andere Bilderserien von Trümmern machte er 1940-42 in Belgien, Jugoslawien und der Ukraine. Die Aufnahmen waren sicherlich in den meisten Fällen für keinen unmittelbaren Verwertungskontext gedacht, eher folgte er einem dokumentarischen Interesse, die zunächst noch ungewohnten Trümmerlandschaften zumindest in Ansätzen festzuhalten. Dabei ging es ihm kaum um systematische Schadensdokumentation, selbstverständlich auch nicht um Anklage der Schrecken des Krieges. Als Angehöriger der NS-Propagandamaschinerie konnte er kein Interesse an einer solchen Aussage haben. In der großen Zahl der auf Kontaktbögen erhaltenen Aufnahmen fallen die

3 Unbekannter Fotograf: Brennende französische Stadt, veröffentlicht in »Signal«, Juli 1940

Trümmerbilder nicht heraus, Frentz fotografierte sie mit der gleichen Nachlässigkeit wie auch die im gleichen Auto mitreisenden Partei-Funktionäre oder Wehrmachtsangehörigen, wie Flakstellungen und Wagenkolonnen, wie die geselligen Runden der Soldaten oder wie die markanten bedeutenden Gebäude einer Stadt – gleichgültig ob sie erhalten waren oder im Krieg Schaden erlitten hatten. Durch diese zumindest vordergründige Interesselosigkeit gewinnen die Fotografien an Authentizität, wirken sie auch heute noch als glaubwürdige Dokumentationen.

Sieht man sich die Hefte der Zeitschrift ›Signal‹ an, die als überaus aufwendig gemachte Zeitschrift der Propagandaabteilung des Oberkommandos der Wehrmacht ab April 1940 vierzehntägig erschien,[1] so wird deutlich, weshalb Frentz seine Trümmerfotos dieser Reisen nicht für die Veröffentlichung gemacht haben wird. Zum Vergleich bietet sich eine doppelseitig in Farbe gebrachte Aufnahme eines nicht genannten Fotografen an, die im 2. Juliheft 1940, unmittelbar nach dem Ende der Kriegshandlungen in Frankreich publiziert wurde (Abb. 3).[2] Sie zeigt von einem erhöhten Standpunkt, möglicherweise von einem Kirch- oder Rathausturm herab, den Blick auf eine zerstörte Stadt. Diesen Blick teilen wir als Betrachter mit einem deutschen Soldaten im Schattenriss, hinter dessen Stahlhelm eine Schneise der Verwüstung durch die Stadt gezogen wurde.

Aus einigen Gebäuden schlagen noch Flammen, schwarzer Rauch liegt über den zerstörten Häusern. Die ungemein wirkungsvolle Bildfindung findet ihr Echo in Bildern von Frentz und anderen deutschen Fotografen, die gegen Kriegsende die Ruinen von Dresden und Freiburg aufnahmen. Für die Veröffentlichung in ›Signal‹ war wichtig, dass die Häuser am oberen Bildrand nicht beschädigt waren. Die Bildlegende erklärt dies mit der Präzision der deutschen Kriegsführung: »Irgendwo in Frankreich: Das Ende einer verteidigten Stadt (...) Das umseitige Bild zeigt besonders deutlich, dass der Krieg nur über die hart verteidigten Rückzugstraßen des Gegners gebraust ist, – Haus und Hof in der Umgebung liegen völlig unversehrt da.« In Frankreich waren die Erinnerungen an die Zerstörungen des vorherigen Krieges und die heftige publizistische Auseinandersetzungen um die Beschädigung der Kathedrale von Reims noch sehr lebendig, die Bildunterschrift in ›Signal‹ liegt daher ganz in der Tradition der deutschen Propaganda aus dem 1. Weltkrieg.

Solche propagandatauglichen Aufnahmen von Trümmern hat Frentz, soweit sich dies mit Hilfe der erhaltenen Schwarz-weiß-Kontakte beurteilen lässt, in den ersten Kriegsjahren nicht gemacht. Dass er die Muster der nationalsozialistischen Bild-

propaganda hingegen durchaus beherrschte, zeigen die wenigen in ›Signal‹ erschienen Fotografien von ihm; immer waren es Farbaufnahmen, die auch durchwegs prominent platziert wurden. Sie zeigen etwa Hitler mit Generälen oder begleitet von Göring, ein ganzseitiges Portrait von Rommel aus der Reihe der Studioportraits der Ritterkreuzträger. Solche Portraits konnte Frentz auch unter dem Titel »Männer unserer Zeit« in der Berliner Kunsthalle in Charlottenburg im April/Mai 1943 präsentieren. Eine Rezension in der Zeitschrift ›Gebrauchsfotografie‹ charakterisierte die Aufnahmen als Schnappschüsse: »Zieht man alles zusammen, so haben wir das Beispiel eines äußerst vereinfachten, eindeutigen und sachlichen Bildnisstils vor uns. Eines Stils, der einem Soldaten und Kriegsberichter, und erst recht diesen Köpfen angemessen ist. Und was für Köpfe sind das! Vom Führer und Duce bis zu den oft blutjungen Jagdfliegern und Eichenlaubträgern – ein wie das andere Gesicht geprägt von Verantwortung und der Begegnung mit dem Schicksal.«[3] Andere Bilder von Frentz in ›Signal‹ zeigen etwa ein Ferngeschütz, das auf Ziele an der britischen Küste feuert. Ebenso martialisch wie bedrohlich wirkt seine Fotografie eines Geschützbunkers mit steil aufragender Kanone und

4 Batterie Lindemann bei Calais, Ende Mai 1943, veröffentlicht in »Signal«, Februar 1944

einsamem Wachsoldaten, »An Europas Grenze« betitelt, die im Februar 1944 in ›Signal‹ publiziert wurde (Abb. 4). Sie folgt einer Standardformel der PK-Kriegsfotografie, sehr ähnliche Aufnahmen der gleichen Batterie gibt es, ebenfalls in Farbe und wohl gleichzeitig gemacht, von Alfred Tritschler.[4]

Walter Frentz war, wie schon der Blick in ›Signal‹ zeigt, keineswegs der einzige PK-Fotograf, der im Krieg mit Farbfilmen arbeiten konnte. In der Literatur heißt es gar, dass »die PK-Kompanien der Wehrmacht das Geschehen an allen Fronten in Tausenden von Farbdias festhielten – zur Auswertung nach dem ›Endsieg‹.«[5] Tritschler etwa, Kompagnon des wichtigsten Bildpropagandisten der Farbfotografie Dr. Paul Wolff, deckte die ganze Bandbreite der PK-Aufnahmen in Farbe vom Propagandabild bis zur reportagehaften Dokumentation in Bildserien ab.[6] Im Archiv der Time Life Pictures lagern inzwischen die Aufnahmen des PK-Bildberichters Hugo Jäger, die sich gut mit den späteren Trümmerfotografien in Farbe von Walter Frentz vergleichen lassen. Auch Jäger konnte, wie dies von Frentz berichtet wird, bei einem Farblichtbildvortrag auf dem Berghof – bei dem jedoch gewiss nicht die Trümmerfotografien gezeigt wurden – sich das Wohlwollen Adolf Hitlers für seine Farbfotografien erwerben, was den Zugang zum seltenen Filmmaterial sicher erleichtert haben wird.[7]

Selbst heute noch, über 60 Jahre nach dem Ende des Zweiten Weltkrieges, ist dennoch unsere visuelle Vorstellung vom Krieg durch Filme und Fotografien in Schwarz-Weiß geprägt. Die Wochenschauen und die unzähligen Bildbände in Schwarz-Weiß zu einzelnen zerstörten Städten und den Kriegshandlungen tragen wesentlich zu dieser Wahrnehmung bei. Allein, in den letzten Jahren – und dies lässt sich sehr gut an den jeweils springflutartig ansteigenden Publikationswellen zum 50. und 60. Jahrestag des Kriegsendes ablesen – wird das Bild des Krieges immer farbiger. Nicht zu unterschätzen sind dabei die historischen Dokumentationen des Fernsehens, die auch in den Ankündigungen einen Zugewinn an Präsenz und Unmittelbarkeit durch die neugewonnene Farbigkeit bewerben. Mag dies für neuaufgefundene Farbfilme und Fotografien zutreffen, so finden sich seit den 1990er Jahren zunehmend kolorierte Schwarzweiß-Fotografien, die – wie ein relativ frühes Beispiel der nachkolorierten, inzwischen ikonisch gewordenen Aufnahme Jewgeni Chaldejs vom Hissen der Sowjetflagge auf dem Reichstag belegt[8] – wenig zur sachgerechten Vermittlung historischer Ereignisse beitragen (Abb. 5). Dabei ist Chaldejs Fotografie durch ihren häufigen Wiederabdruck und die auch weit verbreitete Entstehungsgeschichte so gut bekannt, dass die Kolorierung sofort als unglaubwürdig und verfälscht auffällt.

Die farbigen Trümmerfotografien von Walter Frentz hingegen holen die Zerstörungen des Krieges wieder näher heran. Dabei weisen allerdings die frühen Farbfilme sehr spezifische Farbwerte auf, über die auch in den 1930er und 40er Jahren intensiv debattiert wurde. Insbesondere die Verschiebung nach Blaugrün und die pastellartige Wiedergabe der Farben sind für die

5 Jewgeni Chaldej: Hissen der Sowjetflagge auf dem Reichstag, Mai 1945 (kolorierte Schwarzweißaufnahme)

Agfacolor-Diafilme dieser Jahre charakteristisch. Hinzu kommen durch die jahrzehntelange, oft nicht sachgerechte Lagerung der Filme mittlerweile weitere Farbverschiebungen, die sich bei der Herstellung von Neuabzügen nicht vollständig rückgängig machen lassen, will man nicht wie die Koloristen des Chaldej-Fotos interpretierend eingreifen.

Die ersten Farbaufnahmen der Zerstörungen von Walter Frentz entstanden bereits 1943 in Stuttgart, die weitaus intensivste Phase folgte jedoch in den letzten Kriegsmonaten, im Winter/Frühjahr 1945. Zu seinen Motiven für die umfangreiche Dokumentation der Zerstörungen hat sich Walter Frentz nicht geäußert, doch hat er die Fotografien nach dem Krieg zu Vergleichen mit Fotografien der unversehrten Bauten in seine Lichtbildvorträge eingebaut. Dazu äußerte er in einem Interview mit dem Filmhistoriker Karl Stamm: »Ich habe zunächst Vorträge gehalten, das hat sich sehr gut gemacht, denn ich wollte den Menschen, die ja nun alle bedrückt waren von dieser Kriegsendsituation, [denen] wollte ich eine Freude machen, mit Dingen, die Freude machen können. Und das ist, da ich alter Wandervogel bin, aus der Jugendbewegung komme, für mich die Natur, die nicht zu vernichten ist. Und die ich habe dann in allen Schönheiten den Menschen gezeigt, Frühling, Sommer, Herbst und Winter, und was es an Bauwerken noch zu zeigen war aus deutschen und europäischen Städten und habe damit den Menschen wenigstens einen Auftrieb geben können in einer Zeit der tiefen Depression.«[9] Die Vorträge trugen dementsprechend sinnfällige Titel wie: »Vergangenes und unvergängliches Deutschland«.

Neben den PK-Fotografen durften während des Krieges nur durch offiziell beauftragte Fotografen die durch Bombenangriffe verursachten Schäden umfassend dokumentiert werden. Trotz bestehender Verbote[10] wagten sich zudem einige Fotografen ohne Auftrag wie Hermann Claasen in Köln oder Hannes Kilian in Stuttgart auch während oder kurz nach den Bomberan-

6

7

6, 8 Dresden, Blick vom Stadtpavillon des Zwingers zum Schloss
(oben: Walter Frentz, wohl März 1945; unten: Richard Peter sen., 1945)

7, 9 Nürnberg, Hans-Sachs-Denkmal und Sebalduskirche
(oben: Walter Frentz, März/April 1945; unten: Ray D'Addario, nach 1945)

griffen mit ihrer Kamera auf die Straßen.[11] Diese Aufnahmen wurden selbstverständlich während des Krieges nicht veröffentlicht. Erst in den ersten Nachkriegsjahren wurden die verwüsteten deutschen Städte zu einer der wichtigsten Motivgruppen der publizierten Fotografie; die Allgegenwart der Ruinen prägte die deutschen Bildbände, die nach 1945 als Mahnung und Anklage und allgemeine Warnung vor dem Krieg schlechthin erschienen.[12] Diese Bildbände boten Erklärungsmuster zum Umgang mit dem Krieg und den Ruinen und forderten zur mentalen und emotionalen Bewältigung der Vergangenheit auf.

Bei seinen Aufnahmen der zerstörten Städte fand Walter Frentz oft Bildlösungen, die auch von seinen Kollegen gewählt wurden. Beispielhaft lässt sich dies an seinem fotografischen Blick durch die ausgebombten Fenster des Dresdner Zwingers auf das ebenfalls in Ruinen liegende Schloss beschreiben (Abb. 6). Durch drei nur noch mit Skulpturenfragmenten besetzte Arkaden werden die fensterlosen Fassaden ohne Dächer, der Turm

ohne Haube erfasst. Der strahlend blaue Himmel und die grelle Sonne, die Schlagschatten auf die Zwingerreste wirft, sorgen für eine merkwürdig zeitenthobene Stimmung in der Aufnahme. Frentz wird seine Fotografien in Dresden in kurzer Zeit, möglicherweise nur an einem einzigen Tag gemacht haben. Dagegen konnte sich Richard Peter sen. Zeit nehmen, die Arbeit von vier Jahren steckt in seinem Buch ›Dresden – Eine Kamera klagt an‹, das 1950 veröffentlicht wurde. Doch bietet Peter sen. einen verblüffend ähnlichen Bildausschnitt bei seiner Zwingeraufnahme (Abb. 8). Einzig die linke Arkade, die bei Frentz noch den Blick an der Hofkirche vorbei zur Elbe hinunter eröffnet, beschneidet er deutlich, um dem Bild eine symmetrische Geschlossenheit zu verleihen. Der Turm ist dadurch, anders als bei Frentz aus der Bildmitte gerückt, innerhalb der Arkade um ein weniges besser platziert. Auch Peter sen. fotografierte bei kräftigem Sonnenlicht, das die Arkaden in seiner Kleinbild-Schwarzweiß-Aufnahme plastisch modelliert.

Frentz selber suchte immer wieder den Blick durch Bogenstellungen, auch vom Zwinger gibt es noch eine weitere Fotografie durch drei Arkaden des Semper'schen Galeriebaus, die nun aber das ganze zerstörte Stadtpanorama fassen. Gleichermaßen stellte er etwa die Türme des Paderborner Doms unter einen Bogen, schaute er durch das Münchner Karlstor auf die Neuhauser Straße oder unter einer Pegnitzbrücke auf die Ruinen der Nürnberger Altstadt. Dabei folgte er den Konventionen des ›schönen Bildes‹, wie es in zahlreichen Bildbänden und den Fotozeitschriften massenhaft in den 1920er und 1930er Jahren in Ansichten der romantischen, mittelalterlichen deutschen Städte propagiert worden war, und die selbstverständlich an eine lange Tradition in der romantischen Vedute auch der Malerei anknüpfte. Es fällt auf, dass Walter Frentz hier – anders als noch zu Beginn der 1930er Jahre – ganz auf die ungewohnten Perspektiven des Neuen Sehens verzichtete. Arbeitete er in seinen frühen Filmen und den in ihrem Umfeld entstandenen Fotografien durchaus noch mit steilen Blicken und stürzenden Linien, so sind um 1945 selbst die Aufnahmen etwa vom Münchner Rathausturm herab, die ja durchaus das Potenzial für überraschende Blickwinkel geboten hätten, nicht anders als konservativ zu bezeichnen.

Bei der Durchsicht der Kontaktbögen ist zu konstatieren, dass Frentz manchen Gebäuden besondere Aufmerksamkeit schenkte. Dazu gehören vor allem die Kirchen – das zerstörte Schiff der Münchner Frauenkirche etwa wird von ihm gleich in acht Aufnahmen erfasst – Bauten der Kultur, wie die Münchner Pinakothek oder das Nationaltheater und des Verkehrs. Dazu kommt jedoch noch eine weitere Gebäudegruppe, die zerstörten Bauten der Machthaber. Sowohl das in Trümmer gelegte ›Braune Haus‹ in München als auch das Berliner Reichskanzlerpalais und das Propagandaministerium hat er mehrfach fotografiert. Auf den Kontaktbögen stehen solche Ruinenbilder dann unmittelbar neben Aufnahmen von Richthofens im Flugzeug oder einer Besprechung vor dem Bergpanorama des Obersalzbergs.

Der fotografische Blick auf die Trümmer war oft von Konventionen geprägt, an einigen Motiven konnte offenbar kein Fotograf vorbeigehen. So wie von dem gestürzten Lutherdenkmal vor der Ruine der Frauenkirche in Dresden etwa von Kurt

Schaarschuch, Richard Peter sen. oder Edmund Kesting Aufnahmen überliefert sind, so fotografierte auch in Nürnberg Walter Frentz den Hans-Sachs-Platz mit dem Denkmal keineswegs als einziger. Der Dichter erscheint so als Chronist vor der Kulisse der zerstörten Häuser und Kirchen. Nahezu identisch ist die Fotografie von Ray D'Addario, einem jungen amerikanischen Armeefotografen, der 1945 nach Nürnberg kam, um die Kriegsverbrecherprozesse zu verfolgen (Abb. 7, 9). Beim Vergleich der Aufnahmen fällt auf, dass die Türme der Sebalduskirche bei Frentz noch ihre spitzen Dächer tragen, während bei D'Addario die Zerstörungen weiter fortgeschritten sind. Dies ist ein sicheres Indiz dafür, dass Frentz seine Fotografien noch vor dem Ende der Kampfhandlungen gemacht haben muss. D'Addario fotografierte ebenfalls in Farbe,[13] die Aufnahmen lassen sich nahezu austauschen, ein spezifischer Blick des Siegers oder Besiegten auf die Trümmer lässt sich nicht konstatieren.

In Freiburg schließlich bestieg Walter Frentz wohl 1947 den Turm des Münsters, wo er eine seiner eindrücklichsten Aufnahmen von den Zerstörungen machte. Der im Nachlass aufbewahrte Kontaktstreifen zeigt, wie er zunächst durch das gotische Maßwerk hindurch, das einen rasternden Rahmen gibt, den Blick auf die zerstörte Stadt lenkt (Abb. 10). Den optischen Reizen der Architektur nachgebend, folgt eine Aufnahme, die ganz auf den Schattenriss des Maßwerks konzentriert ist. Schließlich gerät in einer dritten Aufnahme ein posauneblasender Engel aus der Vogelperspektive in den Blick, der vor den Hintergrund der zerstörten Ruinen am Münsterplatz gestellt wird. Allerdings verunklären hier noch die der Skulptur haltgebenden Eisenstreben und die ungewohnte Perspektive die Eindrücklichkeit der Bildaussage. Erst mit der folgenden Aufnahme war Frentz, wie die Markierung mit rotem Buntstift unter dem Kontaktstreifen belegt, zufrieden. Die nächste Fotografie zeigt dann ganz ohne Staffage den Blick vom Münsterturm auf die wüste Fläche der zerstörten Häuser.

Für die von ihm letztlich ausgewählte Aufnahme reduzierte Frentz den Engel vor dem helleren Trümmerhintergrund nahezu zum Schattenriss (Abb. 12). Dabei bietet er im tiefen Hintergrund einen Ausblick auf die grünen Rheinauen. Der Vergleich zum ungleich berühmteren, da schon früh in ›Dresden – Eine Kamera klagt an‹ publizierten Blick vom Rathausturm auf Dres-

10 Freiburg, Blick vom Münsterturm (Kontaktstreifen), 1947

11 Richard Peter sen.: Dresden, Blick vom Rathaus, 1945

12 Freiburg, Posaunenengel am Münsterturm, 1947

den von Richard Peter sen. ist naheliegend (Abb. 11).[14] Bei Peter wird mit der den rechten Bildvordergrund dominierenden Skulptur, die mit ihrer geöffneten linken Hand auf die verwüstete Stadt weist, unmittelbar die Anklage der sinnlosen Zerstörung formuliert. Er konzentriert sich dabei ganz auf die Konfrontation der Skulptur mit den Häuserruinen. Es bleibt die eigentliche Position der Skulptur im Bildgefüge unklar, sie könnte auch vor den Hintergrund montiert sein. Frentz hingegen stellt seine Ruinen in einen schwarzen Rahmen, der rechts das Bild begrenzende Stützpfeiler gibt auch Anhaltspunkte für die Position des Engels, er bevorzugt also die dokumentierenden Momente seiner Bildfindung gegenüber einer grafisch wirksamen Variante. Die Anspielung auf die Apokalypse des Johannes mit den den Tag des Jüngsten Gerichts ankündigenden Posaunenengeln, ist mehr als deutlich, wurde auch von anderen Fotografen jener Jahre wie etwa Hermann Claasen in seinem Buch ›Gesang im Feuerofen. Köln – Überreste einer alten deutschen Stadt‹ aus dem Jahr 1947 gesucht.[15] Wie kaum eine andere Aufnahme der zerstörten deutschen Städte von Walter Frentz gibt das Bild des

Engels über Freiburg damit eine Deutungsrichtung vor. Es steht in der Reihe der vielen mahnenden Umkehrrufe jener Jahre und gesellt sich zu den vielen Besinnungsaufsätzen und künstlerischen Konzepten, die eine Rückbesinnung auf die ›Werte des christlichen Abendlandes‹ einforderten. Dies sollte sich in den 1950er Jahren zu einer der zentralen ideologischen Denkfiguren in der Bundesrepublik Deutschland entwickeln.

Die Tatsache, dass diese wie auch viele andere Trümmerbilder, die Frentz ja noch vor Kriegsende aufnahm, nach dem Krieg so überraschend ähnlich von deutschen und amerikanischen Fotografen nochmals gemacht wurden, lässt erkennen, dass in jenen Jahren durchaus ein gewisser Konsens über die Bildsprachen der Dokumentation bestand. Erst in ihren sehr unterschiedlichen Publikationskontexten ließ sich das emotionale Potenzial dieser Fotografien steuern und ausbeuten. Für die Trümmerfotografien von Walter Frentz lässt sich dieser ohnehin nur mit den Diavorträgen gegebene Kontext kaum mehr rekonstruieren. So können seine Bilder erst heute ihre Wirkung entfalten.

1 Vgl. zu Signal und zur PK-Fotografie die Marginaltexte in: Winfried Ranke, Deutsche Geschichte – kurz belichtet. Fotoreportagen von Gerhard Gronefeld 1937-1965. Deutsches Historisches Museum. Berlin 1991, S. 32-34 und 36-39, mit Literaturüberblick auf S. 320 f. S. zuletzt: Rolf Sachsse: Die Erziehung zum Wegsehen. Fotografie im NS-Staat. O.O. 2003. Bes. S. 177-200. Für die Hilfe bei der Recherche in ›Signal‹ danke ich Elisa Longhi.

2 Vgl. Rolf Sachsse: Probleme der Annäherung. Thesen zu einem diffusen Thema: NS-Fotografie. In: Fotogeschichte 2 (1982), Nr. 5, S. 59-67, hier S. 64.

3 O.A., Männer unserer Zeit. In: Gebrauchsfotografie 50 (1943), H. 6/7, S. 72. Zit. nach: Rolf Sachsse: Die Erziehung zum Wegsehen. Fotografie im NS-Staat. O.O. 2003. S. 326.

4 Vgl. die Abbildung in: Siegfried Gohr u.a., Farbe im Photo. Die Geschichte der Farbphotographie von 1861 bis 1981. Josef-Haubrich-Kunsthalle und Agfa Foto-Historama. Köln 1981. S. 43.

5 Gert Koshofer, Geschichte der Farbphotographie in der Popularisierungszeit. In: Gohr u.a. 1981 (wie Anm. 4), S. 133-156, hier S. 140.

6 Vgl. zur Farbfotografie der 1930er und 1940er Jahre und zu Alfred Tritschler: Rolf Sachsse, Die Bildleistungen der Popularisierungszeit. In: Gohr u.a. 1981 (wie Anm. 4), S. 157-174, hier S. 165. S. auch den Beitrag von Claudia Gochmann in diesem Band.

7 O.A., Farbbild-Jaeger. In: Die Wildente, Informationen. PK-Mitteilungsblatt. Nr. 27, März 1965, S. 151. (Freundlicher Hinweis von Hanns-Peter Frentz).

8 Zeitmagazin. Nr. 17, 21. April 1995, S. 3. S. ebenso die dilettantische Kolorierung der Fotografie eines Wehrmachtssoldaten vor dem Reichstag von Mark Redkin. In: Stern. Nr. 16, 14. April 1995, S. 5. Vgl. zu Chaldejs Aufnahme: Karin Wieland/Ursula Breymayer: Das bewaffnete Auge. Georgi Selma – Arkadi Schaichet – Georgi Petrussow – Jewgeni Chaldej. In: Klaus Honnef und Ursula Breymayer (Hg.), Ende und Anfang. Photographen in Deutschland um 1945. Kat. Deutsches Historisches Museum Berlin 1995, S. 169-176, hier S. 175.

9 Filmdokumente zur Zeitgeschichte. Walter Frentz über seine Tätigkeit als Kameramann 1932-1945. Gesprächspartner Dr. Karl Stamm. Film IWF Göttingen 1985, DVD 2001. Vgl. zu den möglichen Motiven auch: Heinrich Wefing: Ein Land, unter Schutt begraben. Winterreise 1945: Walter Frentz' Bilder der zerstörten deutschen Städte in einer Dresdner Ausstellung. In: Frankfurter Allgemeine Zeitung. 11. Februar 2005. (Freundlicher Hinweis von Hanns-Peter Frentz.) Grundsätzlicher: Jens Jäger: Fotografie – Erinnerung – Identität. Die Trümmeraufnahmen aus deutschen Städten 1945. In: Jörg Hillmann und John Zimmermann (Hg.), Kriegsende 1945 in Deutschland. München 2002. (Beiträge zur Militärgeschichte, Bd. 55). S. 287-300.

10 Thomas Deres und Martin Rüther (Hg.), Fotografieren verboten! Heimliche Aufnahmen von der Zerstörung Kölns. Köln 1995. (Schriften des NS-Dokumentationszentrums der Stadt Köln, Bd. 2).

11 Hannes Kilian, Die Zerstörung. Stuttgart 1944 und danach. Berlin 1984. Klaus Honnef (Hg.): Rolf Sachsse, Hermann Claasen. Trümmer. Werkverzeichnis Band 2. Köln 1996.

12 Vgl. Klaus Honnef und Ursula Breymayer (Hg.), Ende und Anfang. Photographen in Deutschland um 1945. Kat. Deutsches Historisches Museum Berlin 1995. Ludger Derenthal, Bilder der Trümmer- und Aufbaujahre. Fotografie im sich teilenden Deutschland. Marburg 1999. S. 16-86. Hermann Arnhold (Hg.): 1945 im Blick der Fotografie. Kriegsende und Neuanfang. Westfälisches Landesmuseum für Kunst und Kulturgeschichte Münster 2005. Fotohistorisch wenig ergiebig ist: Jörg Friedrich: Brandstätten. Der Anblick des Bombenkrieges. München 2003. S. dazu die ausführliche Rezension von Ralf Blank in H-Soz-u-Kult, 22. Oktober 2003, <http://hsozkult.geschichte.hu-berlin.de/rezensionen/2003-4-044>.

13 In der überaus erfolgreichen Publikation seiner Bilder sind jeweils unterschiedliche Aufnahmen farbig wiedergegeben: Ray D'Addario: Nürnberg. Damals – Heute. 100 [116] Bilder zum Nachdenken. Nürnberg 1970, [7]1997. Die Aufnahmen der Jahre 1945 bis 1949 werden mit Aufnahmen der gleichen städtebaulichen Situationen aus dem Jahr 1970 konfrontiert.

14 Zuletzt: Wolfgang Hesse: Der glücklose Engel. Das zerstörte Dresden in einer Fotografie von Richard Peter. In: Forum Wissenschaft 2 (2005), S. 30-35. (Dort, S. 32, auch eine die Frentz'sche Aufnahme gleichsam vorwegnehmende Fotografie des Freiburger Posaunenengels von Karl Müller aus dem Jahr 1946.) Michael Naumann: Genealogie einer Geste: »…

eingebrannt in das Bildbewusstsein der modernen Menschheit. Ikone, Ritual und Gedächtnis. In: Walter Schmitz (Hg.), Die Zerstörung Dresdens. Antworten der Künste. Dresden 2005. S. 159-169. Eine Dokumentation der weiteren Fotografien vom Rathausturm bei: Wolfgang Hesse, Bild-Geschichte(n). Dresden 1939 bis 1945 – Die Kriegszeit in Fotografien und Filmen. In: Oliver Reinhard, Matthias Neutzner und Wolfgang Hesse, Das rote Leuchten. Dresden und der Bombenkrieg. Dresden 2005. S. 166-261, hier S. 251-261.

15 Vgl. Derenthal 1999 (wie Anm. 12), S. 51 f.; dort, S. 68 f., auch zu Richard Peters Aufnahme.

Stuttgart, Werastraße, Frentz' Mutter am Fenster, Herbst 1943

Bei einem Besuch in Stuttgart fotografierte Frentz in mehreren Aufnahmen die nur leicht beschädigte Wohnung der Eltern kurz nach einem Bombenangriff. Das Foto zeigt seine Mutter, die aus dem Fenster auf vollständig zerstörte Häuser auf der gegenüberliegenden Straßenseite blickt. So unmittelbar und persönlich scheint Frentz, wenn man seinen Fotos aus den Jahren 1939 bis 1945 glauben darf, nur selten mit den Folgen des Krieges konfrontiert gewesen zu sein. Erst Anfang 1945 begann Frentz damit, Aufnahmen zahlreicher zerstörter Städte zu machen.

Stuttgart, Werastraße, Herbst 1943

Vor einem tiefen Bombenkrater haben sich auf der Straße ein Parteifunktionär (in brauner Uniform), ein Ordnungspolizist (2. von links), drei Angehörige der »Technischen Nothilfe«, einer davon mit Schaufel, und ein HJ-Helfer versammelt und sehen zum Fotografen hinauf. Es gibt nur wenige Fotos von Frentz, auf denen Menschen direkt in die Kamera blicken. Solche Aufnahmen widersprachen wohl seinem Selbstverständnis als möglichst unbemerkt und professionell agierender Fotograf. Im Hintergrund sind Feuerwehrleute auf den Trümmern mit letzten Löscharbeiten beschäftigt, ein weiterer Ordnungspolizist (im langen Mantel mit Pistole) beobachtet die Szene im Vordergrund.

Nürnberg, Dürerplatz mit Dürer-Denkmal, im Hintergrund die Burg, März/April 1945

Auf dem Kontaktabzugbogen zu Nürnberg vermerkte Frentz das Datum des schlimmsten der vielen Angriffe auf die Stadt: „2. l. 1945". Der Platz mit dem Dürerdenkmal vor der Kulisse der Kaiserburg zählte seit langem zu den beliebtesten Postkartenmotiven von Nürnberg. Gerade durch die Wahl dieses klassischen Motivs, das Frentz in monumentalisierender Untersicht darstellte, vermittelt sich die apokalyptisch anmutende Zerstörung der alten Reichsstadt auf besonders intensive Weise. Bei seiner fotografischen Erkundung der Stadt sparte Frentz das Reichsparteitagsgelände und damit eine wichtige Stätte eigener beruflicher Erfolge aus den Anfangsjahren aus.

Nürnberg, Blick zur Altstadt mit Laufer Schlagturm, Egidienkirche und Burg, März/April 1945

Frentz war einer der wenigen Fotografen, die das zerstörte Nürnberg bereits vor Kriegsende fotografierten. Unter den Nationalsozialisten war es generell verboten, Trümmerlandschaften im Bild festzuhalten. Für den »Kameramann des Führers« waren solche Verbote vermutlich ohne Relevanz. Frentz besuchte Nürnberg vor der Einnahme der Stadt durch die Amerikaner am 20. April. Man erkennt einen Jungen in schwarzer Uniform und an der

Litfasssäule ein Plakat, das Werbung für den »Volkssturm« macht. Gerade in der historischen Altstadt von Nürnberg, die für die Selbstinszenierung des Dritten Reiches eine bedeutende Rolle gespielt hatte, gelangen Frentz besonders eindrückliche Aufnahmen. Durch die Komposition des Bildes und die Tiefenstaffelung einzelner Baudenkmäler, die über das Trümmermeer hinausragen und den Blick führen, erinnert die Aufnahme an ein klassisches Landschaftsgemälde.

München, Blick über die Dächer zur Frauenkirche, Februar/März 1945
Frentz fotografierte zerstörte Städte nicht grundsätzlich anders als unzerstörte. Stets interessierte er sich für die berühmten Sehenswürdigkeiten und Baudenkmäler. Das Schicksal der Zivilbevölkerung taucht eher selten und wie zufällig in manchen Bildern auf. Von der Konvention des »guten Bildes« wandte er sich auch im Angesicht der Verwüstung nur selten ab.

München, Blick über den Königsplatz, Februar/März 1945
Anders als in Nürnberg suchte Frentz in München auch Stätte der national-sozialistischen Bewegung auf. Er fotografierte den Königsplatz, wo Hitler kurz nach der Machtergreifung die Ehrentempel für die »Blutzeugen der Bewegung« errichten ließ. Der Königsplatz war sowohl »Forum« als auch »Weihestätte« der Partei gewesen. Weitere Fotos von Frentz zeigen das zerstörte »Braune Haus« und einen achtlos in den Schnee geworfenen Kranz, Rest einer Kranzniederlegung in den Tempeln.

Dresden, Theaterplatz und Schloss, März 1945
Etwa einen Monat nach den Angriffen vom 13. und 14. Februar besuchte
Frentz an einem sonnigen Frühlingstag die zerstörte Stadt. Bei seinen Aufnahmen konzentrierte er sich auf die bekannten Sehenswürdigkeiten Dresdens und hielt sich meist an die damals in der Fotografie gültigen Konventionen des »schönen Bildes«.

Dresden, Trümmer, März 1945
Die Ansicht der chaotischen Trümmerlandschaft ist ungewöhnlich für Frentz.
Nichts bietet dem Auge Halt. Lediglich verkohlte Baumstämme und Mauer-
reste ragen aus dem Schutthaufen hervor.

Berlin, Ministerium für Volksaufklärung und Propaganda am Wilhelmplatz, wohl 14. März 1945

Das Foto ist vermutlich aus einem Fenster der gegenüberliegenden Alten Reichskanzlei aufgenommen. Bei einem abendlichen Angriff englischer »Mosquitos« auf Berlin wurde der Altbau des Propagandaministeriums am 13. März 1945 zerstört. Der im Hintergrund zu sehende Erweiterungsbau von 1938 blieb unbeschädigt. Genau zwölf Jahre zuvor war Goebbels in das einst von Schinkel umgebaute Palais eingezogen. Da im Keller des Gebäudes etwa 500 Panzerfäuste eingelagert waren, versuchte die Feuerwehr, den Brand schnell zu löschen. Mitarbeiter des Ministeriums stiegen über Leitern in die Ruine ein, um Materialien und andere Dinge zu sichern. Goebbels diktierte am folgenden Tag voller Pathos in sein Tagebuch: »... nun sind wir nicht nur einen Besitz, sondern auch eine Last los. In Zukunft brauche ich um das Ministerium nicht mehr zu zittern.«

Berlin, Alte Reichskanzlei an der Wilhelmstraße, wohl 14. März 1945
Vom zerstörten Berlin machte Frentz auffällig wenige Aufnahmen. Es ist unklar, wie oft er sich im Frühjahr 1945 noch in der Stadt aufgehalten hat. Um den 9. Februar fotografierte er im Keller der Reichskanzlei, um den 14. März die Zerstörungen im Regierungsviertel. Am 20. März filmte er Hitler zum letzten Mal für die Deutsche Wochenschau, bei der Auszeichnung von Hitlerjungen. Am 22. April verabschiedete er sich im Führerbunker von Hitler. Dazwischen war er in Deutschland unterwegs und fotografierte zerstörte Städte. Die Alte Reichskanzlei, in der bereits Bismarck gearbeitet hatte, war nach dem Bau der Neuen Reichskanzlei 1939 kaum noch genutzt worden.

Paderborn, Westturm des Doms, Frühjahr 1947
Die westfälische Bischofsstadt wurde bei drei Angriffen 1945 weitgehend zerstört. Frentz besuchte Paderborn zwei Jahre nach Kriegsende. Der Stil seiner Trümmerfotografie hatte sich wenig geändert. Noch immer inszenierte er die Ruinen bevorzugt in malerischen Aufnahmen. Die Einhaltung fotografischer Konventionen könnte auch als eine Art Schutz vor dem trostlos-chaotischen Eindruck, den die zerstörten Städte vermittelten, gesehen werden.

Ulm, Sommer 1947
Die eng bebaute Ulmer Altstadt war durch massiven Bomber-Einsatz der Royal Airforce am 17. Dezember 1944 fast vollständig zerstört. Bei dem Angriff wurden viele alte Patrizierhäuser vernichtet. Jenseits der Donau, wo die Häuser nicht so eng aneinander standen, gab es kaum Zerstörungen. Frentz fotografierte aus der Distanz vom Münsterturm eine weitgehend unbewohnbare Altstadt. Nur der unregelmäßige Stadtgrundriss erinnerte an das einstige pittoreske Bild.

Köln, Hohe Straße, Frühjahr 1947
Köln lag schon früh im Radius alliierter Bomberflotten. Bereits 1940 begannen die Angriffe, bis zum 6.
März 1945, als die Amerikaner die Stadt einnahmen, waren 95% der Altstadt zerstört und die Stadtbevöl-
kerung durch Evakuierung auf 10.000 Menschen geschrumpft.

Heilbronn, Rathaus, 1947
Heilbronn wurde am 4. Dezember 1944 durch Luftangriffe und einen dadurch
ausgelösten »Feuersturm« fast vollkommen zerstört. Auch das Renaissance-
Rathaus brannte aus. Als Frentz die Stadt besuchte, hatte dessen Wieder-
aufbau noch nicht begonnen.

Kameramann Walter Frentz

Der filmische Film

Vortrag in der Lessing-Hochschule

Der gestrige Abend des unter der Leitung von Dr. Johannes Eckardt stehenden Filmseminars der Lessing-Hochschule stand wieder unter dem Zeichen des Vorwärtsstrebens, und die gedankliche Anregungen des Vortrags und die praktischen der Filmvorführung erwiesen sich als positive Werte, – nicht zuletzt auch für die vielen jungen Menschen, die in die inneren Vorgänge filmischen Schaffens einzudringen bemüht sind und von denen sicher einige einmal selbst schaffend in den Film eingreifen werden.

Walter Frentz, der Olympia-Kameramann und Mitarbeiter Leni Riefenstahls, sprach über den »filmischen Film«.

Wir bringen nachstehend einen Auszug aus seinen interessanten Ausführungen:

»Seitdem vor 10-15 Jahren die Russen und die damals noch in Rußland arbeitenden deutschen Künstler erstmals in großem Maßstabe den Versuch unternommen hatten, den abendfüllenden Film nicht mehr als Reproduktionsmittel literarischer, dramatischer, schauspielerischer oder musikalischer Kunstbetätigung zu betrachten, sondern sich seiner arteigenen künstlerischen Gestaltungsmittel selbstschöpferisch zu bedienen und seitdem diese Versuche mindestens in filmkünstlerischer Hinsicht ein bejahendes Echo und damit einen Welterfolg gezeitigt haben, seitdem gibt es auch ein ewiges Suchen und Schaffen unter den ernsthaften Filmgestaltern nach den arteigenen Gesetzen des Films. Die diesen Kampf führen sind meist Einzelgänger, Avantgardisten genannt. Ihnen geht es um ein tieferes Schauen, Erleben und Gestalten der Dinge des Lebens.

Der Film ist zunächst fotografisches Bild, aber nicht etwa statische, sondern dynamische Fotografie – das muß der Grundton sein und bleiben für das ganze große Orchester filmischer Instrumente. Das künstlerische Filmwerk erscheint wie eine große Partitur. Die Geigen spielen darin das Hauptthema des Optischen, Bildeinstellungen, Bildrhythmik – im ganzen gesehen – die Bildmelodie – die Bässe dagegen verstärken fundamental diese Bilddynamik durch die naturgemäße akustische Grundatmosphäre. Die Sprache – sei es die wirkliche, mit dem Bild parallellaufende, oder sei es die unwirkliche, das Bild symbolisch deutende, in welcher Gestalt sie auch auftreten mag – als Monolog, als Dialogkulisse oder rhythmischer Sprechchor – hat ebenso wie die übrigen akustischen Komponenten – Vokalmusik und Instrumentalmusik – und wie die optischen Komponenten – Ueberblendung, Mehrfachmontage, Zeitlupe, Zeitraffer u. a. – nur eine partielle Bedeutung im Rahmen der Gesamtgestaltung eines Filmwerks, ebenso wie die Holzbläser oder das Blech, die Harfe oder die Pauke in der Partitur des großen Orchesters nie die Träger des Hauptthemas sind, wohl aber es zeitweilig ablösen, begleiten, verstärken, übernehmen und es wieder an die Streicher abzugeben vermögen.

Auf die Einstellung kommt es beim Film an, zunächst auf die innere Einstellung des Schaffenden zu den Dingen, zum Menschlichen, zur Welt – aus ihr ergibt sich dann die optische Einstellung, das Sehenkönnen der Kamera, welches zugleich Offenbarung bedeuten muß, indem durch sie das Wesentliche in den Mittelpunkt gerückt, die innere und äußere Beziehung zwischen Inhalt und Form aufgezeigt und die gesamte bildmäßige Wirkung auf das zu gestaltende Erlebnis hin eingestellt wird.

Die Bildgestaltung dabei kann aber niemals vom Einzelbild aus erfolgen, denn Film ist zeitliches Geschehen und Gestalten. Dynamisch muß das Bild geschaffen werden, niemals statisch. In der filmkünstlerischen Arbeit geht es z. B. nicht an, in die endlose Totale einer Spielszene von Zeit zu Zeit die Großaufnahme des schönen Stars erscheinen zu lassen, wenn dazu bilddramatisch keine Folgerichtigkeit zu verspüren ist. Bildeinstellung und Bildfolge sind voneinander nicht zu trennen in der filmischen Gestaltung. Die Bildeinstellung kann nur dann richtig gewählt werden, wenn der Bildrhythmus bereits bekannt ist, in der sie erscheint, denn beide zusammen ergeben das Hauptthema, die Bildmelodie des Films. Die Gestaltung dieser Bildmelodie durch die dynamische fließende oder rhythmisch betonte Fotografie ist anderseits abhängig vom darzustellenden Stoff. Denn Inhalt und Form stehen auch hier wie in aller Kunst in dauernder Wechselwirkung zueinander.

Wenn man das Wesen der Bilddramatik weiter verfolgt, kommt man zu überraschenden Erkenntnissen und Vergleichsmöglichkeiten besonders mit als Wertmaßstab längst gefestigten Harmonie- und Kompositionslehren der absoluten Kunstform, der Musik. Gerade Beethovens Symphonien lassen beispielsweise in ihrem formalen Aufbau ganz deutlich und regelmäßig erkennen, wie die höchsten Spannungspunkte innerhalb eines Komplexes ihrer musikalischen Struktur nach entstehen durch thematische Verkürzung der melodischen Substanz. Ist es nicht ebenso in der Bilddramatik des Films? Denken wir nur einmal an ein Ihnen sicherlich bekanntes Beispiel, an das bilddramatische Entstehen der Schlacht im »Rebell« [D 1932. Regie: Luis Trenker, Kurt Bernhardt]. Zwei zunächst selbständige und nebeneinander herlaufende Bildmelodien sind vorhanden: Die anrückenden Franzosen unten im Tal und die sich mit den Steinlawinen vorbereitenden Tiroler Bauern auf dem Berge. Allmählich überschneiden sich die kontrastierenden Themen, die bildmäßige Substanz der Bauern einerseits und der Franzose anderseits verkürzt sich unter der Spannungssteigerung des Mann-gegen-Mann-Kampfes immer mehr, der Kurzschnitt setzt ein, bis die beiden Anfangsthemen bildhaft aufgezehrt sind und aus dieser Auflösung im Spannungshöhepunkt heraus die Ueberleitung auf ein neues Thema erfolgt. Wir haben hier in der bilddramatisch-filmischen Spannungssteigerung der Kompositionsform nach eine absolute Parallele zur Spannungsentwicklung in der Beethovenschen Symphonik durch thematische Verkürzung der melodischen Substanz.

Diese Erkenntnis ist deshalb so interessant, weil es sehr viele Menschen gibt, die aus der Schule des Theaters kommen, und die behaupten, es sei überhaupt unmöglich, bilddramatisch ein größeres Filmwerk zu gestalten, dies wäre nur durch eine dialogmäßig entwickelte dramatische Handlung erreichbar. Recht geben müßte man ihnen allerdings insoweit, als es tatsächlich bis heute nur wenige Menschen gibt, die in diesem Sinne filmisch zu arbeiten imstande sind, das heißt, die den ganzen Apparat der tonfilmschen Partitur in der ganzen Vielseitigkeit der Möglichkeiten vom Optischen aufbauend erfaßt haben und alle seine Stimmen auch richtig einzusetzen vermögen. Aber die Filmkunst ist ja eine noch so junge Kunst, gemessen an ihren traditionsgeladenen ausgereiften Schwestern, und wir wissen alle, daß wir erst am Anfang ihrer Entwicklung stehen.«

Aus: Film-Kurier, 20. Jahrgang, Heft 28 vom 3. Februar 1938, S. 3

MATTHIAS STRUCH

Filmografie
Walter Frentz

Die Filmografie führt Filme (16- und 35mm) auf, bei denen Frentz als »Filmgestalter« (W.F.), Kameramann, Regisseur, Produzent beteiligt oder für den Schnitt verantwortlich war, darunter auch seine dokumentarischen Kajak- und Reisefilme. Für die Zusammenstellung wurden vor allem folgende Quellen genutzt: filmografische Angaben in den Filmen, Zensurkarten, Cinegraph – Lexikon zum deutschsprachigen Film, www.filmportal.de – Informationsdatenbank zum deutschen Film sowie von Frentz selbst geführte überwiegend lückenhafte Filmografien und die »Kajak-Filmologie« (W.F.).

Ein Teil der Filme befindet sich in der Obhut des Bundesarchiv-Filmarchivs. Einige Filme gelten als verschollen oder sind nicht zugänglich. Neben nicht zu ermittelnden Daten und Filmen wurden folgende Arbeiten von Frentz nicht angegeben: Beiträge für die Ufa-Tonwoche (1935 - September 1939), Filme, in denen Aufnahmen von Frentz verwendet wurden, die nicht ursprünglich für diese Produktionen angefertigt worden waren, Filme im Auftrag Hitlers, Speers oder anderer über Rüstungsprojekte, Wehranlagen für den internen Gebrauch und so weiter.

Mit Dank an Hans-Gunter Voigt (Bundesarchiv-Filmarchiv).

Abkürzungen

RE   Regie
PR   Produktion
MU   Musik
SC   Schnitt
DA   Darsteller
UA   Datum der deutschen Uraufführung
ZE   Datum der ersten Zensur
FSK   Datum der ersten Zulassung durch die Freiwillige Selbstkontrolle der Filmwirtschaft
UTW   Ufa-Tonwoche
DW   Deutsche Wochenschau

1. Filme

Wildwasserparadiese Österreich und Jugoslawien 1931/32
PR: Hochschulring Deutscher Kajakfahrer (**Walter Frentz**)
RE, SC: **Walter Frentz**
KA: Eugen Oskar Bernhardt, **Walter Frentz**, Fritz Reischauer, Richard Quincke
ZE: 2. Februar 1932
Kajakfilm über Befahrungen der Enns, Steyr (Erstbefahrung des Oberlaufs), Drau, Save, Neretva, Lim, Drina, Vrbas (Erstbefahrung) durch Kajakfahrer des HDK

Die Wasserteufel von Hieflau 1931/32
PR: Erich Kober-Filmproduktion GmbH (Berlin)
RE: Erich Kober, Eugen Schüfftan (ungenannt)
KA: Eugen Schüfftan (ungenannt), Richard Angst, Herbert Körner, Ernst Kunstmann
SC: Laszlo Benedek, Hanne Kuyt
MU: Herbert Lichtenstein
DA: Hilde Gebühr, Willy Clever, Dina Gralla, Walter Edthofer, Hugo Fischer-Köppe, Grit von Elben, Ina von Elben, Werner Finck, Kajakfahrer vom HDK (**Walter Frentz**) und Österreichischen Kajak-Verband
UA: 4. März 1932
Filmlustspiel um die Ferienerlebnisse des Faltboothelden Kurt, seiner Freundin Inge und ihrer Freunde bei einer gemeinsamen Fahrt auf der Enns

Wildwasserfahrt durch die Schwarzen Berge 1932/33
PR: Curt Oertel, Rudolf Bamberger
RE, KA: **Walter Frentz**
MU: Fritz Wenneis
UA: 3. Januar 1933
Kajakfilm über die Erstbefahrung der Tara (Montenegro) durch Kajakfahrer des HDK

Durch Felsendome zum Mittelmeer 1932/33
PR: Hochschulring Deutscher Kajakfahrer (**Walter Frentz**)
RE: **Walter Frentz**
KA: **Walter Frentz**, Fritz Reischauer
SC: Sergei von Holbeck
UA: 26. Januar 1933
Kajakfilm über die Erschließung der Durance und die Erstbefahrung des Grand Canon de Verdon durch Kajakfahrer des HDK

Wasser hat Balken 1933
PR: Kurzfilm der Ufa, Universum-Film AG (Berlin)
RE: Wilhelm Prager
KA: Kurt Stanke, Ulrich K. T. Schulz, Werner Hundhausen, Wilhelm Lehne, **Walter Frentz**, Clemens Jansen
MU: Clemens Schmalstich
DA: Ernst Fritz Fürbringer, Ursula Herking u.a.
ZE: 23. November 1933
Kulturfilm über die Überfahrt des Passagierdampfers »Hamburg« der HAPAG von Hamburg nach New York (Juni 1933)

Die Wildwasser der Drina 1933/34
PR: Kurzfilm der Ufa, Universum-Film AG (Berlin)
RE: Ulrich K. T. Schulz
KA: Kurt Stanke, Wilhelm Nahlich
DA: **Walter Frentz** und Freunde
ZE: 16. Februar 1934
Kulturfilm über die Befahrung der Drina (Jugoslawien) durch Einheimische und Kajakfahrer

Der Sieg des Glaubens 1933
PR: Reichspropagandaleitung der NSDAP, Hauptabteilung IV (Film), Berlin
RE: Leni Riefenstahl
KA: Sepp Allgeier, Franz Weihmayr, **Walter Frentz**, Richard Quaas, Paul Tesch
SC: Leni Riefenstahl, Waldemar Gaede
MU: Herbert Windt
UA: 1. Dezember 1933
NS-Propagandafilm zum 5. NSDAP-Parteitag (»Parteitag des Sieges«) vom 30. August bis 3. September 1933 in Nürnberg

Hände am Werk. Ein Lied von deutscher Arbeit 1934/35
PR: Reichspropagandaleitung der NSDAP, Hauptabteilung IV (Film), Berlin
RE, KA, SC: **Walter Frentz**
Text: Otto Heinz Jahn
MU: Walter Gronostay
UA: 3. März 1935
NS-Propagandafilm über deutsche Arbeiter und ihre Leistungen in den ersten Jahren nach der Machtübernahme durch die Nationalsozialisten

Triumph des Willens 1934/35
PR: Reichsparteitagfilm der L.R. Studio-Film, Berlin
RE: Leni Riefenstahl
KA: Sepp Allgeier (Fotografische Leitung), Arthur Anwander, Karl Attenberger, Werner Bohne, **Walter Frentz**, Hans Gottschalk, Werner Hundhausen, Herbert Kebelmann, Albert Kling, Franz Koch, Herbert Kutschbach, Paul Lieberenz, Richard Nickel, Walter Riml, Arthur von Schwertführer, Karl Vass, Franz Weihmayr, Siegfried Weinmann, Karl Wellert
SC: Leni Riefenstahl
MU: Herbert Windt
UA: 28. März 1935
NS-Propagandafilm im Auftrag der Reichspropagandaleitung der NSDAP, Hauptabteilung IV (Film), Berlin zum 6. NSDAP-Parteitag (»Parteitag der Einheit und Stärke«) vom 4. bis 10. September 1934 in Nürnberg

Tag der Freiheit! – Unsere Wehrmacht 1935
PR: Reichsparteitagfilm der L.R. Studio-Film, Berlin
RE: Leni Riefenstahl
KA: Hans Ertl, **Walter Frentz**, Albert Kling, Guzzi Lantschner, Kurt Neubert, Willy Zielke
SC: Leni Riefenstahl
MU: Peter Kreuder
UA: 30. Dezember 1935
NS-Propagandafilm im Auftrag der Reichspropagandaleitung der NSDAP, Hauptabteilung IV (Film), Berlin zum 7. NSDAP-Parteitag (»Parteitag der Freiheit«) vom 10. bis 16. September 1935 in Nürnberg

Die Glocke ruft 1935/36
PR: Propaganda-Ausschuss für die Olympischen
Spiele, Berlin
Ein Film von Walter W. Trinks, **Walter Frentz**
[KA], Hans Ertl [KA], Fritz Wenneis [MU],
Albert Baumeister [SC?]
UA: 23. Januar 1936
Kulturwerbefilm für die Olympischen Spiele
1936 in Berlin

Fahrtenbuch Albanien 1935/36
PR: Reichspropagandaleitung der NSDAP,
Hauptabteilung IV (Film), Berlin
RE, KA, SC: **Walter Frentz**
MU: Georg Blumensaat
ZE: 14. Februar 1936
NS-Kulturfilm über eine Fahrt von vier Jungen
der Thüringer Hitlerjugend mit Walter Frentz
nach Albanien: Bergsteigen und Wasserwandern
auf dem schwarzen Drin im Sommer 1935

Jugend der Welt 1936
PR: Reichspropagandaleitung der NSDAP, Berlin,
Propaganda-Ausschuß für die Olympischen
Spiele, Berlin
RE: Carl Junghans, Dr. Herbert Brieger (nur no-
minell)
KA: Sepp Allgeier, Hans Ertl, Hugo O. Schulze,
Kurt Neubert, **Walter Frentz**, Heinz von Jaworsky, Paul Tesch, Carl Heinrich Wenng
MU: Walter Gronostay
UA: 3. Juli 1936
Kulturfilm über die IV. Olympischen Winterspiele
in Garmisch-Partenkirchen (6. bis 16. Februar 1936)

Olympia
Teil I: **Fest der Völker**
Teil II: **Fest der Schönheit**
1936-38
PR: Olympia-Film GmbH, Berlin
RE: Leni Riefenstahl
Prolog: Willy Zielke
KA: Hans Ertl, **Walter Frentz**, Guzzi Lantschner,
Kurt Neubert, Hans Scheib u.v.m.
SC: Leni Riefenstahl, Max Michel, Johannes
Lüdke, Arnfried Heyne, Guzzi Lantschner
MU: Herbert Windt, Walter Gronostay
UA: 20. April 1938
Kulturfilm über die XI. Olympischen Sommer-
spiele in Berlin (1. bis 16. August 1936)

Giganten der Landstraße 1938
PR: Heinz Niemeier, Bild und Ton
Gesamtleitung: Konstantin Boenisch
SC: Arnfried Heyne
KA: **Walter Frentz**, Herbert Kebelmann
UA: 19. Mai 1938
Reportage über die 2. Internationale Deutsch-
landrundfahrt der Berufsstraßenfahrer

Artisten der Arbeit 1938
PR: Universum Film AG (Ufa), Berlin
RE: Rudolf Schaad, **Walter Frentz**
MU: Walter Schütze
Darsteller/Kommentare: Werner Finck
UA: 25. November 1938
Kulturfilm über Arbeiter in »luftigen Höhen«
(Brückenbauer, Dachdecker, Matrosen, Schorn-
steinfeger)

Segelflieger auf der Wasserkuppe 1939
PR: Reichsanstalt für Film und Bild in Wissen-
schaft und Unterricht, Berlin
RE, KA, SC: **Walter Frentz**
NS-Propagandafilm über die Ausbildung der
Flieger-HJ auf Schulgleitern und Segelflugzeu-
gen auf der Wasserkuppe in der Rhön

Deutsches Weinland 1939
PR: Universum Film AG (Ufa), Berlin
RE: Hans F. Wilhelm, Text: Wilhelm Heinrich
Bewerunge
KA: Adolf Kahl, **Walter Frentz**
MU: Hans Ailbout
UA: 5. Oktober 1939
Kulturfilm über Weinanbau in Deutschland und
Österreich im Auftrag des Deutschen Weinbau-
verbandes

Feldzug in Polen 1939/40
PR: Deutsche Film-Herstellungs- und Verwer-
tungs-GmbH, Berlin
RE: Fritz Hippler
KA: Heinz von Jaworsky, **Walter Frentz**,
Guzzi Lantschner, Walter Hrich, Sepp Allgeier u.a.
MU: Herbert Windt
ZE (1. Fassung): 5. Oktober 1939
UA (2. Fassung): 8. Februar 1940
NS-Propagandafilm über den Einmarsch der
deutschen Wehrmacht in Polen (1. September
bis 5. Oktober 1940)

Vom Matterhorn zum Mittelmeer 1950
PR, RE, KA, SC: **Walter Frentz**
Kajakfilm über Fahrten auf der Rhone,
der Ardèche und an der Küste Korsikas

Zelt – Sonne – Meer auf Korsika 1950 oder 1953
PR, RE, KA, SC: **Walter Frentz**
Drei Mädchen im Zelturlaub auf Korsika

Spanienfahrt 1951 1951
PR, RE, KA, SC: **Walter Frentz**
Kajakfilm über Fahrten auf dem Rio Tajo und an
der Küste Mallorcas

**Maailmat kohtaavat –
XV olympiakisat Helsingissä 1952**
Finnland 1952
PR: Olympia-Filmi Oy, Suomi-Filmi Oy
RE: Hannu Leminen
KA: Yrjö Aaltonen, Felix Forsman, Osmo Harki-
mo, Eino Heino, Niilo Heino u.a. (Finnland),
Sepp Allgeier, **Walter Frentz**, Gerhard Garms,
Wolfgang Goerter, Horst Grund, Hans Lutz,
Erich Stoll (BRD), Gustaf Boge, Olof Ekman,
Arne Lagercrantz, Arne Palm (Schweden),
Sigurd Agnell, Erik Hurum (Norwegen), Ove Hil-
lebrandt, Neesgaard (DK), Cedric Williams (GB),
Kurt Pfändler (CH) u.v.m.
SC: Hannu Leminen, Armas Laurinen
MU: Aarre Merikanto, Tauno Pylkkänen,
Ahti Sonninen, Jouko Tolonen
UA: 28.11.1952
Teil I des offiziellen Dokumentarfilms über die
XV. Olympischen Sommerspiele in Helsinki
(19. Juli bis 3. August 1952)

5000 Jahre Ägypten 1953
PR: Hansa
RE: Bernhard Redetzki
KA: **Walter Frentz**, Helmuth Nath
MU: Fritz Mareczek
Filmreportage über Ägypten in den 1950er Jah-
ren mit geschichtlichem Rückblick

Etschfahrt 1953
PR, RE, KA, SC: **Walter Frentz**
Kajakfilm über Fahrt von Tirol nach Venedig auf
der Etsch (Adige) und Adria

Kultaa ja kunniaa
Finnland 1953
PR: Olympia-Filmi Oy
RE, SC: Hannu Leminen
KA: wie »Maailmat kohtaavat«
MU: Einar Englund, Aarre Merikanto
UA: 20. März 1953
Teil II des offiziellen Dokumentarfilms über die
XV. Olympischen Sommerspiele in Helsinki
(19. Juli bis 3. August 1952)

Große Liebe zum kleinen Fluß 1954/55
PR, RE, KA, SC: **Walter Frentz**
FSK: 30. August 1955
Kajakfilm über Fahrten auf der Wiesent (Ober-
franken)

Jugoslawienfahrt 1955
PR, RE, KA, SC: **Walter Frentz**
Kajakfilm über Fahrten auf der Lim und der Drina

Parkplätze des Herzens 1956
PR, RE, KA, SC: **Walter Frentz**
FSK: 19. Dezember 1956

So soll es sein das Schwein 1957
PR, RE, KA, SC: **Walter Frentz**
Lehrfilm im Auftrag des Land- und Hauswirtschaft-
lichen Auswertungs- und Informationsdienst e.V.
(AID), Bonn und des Bundesministeriums für
Ernährung, Landwirtschaft und Forsten über ver-
schiedene Möglichkeiten der Schweinemast

**Kein schöner Land … Ein Film vom Jugendwan-
dern** 1956/57
PR, RE, KA, SC: **Walter Frentz**
MU: Gerhard Maaß
UA: 4. Mai 1957
Werbefilm für das Deutsche Jugendherbergswerk: Jungen wandern im Bayerischen Wald
oder paddeln auf Saar, Mosel und Rhein, Mädchen auf einer Fahrradtour durch die norddeut-
sche Tiefebene

Reise nach England 1959 1959
PR, RE, KA, SC: **Walter Frentz**
Reise im Volkswagen durch England

**Abseits der großen Straßen – durch die Heide
zur Nordsee** 1959
PR, RE, KA, SC: **Walter Frentz**
FSK: 15. Oktober 1959

**Abseits der großen Straßen – zum Bayerischen
Wald** 1959
PR, RE, KA, SC: **Walter Frentz**
FSK: 15. Oktober 1959

Ums tägliche Brot 1959
PR, RE, KA, SC: **Walter Frentz**
FSK: 25. November 1959

Skizzen aus Dänemark 1959
PR, RE, KA, SC: **Walter Frentz**
MU: Günther Leimstoll
Drei Mädchen verbringen ihren Urlaub in
Dänemark

Dänemark – Land zwischen zwei Meeren 1959
PR, RE, KA, SC: **Walter Frentz**
Impressionen aus Dänemark; Kajakfahrt auf der
Guden-Aa

Ein Leben mit Pflanzen 1961
Lehrfilm im Auftrag des Land- und Hauswirtschaftlichen Auswertungs- und Informationsdienst e.V. (AID), Bonn und des Bundesministeriums für Ernährung, Landwirtschaft und Forsten

Auf der Lauter ins Elsaß 1962
PR, RE, KA, SC: **Walter Frentz**
Kajakfilm

**Wildes Bergland Hellas / Durch die Schluchten
des Pindus auf dem Aspropótamos** 1962
PR, RE, KA, SC: **Walter Frentz**
Kajakfilm über Wildwasserfahrten auf dem Berg-
fluss Aspropótamos in Griechenland

In einer neuen Zeit 1962
PR: Dia-Film
RE, KA: **Walter Frentz**
MU: Eric Landy
Auftragsfilm über modernes Bauen und soziale
Lebensverhältnisse in der BRD. Mit Texten von
Eberhard Itzenplitz

Aus deutscher Schafzucht 1964
PR, RE, KA, SC: **Walter Frentz**
Film im Auftrag des Land- und Hauswirtschaftli-
chen Auswertungs- und Informationsdienst e.V.
(AID), Bonn und des Bundesministeriums für
Ernährung, Landwirtschaft und Forsten über
deutsche Schafzucht und den Export deutscher
Zuchtschafe

Rolf Nesch 1965/66
PR, RE, KA, SC: **Walter Frentz**
Film über das Werk des nach Norwegen emi-
grierten Malers, Graphikers und Materialbildners
Rolf Nesch

Fahrtenbuch 1965: Segeln um Dänemark 1965
PR, RE, KA, SC: **Walter Frentz**
Film über eine Tour des deutschen Segelschiffes
»Jule« entlang der dänischen Küste

Alarm! Alarm! 1969
PR, RE, SC: **Walter Frentz**
KA: **Walter Frentz**, Dieter Hasenwinkel, Fritz Siedel
MU: Wilfried Hiller
Umweltschutzfilm im Auftrag des Deutschen
Naturschutzrings über die Verschmutzung von
Luft, Wasser und Erde, deren Folgeerscheinun-
gen und die Notwendigkeit des Naturschutzes

Treffpunkt DJH 1970
PR, RE, KA, SC: **Walter Frentz**
Werbefilm für das Deutsche Jugendherbergs-
werk mit Kajakfahrt auf der Ardèche

**Unsere Naturparks – grüne Paradiese
Deutschlands** 1972
PR, RE, SC: **Walter Frentz**
KA: **Walter Frentz**, Jürgen Kieslich, Heinz Harder
MU: Hermann Fuchs, Helmut König
Film im Auftrag des Vereins Naturschutzpark
e.V. Stuttgart-Hamburg über die Natur- und
Landschaftsparks der BRD

Natur- und Nationalparke Europas 1972
PR, RE, SC: **Walter Frentz**
KA: **Walter Frentz**, Fritz Aly, Herwig Goldacker,
Helmut Orth, Reinhard Stracke
Film im Auftrag der Stiftung F.V.S. (Hamburg)
über Nationalparks und Naturreservate in ganz
Europa

Die Kunst zu bauen – Das Erbe Europas 1976
PR, RE: **Walter Frentz**
KA: **Walter Frentz**, Herwig Goldacker,
Axel Miller, Jürgen Kieslich, Fritz Aly,
Andreas Schmiedecke, Horst Wendt
Film im Auftrag der Stiftung F.V.S. (Hamburg)
über europäische Baukunst und deren denkmal-
pflegerische Sanierung und Erhaltung

Nationalparks in den USA 1977/78
PR, RE, KA, SC: **Walter Frentz**
Impressionen aus dem Sequoia National Park
mit Wasserfällen und Los Angeles

ohne Jahr:

Deutschland zwischen gestern und morgen
PR, RE, KA, SC: **Walter Frentz**
Film im Auftrag des Bundespresseamtes

E.T.F.
PR, RE, KA, SC: **Walter Frentz**
Film über die Künstlerin Edeltrude Frentz bei der
Arbeit an Bildern in Sprühtechnik in ihrem Garten

Moment mal!
PR, RE, KA, SC: **Walter Frentz**
Film im Auftrag des Land- und Hauswirtschaftli-
cher Auswertungs- und Informationsdienst (AID)
über die Bedeutung der Langsamkeit und der
Pflanzen im Leben des Menschen (Arbeit in der
Gärtnerei, im Rosenzuchtbetrieb und in der
Baumschule)

Saar – Vogesen – Strassburg
PR, RE, KA, SC: **Walter Frentz**
Impressionen einer Autoreise im Volkswagen
durch das Saarland und die Vogesen nach
Straßburg

Zu zweit allein durch Afrika
PR: Praxmarer
RE: **Walter Frentz**
KA: Gertie und Walter Praxmarer
Reportage einer Reise von Gertie und Walter
Praxmarer im Unimog von Ost- nach Nordafrika
mit Besuch bei Albert Schweitzer in Lambaréné
(Gabun)

2. Aufnahmen von Walter Frentz in Wochenschauen (September 1939 - April 1945)

Der Anteil von Frentz-Aufnahmen, die in den
Kriegswochenschauen (286 Ausgaben) von September 1939 bis April 1945 – Ufa-Tonwoche (UTW)
Nr. 470/1939 - 510/1940 und Deutsche Wochenschau (DW) Nr. 511/1940 - 755/1945 – veröffentlicht wurden, kann anhand in großer Zahl über-
lieferter »Filmaufnahme-Tagesberichte« und »Laufzettel für Sendung belichteter Filmstreifen« von
Walter Frentz (Archiv H.-P. Frentz) annähernd bestimmt werden. Es handelt sich dabei um die Beipackzettel für die belichteten und zur Entwicklung weitergereichten Filmkassetten mit Angabe
des Sujets, des Filmmaterials, der Länge, des Kameramanns usw. Die Zettel waren pro Block
durchlaufend nummeriert. Das Original ging an
das Reichsministerium für Volksaufklärung und
Propaganda, Durchschläge an die Propaganda-
Einheit und das Kopierwerk. Ein Durchschlag
verblieb beim Kameramann. Nicht alle Berichte
und Laufzettel sind erhalten. Für einige Aufnahmen zeichnete wohl Frentz' Gehilfe Fritz Schwennicke verantwortlich.

Die Zuschreibung an Frentz erfolgte im Abgleich
der Sujetbeschreibung und des Datums aus den
einzelnen Berichten und Laufzetteln mit entsprechenden Daten aus: Ellen Gibbels, Hitlers Nervenkrankheit. Eine neurologisch-psychiatrische Studie, in: Vierteljahreshefte für Zeitgeschichte 2 (1994),
S. 157-220 [Auflistung und Beschreibung der Auftritte Hitlers in der UTW und DW von 1939 bis 1945]
sowie Peter Bucher, Wochenschau und Dokumentarfilme 1895-1950 im Bundesarchiv-Filmarchiv
(Findbücher zu Beständen des Bundesarchivs
Bd. 8), Koblenz 1984.
Eine weitere Quelle für die Zuschreibung von Aufnahmen sind gesicherte Aufenthalte von Frentz
in den Führerhauptquartieren oder in Hitlers
Begleitpersonal, bei denen Aufnahmen entstanden sind, die für die Wochenschau verwendet
wurden. Auch Werkfotos mit Frentz und Fotografien von Frentz, die im Zusammenhang mit den
Filmaufnahmen zu sehen sind, dienten als Grundlage.
Als zusätzlicher Hinweis auf mögliche Autorenschaft kann die Namensnennung im Vorspann
der Wochenschau gesehen werden. Über die
Verfahrensweise ist jedoch wenig bekannt. Der
Quellenwert ist problematisch. So wird Frentz
beispielsweise in der DW 536, 572, 575 oder 576
genannt, obgleich keine Beiträge von ihm enthalten sind.

Als gesichert können Sequenzen von Frentz in
folgenden 71 Wochenschauen gelten: **1939**: UTW
470, 471, 472, 473, 475; **1940**: DW 511, 512, 514,
515, 516, 517, 519, 520, 526, 529, 530, 533, 534,
537; **1941**: DW 539, 543, 544, 548, 550, 552, 554,
555, 556, 557, 567, 570, 571, 573, 574, 579, 582,
583, 584, 587, 588, 589; **1942**: DW 594, 596, 598,
599, 602, 607, 609, 612, 614, 617, 618, 621, 623,
631, 637; **1943**: DW 643, 646, 648, 649, 655, 658,
659, 660, 679, 686, 687, 689; **1944**: DW 712; **1945**:
DW 754, 755.

Zeitliche und örtliche Zuschreibungen: **1940**:
UTW 492, 499, DW 510, **1941**: DW 563, 582; **1942**:
DW 603, 604, 605, 608, 616, 626; **1943**: DW 666,
674, 681, 684; **1944**: DW 701, 704, 714, 722, 725,
726, 731, 745.

Wochenschauen, die mit Frentz-Beiträgen über
technische Angaben (z.B. Vorspann) oder anderweitig in Verbindung gebracht werden: **1940**: DW
513, 524, 527, 536; **1941**: DW 560, 565, 569, 572,
575, 576, 586, 590; **1942**: DW 600, 603, 604, 605,
606, 608, 610, 611, 613, 615, 619, 622, 625, 626,
630, 633; **1943**: DW 651, 681, 682, 684, 685; **1944**:
DW 698, 706, 727, 732, 744, 745.

Personenregister

Bildnachweis

Bildarchiv Bayerische Staatsbibliothek: 22 (r.), 23 (r.), 28, 88 (o.), 97 (o. & u.) / Bildarchiv Preußischer Kulturbesitz, Berlin: 134 (l.), 158 (l. & r.), 160 (l.) / Bundesarchiv/Filmarchiv Berlin: 50, 53, 54, 55 (o.), 58 / Deutsches Historisches Museum: 59 / Getty Images: 157 (r.), 159 (r.) / Institut für Sozialforschung, Hamburg: 159 (l.) / Ullstein Bild: 70, 90, 181 (o. l.) / Verlag Nürnberger Presse: 230 (u. r.) / Zeit-Verlag, Hamburg: 229 / Alle anderen Abbildungen © Hanns-Peter Frentz, Berlin.

4513

Negative
Fehlen!

45-13

Manteufel

Film 4507

45 ↑ Vorhanden 1

Negativ